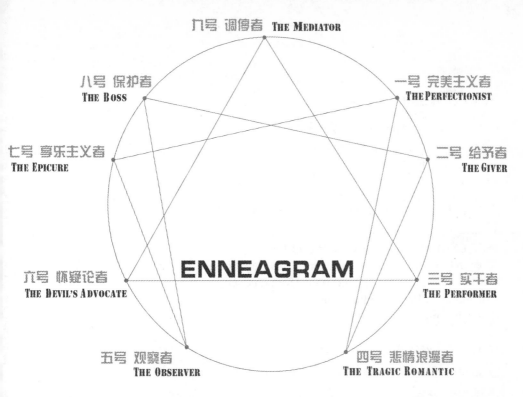

九号 调停者 THE MEDIATOR

八号 保护者
THE BOSS

一号 完美主义者
THE PERFECTIONIST

七号 享乐主义者
THE EPICURE

二号 给予者
THE GIVER

**ENNEAGRAM**

六号 怀疑论者
THE DEVIL'S ADVOCATE

三号 实干者
THE PERFORMER

五号 观察者
THE OBSERVER

四号 悲情浪漫者
THE TRAGIC ROMANTIC

# 九型人格

(美) 海伦 帕尔默 (Helen Palmer) 著

徐扬 译

华夏出版社
HUAXIA PUBLISHING HOUSE

**图书在版编目（CIP）数据**

九型人格/（美）帕尔默著；徐扬译. —北京：华夏出版社，2016.1
书名原文：the enneagram
ISBN 978-7-5080-8614-9

Ⅰ.①九… Ⅱ.①帕… ②徐… Ⅲ.①人格心理学－通俗读物 Ⅳ.①B848-49

中国版本图书馆CIP数据核字（2015）第 234452 号

THE ENNEAGRAM by Helen PALMER

Copyright © 2003 by the Center for the Investigation and Training of Intuition
Published by arrangement with HarperSanFrancisco,
An imprint of HarperCollins Publishers

北京市版权局著作权合同登记号：图字 01-2006-5158

## 九型人格

| | | |
|---|---|---|
| 著　　者 | [美]帕尔默 | |
| 译　　者 | 徐　扬 | |
| 责任编辑 | 朱　悦 | |
| 责任印制 | 刘　洋 | |
| 出版发行 | 华夏出版社 | |
| 经　　销 | 新华书店 | |
| 印　　刷 | 三河市少明印务有限公司 | |
| 装　　订 | 三河市少明印务有限公司 | |
| 版　　次 | 2016 年 1 月北京第 1 版 | |
| | 2016 年 1 月北京第 1 次印刷 | |
| 开　　本 | 720×990　1/16 开 | |
| 印　　张 | 23 | |
| 字　　数 | 338 千字 | |
| 定　　价 | 45.00 元 | |

**华夏出版社**　　地址：北京市东直门外香河园北里 4 号　　邮编：100028
网址：www.hxph.com.cn　　电话：（010）64663331（转）
若发现本版图书有印装质量问题，请与我社营销中心联系调换。

# 目录

## 第14章　九号性格：调停者　315

# 九型人格简易测试

这是一个九型人格的简易测试，为编者所加。它能帮助你在很短的时间内初步判断你属于九型人格中的哪一种类型。

1. 下面有 108 个陈述。

2. 在你认为符合你的陈述前面做个记号，注意遮住每个陈述前面的数字。

3. 然后把同一数字后面的记号统计相加，比如数字"1"后面有 3 个记号，数字"2"后面有 8 个记号，数字"3"后面有 1 个记号，数字"4"后面有 5 个记号，等等。

4. 拥有最多记号的数字很有可能就是你的类型号。

5. 需要说明的是，这个结果只是一个供参考的结论，更精准的判断还需要阅读全书，在深入了解和揣摩比较后获得。

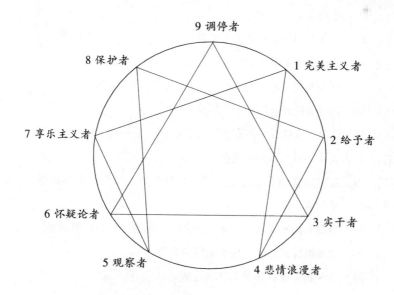

# 九型人格简易测试

9 □ 1 我很容易迷惑。

1 □ 2 我不想成为一个喜欢批评的人，但很难做到。

5 □ 3 我喜欢研究宇宙的道理、哲理。

7 □ 4 我很注意自己是否年轻，因为那是找乐子的本钱。

8 □ 5 我喜欢独立自主，一切都靠自己。

2 □ 6 当我有困难时，我会试着不让人知道。

4 □ 7 被人误解对我而言是一件十分痛苦的事。

2 □ 8 施比受会给我更大的满足感。

6 □ 9 我常常设想最糟的结果而使自己陷入苦恼中。

6 □ 10 我常常试探或考验朋友、伴侣的忠诚。

8 □ 11 我看不起那些不像我一样坚强的人，有时我会用种种方式羞辱他们。

9 □ 12 身体上的舒适对我非常重要。

4 □ 13 我能触碰生活中的悲伤和不幸。

1 □ 14 别人不能完成他的分内事，会令我失望和愤怒。

9 □ 15 我时常拖延问题，不去解决。

7 □ 16 我喜欢戏剧性、多彩多姿的生活。

4 □ 17 我认为自己非常不完善。

7 □ 18 我对感官的需求特别强烈，喜欢美食、服装、身体的触觉刺激，并纵情享乐。

5 □ 19 当别人请教我一些问题，我会巨细无遗地分析得很清楚。

3 □ 20 我习惯推销自己，从不觉得难为情。

7 □ 21 有时我会放纵和做出僭越的事。

2 □ 22 帮助不到别人会让我觉得痛苦。

| 5 | ☐ | 23 | 我不喜欢人家问我广泛、笼统的问题。 |
| 8 | ☐ | 24 | 在某方面我有放纵的倾向（例如食物、药物等）。 |
| 9 | ☐ | 25 | 我宁愿适应别人，包括我的伴侣，而不会反抗他们。 |
| 6 | ☐ | 26 | 我最不喜欢的一件事就是虚伪。 |
| 8 | ☐ | 27 | 我知错能改，但由于执著好强，周围的人还是感觉到压力。 |
| 7 | ☐ | 28 | 我常觉得很多事情都很好玩，很有趣，人生真是快乐。 |
| 6 | ☐ | 29 | 我有时很欣赏自己充满权威，有时却又优柔寡断，依赖别人。 |
| 2 | ☐ | 30 | 我习惯付出多于接受。 |
| 6 | ☐ | 31 | 面对威胁时，我一是变得焦虑，一是对抗迎面而来的危险。 |
| 5 | ☐ | 32 | 我通常是等别人来接近我，而不是我去接近他们。 |
| 3 | ☐ | 33 | 我喜欢当主角，希望得到大家的注意。 |
| 9 | ☐ | 34 | 别人批评我，我也不会回应和辩解，因为我不想发生任何争执与冲突。 |
| 6 | ☐ | 35 | 我有时期待别人的指导，有时却忽略别人的忠告径直去做我想做的事。 |
| 9 | ☐ | 36 | 我经常忘记自己的需要。 |
| 6 | ☐ | 37 | 在重大危机中，我通常能克服我对自己的质疑和内心的焦虑。 |
| 3 | ☐ | 38 | 我是一个天生的推销员，说服别人对我来说是一件轻易的事。 |
| 9 | ☐ | 39 | 我不相信一个我一直都无法了解的人。 |
| 8 | ☐ | 40 | 我爱依惯例行事，不大喜欢改变。 |
| 9 | ☐ | 41 | 我很在乎家人，在家中表现得忠诚和包容。 |
| 5 | ☐ | 42 | 我被动而优柔寡断。 |
| 5 | ☐ | 43 | 我很有包容力，彬彬有礼，但跟人的感情互动不深。 |
| 8 | ☐ | 44 | 我沉默寡言，好像不会关心别人似的。 |
| 6 | ☐ | 45 | 当沉浸在工作或我擅长的领域时，别人会觉得我冷酷无情。 |
| 6 | ☐ | 46 | 我常常保持警觉。 |
| 5 | ☐ | 47 | 我不喜欢要对人尽义务的感觉。 |

5 □ 48 如果不能完美地表态，我宁愿不说。

7 □ 49 我的计划比我实际完成的还要多。

8 □ 50 我野心勃勃，喜欢挑战和登上高峰的经验。

5 □ 51 我倾向于独断专行并自己解决问题。

4 □ 52 我很多时候感到被遗弃。

4 □ 53 我常常表现得十分忧郁的样子，充满痛苦而且内向。

4 □ 54 初见陌生人时，我会表现得很冷漠、高傲。

1 □ 55 我的面部表情严肃而生硬。

4 □ 56 我很飘忽，常常不知自己下一刻想要什么。

1 □ 57 我常对自己挑剔，期望不断改善自己的缺点，以成为一个完美的人。

4 □ 58 我感受特别深刻，并怀疑那些总是很快乐的人。

3 □ 59 我做事有效率，也会找捷径，模仿力特强。

1 □ 60 我讲理、重实用。

4 □ 61 我有很强的创造天分和想象力，喜欢将事情重新整合。

9 □ 62 我不要求得到很多的注意力。

1 □ 63 我喜欢每件事都井然有序，但别人会认为我过分执著。

4 □ 64 我渴望拥有完美的心灵伴侣。

3 □ 65 我常夸耀自己，对自己的能力十分有信心。

8 □ 66 如果周遭的人行为太过分时，我准会让他难堪。

3 □ 67 我外向、精力充沛，喜欢不断追求成就，这使我的自我感觉十分良好。

6 □ 68 我是一位忠实的朋友和伙伴。

2 □ 69 我知道如何让别人喜欢我。

3 □ 70 我很少看到别人的功劳和好处。

2 □ 71 我很容易知道别人的功劳和好处。

3 □ 72 我嫉妒心强，喜欢跟别人比较。

1 □ 73 我对别人做的事总是不放心，批评一番后，自己会动手再做。

| 3 | ☐ | 74 | 别人会说我常带着面具做人。 |
| 6 | ☐ | 75 | 有时我会激怒对方，引来莫名其妙的吵架，其实我是想试探对方爱不爱我。 |
| 8 | ☐ | 76 | 我会极力保护我所爱的人。 |
| 3 | ☐ | 77 | 我常常刻意保持兴奋的情绪。 |
| 7 | ☐ | 78 | 我只喜欢与有趣的人为友，对一些闷蛋却懒得交往，即使他们看来很有深度。 |
| 2 | ☐ | 79 | 我常往外跑，四处帮助别人。 |
| 3 | ☐ | 80 | 有时我会讲求效率而牺牲完美和原则。 |
| 1 | ☐ | 81 | 我似乎不太懂得幽默，没有弹性。 |
| 2 | ☐ | 82 | 我待人热情而有耐性。 |
| 5 | ☐ | 83 | 在人群中我时常感到害羞和不安。 |
| 8 | ☐ | 84 | 我喜欢效率，讨厌拖泥带水。 |
| 2 | ☐ | 85 | 帮助别人达致快乐和成功是我重要的成就。 |
| 2 | ☐ | 86 | 付出时，别人若不欣然接纳，我便会有挫折感。 |
| 1 | ☐ | 87 | 我的肢体硬邦邦的，不习惯别人热情的付出。 |
| 5 | ☐ | 88 | 我对大部分的社交集会不太有兴趣，除非那是我熟识的和喜爱的人。 |
| 2 | ☐ | 89 | 很多时候我会有强烈的寂寞感。 |
| 2 | ☐ | 90 | 人们很乐意向我表白他们所遭遇的问题。 |
| 1 | ☐ | 91 | 我不但不会说甜言蜜语，而且别人会觉得我唠叨不停。 |
| 7 | ☐ | 92 | 我常担心自由被剥夺，因此不爱作承诺。 |
| 3 | ☐ | 93 | 我喜欢告诉别人我所做的事和所知的一切。 |
| 9 | ☐ | 94 | 我很容易认同别人为我所做的事和所知的一切。 |
| 8 | ☐ | 95 | 我要求光明正大，为此不惜与人发生冲突。 |
| 8 | ☐ | 96 | 我很有正义感，有时会支持不利的一方。 |
| 1 | ☐ | 97 | 我注重小节而效率不高。 |

| | | | |
|---|---|---|---|
| 9 | □ | 98 | 我容易感到沮丧和麻木更多于愤怒。 |
| 5 | □ | 99 | 我不喜欢那些侵略性或过度情绪化的人。 |
| 4 | □ | 100 | 我非常情绪化，一天的喜怒哀乐多变。 |
| 5 | □ | 101 | 我不想别人知道我的感受与想法，除非我告诉他们。 |
| 1 | □ | 102 | 我喜欢刺激和紧张的关系，而不是稳定和依赖的关系。 |
| 7 | □ | 103 | 我很少用心去听别人的心情，只喜欢说说俏皮话和笑话。 |
| 1 | □ | 104 | 我是循规蹈矩的人，秩序对我十分有意义。 |
| 4 | □ | 105 | 我很难找到一种我真正感到被爱的关系。 |
| 1 | □ | 106 | 假如我想要结束一段关系，我不是直接告诉对方就是激怒他来让他离开我。 |
| 9 | □ | 107 | 我温和平静，不自夸，不爱与人竞争。 |
| 9 | □ | 108 | 我有时善良可爱，有时又粗野暴躁，很难捉摸。 |

---

| | | |
|---|---|---|
| 1 号 | 共计（    ）个记号 | **完美主义者** |
| 2 号 | 共计（    ）个记号 | **给予者** |
| 3 号 | 共计（    ）个记号 | **实干者** |
| 4 号 | 共计（    ）个记号 | **悲情浪漫者** |
| 5 号 | 共计（    ）个记号 | **观察者** |
| 6 号 | 共计（    ）个记号 | **怀疑论者** |
| 7 号 | 共计（    ）个记号 | **享乐主义者** |
| 8 号 | 共计（    ）个记号 | **保护者** |
| 9 号 | 共计（    ）个记号 | **调停者** |

# 前　　言

这个世界上有谁不关心自己的性格吗？我从来没有碰到这样的人。

人们总是想知道更多关于他们自身性格的信息。在读研究生时，我选择的专业就是性格研究。我找到了当时能够找到的所有心理测试，期望这些测试能够让我们洞察到真正的自己。我的大部分同学也和我一样。

我们为什么对我们自己那么感兴趣？

第一个动机很简单，就是好奇。我们想知道自己的大脑、心灵和感觉运作的方式。

"我为什么会这样看问题？"

"我为什么会产生这样的感觉，而其他人可能产生其他感觉？"

"为什么在和我面对同样的情况时，我的朋友的反应是生气，而我的反应却是沮丧？"

思考这些问题十分有趣，和其他人讨论这些问题也很有趣。

第二个动机是实用。我们的生活中充满了各种各样的痛苦。身体上的病痛、没有实现的期望、各种烦心事儿，还有那些对待我们不公正的人，所有这些都让我们感到痛苦和烦恼。面对这些痛苦，我们做出的一个最常见反应就是抱怨。

"如果我的背上没有伤…"

"如果承包商能够准时赶到…"

"如果上下班的路程不用花那么长时间…"

"如果人们能够意识到我真正的才华和魅力…"

**仅仅拥有思想上的洞察是远远不够的，我们还需要情感上的洞察。**

——"那我就会得到真正的快乐。"

当我们对自己有了一些了解后，我们会发现，尽管有些外在的事情着实令人心烦，但实际上许多痛苦是我们自己制造的。

"如果不是我逞能，在背部有伤的情况下搬那个重家伙…"

"如果不是我非得把期限安排得那么紧张…。"

"如果我上班的时候能够提前 10 分钟…"

"如果我不是那么在意他人的认可…"

——那么这些痛苦都可以从生活中消失。

到底是我的个性中的什么让我失去了耐心，让我对时间如此苛刻，让我自己陷入麻烦？为什么我的性格类型让我如此在意他人的认可，尽管我的理性告诉我，这些认可并没有那么重要？

传统心理学有关性格的理论常常能够帮助我们在思想上有所洞察，让我们知道为什么我们会有这样那样的行为和感觉。这些理论还能让我们对那些制造麻烦的性格进行改造。但是它对性格改造的实际效果却非常有限。

造成这一结果的原因有很多，比如，我们在阅读了某些性格理论后所产生的认识也许是错误的，或者我们误解了那些思想。不仅如此，所有关于性格分析的理论，实际上都不是绝对正确的，所以那些看起来很有道理的理论可能并不能运用于实践，有的甚至会成为自我改造的障碍。另外，我们性格中的自大和自恋可能也会阻碍性格分析理论发挥作用。更重要的是，仅仅拥有思想上的洞察是远远不够的，我们还需要情感上的洞察，而这种认识通常只有在专业人士的帮助下，或者在突发事件的震惊中，才能获得。

还有一个让我们对性格分析的理论感兴趣，但却对它们的实用效果感到失望的原因是：几乎所有被熟知和广泛认可的性格分析体系都无法超越普通生活。

多数人去求助于心理医生是因为他们觉得自己不"正常"。他们难以与他人相处、自我感觉不好，或者有一些糟糕的习惯让他们深陷痛苦。他们希望能和正常人一样，轻松地和他人相处，拥有良好的自我感觉，不会把生活搞得一团糟。正常的生活当然是有起伏的，心理咨询和治疗有时（并不是经常）能帮助人们过更好的"正常"生活。

20世纪50年代，精神治疗学家们发现了一种新的患者，我在《苏醒》（Wake Up，1986年出版）一书中把这类患者称为"成功的不满者"。他们的人生通常很成功，他们拥有相当的社会地位，有体面的工作，有令人羡慕的收入，有温馨的家庭生活，他们受到他人的认可和尊敬。总而言之，他们拥有了在我们这个社会中一切让人高兴的因素。但是成功并不意味着没有痛苦或困难。有些痛苦和困难是正常生活的一部分，是可以被接受的。这些成功的不满者也很清楚，按照一般的标准，他们是"快乐"的，但是他们还是会去寻求心理治疗，因为他们觉得生活依然"空虚"。除了金钱、职业、消费品和社会生活外，生活难道没有其他内容了吗？生活的意义在哪里？

到目前为止，传统心理治疗方法对这些人很难有所帮助。在传统心理学中，性格结构中的一些细枝末节被专门挑了出来，关于性格起源的一些有趣见解也被拿出来公开讨论，但是最核心的问题，即生活的深层意义，却很少被涉及。

这些"成功不满者"的出现，促进了人本心理学（由美国心理学家马斯洛与罗杰斯在20世纪50年代创立，反对精神分析与行为主义两者的窄化与偏颇，主张了解人性，还主张改善环境以利于人性的充分发展，以期臻于自我实现的境界。——译者注）和后人本心理学（20世纪60年代末至70年代初在美国兴起的一种心理学流派。它是人本心理学的派生物，主张将自我与个人以外的世界和意义联系起来。——译者注）的发展。这些心理学流派认识到，在心理学研究中，除了对普通生活和性格分析的有用研究之外，还存在着另一个重要领域，即人的存在和精神层面的领域，也就是人本主义的领域。

一旦人们在普通生活层面获得了成功，他们如果想要继续获得健康和快乐，就会进入存在和精神的领域。在此之外，有关普通生活层面的性格分析理论都是有效的，但是如果我们需要进一步发展，这些理论的缺陷就会暴露出来，我们就会对它们感到失望，而且很可能并不知道是什么原因造成的。

*人类有许多不必要的痛苦，这些痛苦都是由我们的性格缺陷造成的。*
*我们每一个人都有一种主导的性格特征，这是我们性格的轴心，许多*
*虚幻的性格内容都是由此产生。*

  在我还是一名研究性格特征的研究生时，我就对精神领域和超个人领域的生活很感兴趣，当时我就已经感到传统心理学对人的理解虽然很有用，但大部分理论都有局限性。惟一值得一提的例外就是荣格：他提出了集体无意识（荣格指出，集体无意识在潜意识的深层，既不为个人所自知，也不属于个人所独有，是人类在种族演化中长期留传下来的一种普遍存在的原始意象。——译者注）的概念，这个概念打开了我们存在的精神领域。但是荣格本人并没有完全被传统的心理学和精神病学权威所接受，所以他的理论也没有形成一套普遍适用的有效体系。

  后来，我在世界各地的许多精神体系中都发现了有关性格分析和心理学的理论，其中一个最典型的，就是"九型人格"的性格类型。

  "九型人格"的概念是由乔治·伊万诺维奇·葛吉夫 19 世纪介绍到西方的，葛吉夫是一位把东方哲学的精神教义介绍到西方的先锋。他在自己的施教中，使用了"九型人格"的概念。葛吉夫认识到人类有许多不必要的痛苦，这些痛苦都是由我们的性格缺陷造成的。他指出，我们每一个人都有一种主导的性格特征，这是我们性格的轴心，许多虚幻的性格内容都是由此产生。如果我们能够知道这种主导特征是什么，那我们就能更好地理解和超越那些虚幻的性格。葛吉夫把那些虚幻的性格称为"错误性格"，因为这些性格内容很多都是我们在童年时代被迫形成的，并非我们的主动选择。

  我第一次接触到"九型人格"的概念是在 1972 年，在一个有关意识转换的研讨会上。我的一个学生和我谈起了这个系统；他还告诉我，他已经运用这一系统给我的性格归了类。在接下来的几次午餐时间，他给我详细讲解了这一系统，在餐巾纸的背面画出了九角星图（很奇怪，科学研究中有很多奇思妙想都是在餐巾纸的背面勾画出来的，这是一个传统!）。他的介绍立刻引发了我强烈的兴趣，于是我加入了美国伯克利大学的研究组，当时带头人是来自智利的精神学家纳兰霍。纳兰霍是位杰出的研究者，他把"九型人格"中的基本性格理论与现代心理学知识联系在了一起。

  我了解到，纳兰霍关于"九型人格"的基本知识是从智利的另一位大师

**它告诉我们，通过重新控制那些被错误地用来压制我们天性的身体能量，我们就能够获得更高层面的德行，获得存在和精神上的价值。**

奥斯卡·伊察诺那里学到的，而伊察诺则声称自己的知识来自一个神秘的密宗流派，这个流派同样也是葛吉夫有关"九型人格"理论的老师。

我对于这些神秘学的流派并不感兴趣，我真正关注的是，如果科学能够解释精神，我们该怎样把理性与非理性区分开。那些神秘流派可能存在，也可能不存在，但是在科学研究中谈论它们，就如同在一头公牛面前挥舞红布，必定会遭来攻击。而且在当时，我的许多研究内容已经遭到了质疑，比如冥想、改变心境、超心理学等等，如果我再去研究神秘的"九型人格"，显然不是什么明智之举。但是在另一方面，我又被"九型人格"的内容所深深吸引，因为它能够超越普通生活。

它告诉我们，通过重新控制那些被错误地用来压制我们天性的身体能量，我们就能够获得更高层面的德行，获得存在和精神上的价值。

于是，我尝试脱离"九型人格"原有的神秘体系，从另一个角度来提炼它的价值。我把它看成一种关于性格研究的心理学理论，一种概念体系。很显然，它是我所遇到的最复杂、最细致的性格分析系统，而且它也是非常容易被感知的，因此它不会令人困惑。和它相比，大多数传统的性格分析系统都显得过于简单了。

尽管科学家们时时刻刻都把"客观性"挂在嘴边，但是在我们工作的大部分时间里，我们都是带有偏见和主观性的。真正挽救科学研究，使之不致于陷入墨守陈规的窘境中的，其实是大家努力维持客观性的承诺。前面我对"九型人格"所做的积极评价，就是在尽我所能，运用现代心理学的知识来阐述它的价值。但我还要强调的是，我的个人反应与现代心理学的知识是同等重要的。

当我了解了"九型人格"中有关我的性格类型的解释后，我有一种恍然大悟的感觉。许多以前觉得疑惑和不解的事情，在经过反思后，都变得顺理成章了。更重要的是，我发现自己对待生活的态度是有缺陷的，而现在我有了改变这些缺陷的方法。

一旦我了解了我的朋友们的性格类型，我就能理解他们的很多行为，并且能够更好地与他们互动，我们因此变成更好的朋友。多年的经验告诉我，这一体系对我一直都是有用的。

有很多年，"九型人格"的理论仅仅在纳兰霍或者伊察诺的学生之间流传。但是随着越来越多的"成功不满者"开始寻找理解自己、升华自己的方法，这种小范围的传授已经不能满足需要。正因为如此，海伦·帕尔默撰写此书可谓功不可没。她与大家分享了自己有关"九型人格"的理解，同时把自己对直觉理论的研究加入到这一基础系统之中。

她认为"九型人格"中的每一种性格类型都是建立在不同的感知类型之上，这一观点对我们尤为有用。

我相信，这本书里的内容不仅能够帮助许多人认识到他们自己的性格类型，更能够帮助他们超越自我。"九型人格"并不是惟一可以帮助个人成长的途径，但它的确是一种非常有用的方法。作为一个系统，它还远远不够完美，正如帕尔默自己所说，我们还需要进行很多实验和科学研究，才能把这一系统进一步深化——但是现在，它已经算得上是一个非常实用的系统了。

现在，那种最初认识这一系统的兴奋早已从我身上消逝，但是我依然觉得"九型人格"是一个对于了解自己和他人都十分有用的体系。尽管如此，我们还是应该记住，不论是关于"九型人格"的一本书，一次讲座，或者一些个人建议，都仅仅传达了对现实的想法，而远非真正的现实。就像禅宗里的一句古老谚语所说："用手指着的月亮，并不是真正的月亮。"

"九型人格"的感知/情绪结构能够帮助我们更好地理解和改造我们的个性。但是它不是真理，不是事实。它只是有关性格的理论。

"九型人格"能够常常提醒我们：我们生活在一个被我们假想的世界中，我们不必要的防卫心理，常常让我们把有关现实的想法和感受误认为是现实本身。只要心中记住这一点，"九型人格"就能成为我们每一个人的强大工具。

如果我们把它当作真理，用它来取代我们对自己和他人的实际观察，那么"九型人格"就会黯然失色，它将倒退成另一种把我们自己和他人模式化的工

> **我们生活在一个被我们假想的世界中，我们不必要的防卫心理，常常让我们把有关现实的想法和感受误认为是现实本身。只要心中记住这一点，"九型人格"就能成为我们每一个人的强大工具。**

具，让我们在清醒的梦中继续生活的幻想。

这本书提供了一件强大的工具。我希望你有足够幸运，能够用它来开启通向深层自我的大门。

查尔斯·T. 塔特（Charles T. Tart）博士

加利福尼亚大学心理学教授

# 第一章　你应该了解的背景

什么是"九型人格"？

"九型人格"，在英文中称为 Enneagram。事实上，这是一种非常古老的说法。它来自公元 9 世纪中亚和波斯地区兴起的神秘信仰——苏菲教，这种教义描述了人类所具有的九种性格，解释了不同性格间的相互关系。

我们现在来研究这门古老的学问，用意有三：

★ 它能够帮助我们认识自己的性格特征，让我们更轻松地生活；

★ 它让我们对自己的同事、恋人、家人和朋友有更多了解；

★ 它让我们去发掘不同性格所拥有的潜能，这些潜能包括了爱的能力、感受他人的能力以及先知先觉的能力。

总而言之，写这本书的目的就是让你更了解你自己，帮助你处理你的人际关系，并把你个性中的潜在能力挖掘出来。

"九型人格"的教义认为，在人追求至高觉悟的过程中，人的性格将成为他们发掘自身潜力的导引者。人性的发展是一个包括了不同阶段的完整体系，从最基本的性格特征，到一些不平常的潜能，比如爱的能力、感受他人的能力和先知先觉的能力，这是一个漫长的演变过程，而本书中出现的"九型人格图"仅仅是这个完整模式的一部分。

我们在阅读此书时，千万不要捡了芝麻，丢了西瓜。仅仅关注九种具体的性格类型，而忽略了导致它们存在的大背景，这是不对的。因为完整的"九型人格"与大部分的意识模式都不同，它强调的是人的性格与人的潜能之间

当你能够透过其他性格类型人的眼睛来看待这个世界时，你立刻就会
发现，没有哪一种性格是完美无缺的。

　　的关系。这整个系统的奇妙之处就在于，一些普通的性格特征，一些常被我们
忽略、以为是自然反应的习性，其实正是引领我们进入更高层次自我的通道。

　　了解我们的先天性格特征至少可以达到两个目的：

★ 首先，它能够让我们提高做人的效率，感觉更幸福；

★ 其次，我们可以学会如何抛开固有性格，让深层的意识得到展现。

# 形成于交谈的传统

　　迄今为止，口头交流依然是获得"九型人格"信息的最好方式。让属于
同一种性格类型的人坐在一起，讨论他们的生活，可以帮助他们更好地了解自
己。当场看到并听到一群人用清楚的语言表达相似的观点，往往会比阅读他们
的谈话记录收获更多。一群外表迥异的人在经过一小时的交谈后，会变得非常
相似。旁观者能够从他们的身体姿态、情感表达、面部表情，还有他们散发的
个人气息等细微层面发掘他们之间的相似性。当交谈者的性格特征逐渐显现出
来时，观察者会明显感到，每一种性格类型都有一种独特的感觉，一种与众不
同的气质。

　　一组性格类型相同的人，最初可能毫无共同性可言，因为我们首先注意的
是他们在性别、年龄、种族、职业和个人风格上的差异。但是一小时后，一旦
你的注意力从表面特征中转移出来，这些人就会变得相似起来：他们的背景、
他们的选择、他们的喜好、他们的目标。他们不喜欢的东西和他们梦想的东西
变得一致起来。

　　"九型人格"中的每一种人对这个世界的看法都是不一样的，但是通常，
我们并不知道别人的看法。我们只是根据自己的看法来判断他人的思想。"九
型人格"的教义所强调的，就是要走出自己的固有观念，去感受他人的思想。
它帮助你对他人的处境有更多了解，从而设身处地为他人着想。当你能够透过
其他性格类型人的眼睛来看待这个世界时，你立刻就会发现，没有哪一种性
格是完美无缺的。不仅你本身对于其他性格的人存在偏见，不同性格的人因

> 人与人之间是不同的，我们在处理人际关系时遇到的许多烦恼正是因为我们对他人的观点视而不见。我们没有意识每个人都有他们自己的生活。

为自身观念的不同，也会有着这样那样的局限性。

那些与我性格相似的人，他们所讲述的故事总能让我受到启发。每当我从他们的故事中发现我自己的生活模式时，我总是会被这种教学方法的力量所打动。他们的思维方式和我如此相似，他们处理事情的方式和我如此相似。

我从他们对自我的发现中获得很多启示。

这种方法的奇妙之处就在于你要抛开自身，挖掘深层次的自我，去弄清楚那些对你的生活产生影响的性格模式。但是在这里，我们理解自我的目的，是从内心去学习和观察这些性格模式，最终把这些性格模式放到一边。我们所说的"放到一边"，可不是仅仅把问题解决，把痛苦消除，而是去深入探寻一个包含了多层意识的完整体系，把注意力从自己的思想和感觉中转移出来，让潜在的知觉自然显现。

在本书后面的章节，会有各种性格者的自述，这些自述将帮助你找到自己的性格。

要记住的是，人与人之间是不同的，我们在处理人际关系时遇到的许多烦恼正是因为我们对他人的观点视而不见。我们没有意识每个人都有他们自己的生活。

举例而言，哪怕是一对热恋中的情侣，要想完全了解对方，也不是一件容易的事情。如果其中一个属于第 9 号性格（调停者），而另一个属于第 8 号性格（保护者），那么他们可能常常无法相互理解？因为 8 号性格者信奉的是"不打不相识"原则，他们认为人们在正面冲突中才能表现出真实情感，而 9 号性格者却是"硬的不吃，吃软的"，他们对直接命令视而不见，甚至顽固回绝，但是却会因为他人温和的求援而慷慨付出。

## "九型人格"是完美的吗？

"九型人格"有什么问题吗？

如果"九型人格"存在什么问题的话，那就是这个系统实在太好用了。

*有的时候，我们只关注到那些与我们的性格属性相一致的特征，而忽视了其他方面。这很可怕，因为当我们把注意力都集中在那些定义我们性格的特征上时，我们就毫无疑问地被关进了这种性格的牢笼中。我们失去了自由。*

这是一个少有的能够把自身理论与人们的日常行为和高层次行为都联系起来的系统。这个系统并不像其他系统那样，侧重于复杂的原理分析，而是把大量的心理学智慧汇聚在一个简洁、易懂的体系中。如果你找到自己的性格类型，并且知道了你关心的人都是什么性格，你立刻就能获得大量如何与他人相处的有用信息。

在西方，我们总是喜欢对未知的世界进行占卜和预测，我们当然希望能够把所有人都放到不同的性格盒子里，因为这样就能让我们放松心情，不再害怕这个神秘的世界。正因为如此，人们很自然地会期望运用"九型人格"来给所有人分类，以便能够知道他人的想法，预知他人的行动。

不过"九型人格"并不是一个固定不变的系统。它是一个动态的模式，这个模式由相互交织的线条构成，说明我们每个人实际上都同时拥有这九种性格的潜质，但是我们最注意的还是我们自己最突出的性格特征。这个九角星结构和它相互交织的线条，还象征着每一种性格的人都会与其他性格的人产生多边的互动关系。

这些互相交织的线条还暗示了不同性格的人所具有的另一面，比如他们在面对压力，或者身处十分安全的环境时，可能做出与日常行为不同的事情。也就是说，九角星的每个角实际上都是由三个主要方面构成的——其中一个是主导性的，构成了这种性格类型的人的主要特征和思想观念；除此之外，还有另外两个方面，揭示了他们在安全环境或者压力环境中的行为表现。

有的时候，我们只关注到那些与我们的性格属性相一致的特征，而忽视了其他方面。这很可怕，因为当我们把注意力都集中在那些定义我们性格的特征上时，我们就毫无疑问地被关进了这种性格的牢笼中。我们失去了自由。如果我们无法把注意力从现有的性格特质中转移开，无法以一个旁观者的眼光来看待自己的行为，我们就变成了自身习性的俘虏，失去了选择的自由。

好在我们并非在所有时候都受到自身性格的控制。我们总是能够转移我们的注意力，从另一个角度来看待事物。在"九型人格"的系统中，当我们的意识超越那些固有的性格特征时，我们就可以从那些限制我们的习性中走出

*当我们陷入性格分类的泥淖时，我们就会对所有人进行分类，把他们身上的性格特征放大，从而让这种性格更加明显。反之，别人也会根据我们的性格类型来对待我们，而我们因而更加深信他人对我们的解读。*

来，进入一个更高层面的发展阶段。

性格分类的坏处是形成了一个可怕的自我实现的预言，一个本来不实的期望、信念或预测，由于它使人们按所想象的情境去行动，结果导致最初并非真实的预言竟然应验了。当我们陷入性格分类的泥淖时，我们就会对所有人进行分类，把他们身上的性格特征放大，从而让这种性格更加明显。反之，别人也会根据我们的性格类型来对待我们，而我们因而更加深信他人对我们的解读。于是，我们往往会把他人眼中的自己，当作是真正的自己，并且按照这样的要求来塑造自己。

这就是为什么我会说，"九型人格"的问题正是在于这个系统太好用了。人们能够轻而易举地发现自己的性格类型，并且能够依据这个系统来分析不同性格类型的人。我就曾看到有人利用这个系统把自己装扮成通灵人士，因为他们能够迅速而准确地说出某个陌生人的性格特征，以及大量有关此人的细节信息。

如果我们拥有了一个这么好的系统，却要用一种错误的态度来对待它，我们很可能就会忘记我们了解这个系统的初衷：我们要解读性格类型，正是为了把性格放到一边，去挖掘我们的潜能，去追求更高层面的意识。

如果我们用一种狭隘的心思来解读它，就大大削弱了这个系统的价值和作用。要知道，性格类型仅仅是我们通往更高能力的阶梯而已。

好在这种"九型人格"的性格分类在现实世界中还没有完全发挥作用，这真是一个好消息！

一位老板不会为了某个具体职位而列出一个长长的清单，注明"该雇用"和"不该雇用"哪些人。

"雇用一个4号性格的人（悲情浪漫者）到画廊里工作"，这种话是毫无意义的，如果这位4号性格的人对于绘画作品毫无鉴赏力，哪怕他或她具有非常浓厚的艺术气质，也无法胜任画廊的工作。

这种性格标签也不会为媒人们提供配对的秘方，告诉他们3号性格（实干者）的理想伴侣是7号（享乐主义者），或者2号（给予者）与4号（悲情浪

*我们研究自己的性格类型，就能从那些与我们性格相似的人身上获得经验，从中发现让我们自身得到发展的条件，而不再凭感觉去摸索前行。*

漫者）做不了情侣，但却可以成为好朋友。说不定在现实生活中，2 号和 4 号之间就会产生一种违背了性格类型配方的奇异化学反应！

当然，如果仅仅因为 5 号性格的人（观察者）是优秀的决策者，3 号性格（实干者）的人是出色的销售人员，而 8 号性格的人（保护者）最擅长让企业起死回生，就据此组建一支团队的话，恐怕也很难成为一支"理想的团队"。

在现实生活中，人性的复杂和多样化远远不是一长串的性格特征所能够描述清楚的。

那么我们为什么还要来研究人的性格类型呢？

如果一套准确的性格类别系统并不能消除我们雇用职员或者寻找伴侣时可能遇到的风险，为什么还要费心去研究这些东西呢？

原因很简单，就是为了与真正的自我建立合作关系。我们研究自己的性格类型，就能从那些与我们性格相似的人身上获得经验，从中发现让我们自身得到发展的条件，而不再凭感觉去摸索前行。所以说，研究性格类型最重要的原因不是为了让你能够指出他人的性格特征，而是为了减少你自己的苦恼和麻烦。

研究性格类型的第二个原因是你可以从他人的角度来理解他人，而不是从你自己的角度。这种对他人的理解能够让团队的工作效率更高，让浪漫的恋情更具魔力，让分裂的家庭重新复合。虽然我们无法指派某种性格类型的人去从事特定的工作，并期望他们的表现与性格描述一模一样，但是我们至少可以站在同事的立场上，了解他们对工作的看法。

我们也不可能把"九型人格"当作我们择偶的标尺，期待伴侣做出符合他们性格特征的表现。甚至我们这样做也许会让他们感到疑惑和疲惫，并因此拒绝和我们的关系。我们能做的是，留意每种性格的人对待爱情的态度，理解他们的想法，从而改变我们自己的态度。

## 古老的历史

"九型人格"的英文 enneagram，来自于两个希腊词汇 ennea 和 grammos。

ennea 代表数字 9，grammos 的意思是尖角。而"九型人格"的图表正好是一颗九角星，这个九角星的模式，能够揭示物质世界中任何事物的发展过程，苏菲教用这种九角星模式来研究宇宙的变化过程和人的自我意识发展。

总的来说，"九型人格"包含了一套相互关联的理论，这套理论和犹太教的神秘哲学卡巴拉的思想核心"生命之树"十分相似，甚至在某些方面是一致的。这两种理论的关系十分有趣，它们虽然内容相似，但传播方式截然不同。"九型人格"是依靠口头传播沿袭下来的，它并没有留下有关自己历史渊源的文字记录。我们在伊斯兰的神秘哲学中也找不到相关的说明和评论，而这个系统本身就是一种神秘的预测，人类在研究它的过程中，也在朝着更高层次的意识不断发展。

西方人对于"九型人格"的了解最初源于乔治·伊万诺维奇·葛吉夫（George Ivanovich Gurdjieff），一位充满个人魅力的精神导师，他把"九型人格"这种属于苏菲教的口头传播系统吸收过来，用于自己的教学实验。现在有很多关于葛吉夫及其相关理论的著作都涉及了"九型人格"系统，但多数都没有提及葛吉夫是如何利用这套系统来观察人们的潜质，或者这套系统到底为他提供了哪些有用的信息。

葛吉夫的弟子们继续了有关九角星图的研究，但是他们把大部分精力都放在了一种不需要语言表达的肢体运动上。这种运动被称为葛吉夫的神圣舞蹈，参加的舞者在无意识的状态下做出各种肢体动作，从中感受自己身体的韵律。

葛吉夫希望告诉自己的学生们，九角星体系是一种永恒运动的体系。在他创办的学校里，礼堂的地板上就装饰有九角星的图案。学生们分别站在九个角上，完成一系列精心设计的肢体动作，这些动作说明了九角星的各个尖角与内部线条之间的关系。在学生们用舞蹈来表现这些尖角和线条的关系时，他们还会报告他们感受到的内在节奏、自然停顿、身体力量的重新结合。他们把注意力从思想上转移出来，专注于自己的肢体动作，完全投入到舞蹈所带来的身体运动中。

令人遗憾的是，在葛吉夫的时代，没有任何文字是真正关于"九型人格"

的性格研究的。那些传授葛吉夫教义的团体，也认为要获得更高的意识，必须放弃先天的性格特征，他们并没有把性格特征看作达到更高心灵境界的有用信息源。这些团体认为，我们独特的性格在整个人的潜能挖掘中作用不大，他们更关注的是非语言的肢体运动和葛吉夫所倡导的注意力训练（包括观察自我和记住自我），认为这才是通往内心世界的正确途径。不仅如此，苏菲教的早期传播者也认为，只有"真正能理解的人"才能成功运用苏菲教有关的性格分析系统。葛吉夫的追随者并没有真正理解"九型人格"体系，所以他们也不重视这样的研究。

很有可能，当时那些团体并没有真正接触到九角星图中有关性格的分类，或者当时的心理学发展水平还没有达到"九型人格"所代表的理论。但是，从葛吉夫对于这个系统的使用方式，以及他有关九角星图与性格关系的回答来看，他显然是知道其中奥妙的，他之所以没有公布出来，是因为他认为自己的学生们还无法接受这样的理论。

显然，葛吉夫的思想已经超越了时代。他同时代的人还没有准备好去接受这种识别自我的方式。尽管他的学生们进行了观察自我的训练，但是弗洛伊德有关意识的理论在当时的欧洲根本没有市场，而且这些学生们对于我们今天众所周知的心理成熟度也毫不了解。如果告诉这些学生我们的感知被我们的心理防御所破坏，而我们对于自身的动机往往处于"休眠"状态的话，他们一定无法理解。尽管他们训练得十分刻苦，但是他们这样做只是出于一种盲目的信任，认为他们的老师能够引领他们获得某种感知，但他们并不了解自己的心理。

## 成为内心的观察者

观察自我（self - observation）是许多探索内在世界的传统训练中都包括的基本项目。这种练习主要是把人的注意力往内心集中，试着去感知自己的内心思想和"注意的对象"，包括身体感觉、情感、思想、技艺、计划和幻想等。

完成这种练习的方法有好几种，不过最初的体验都是从认识你自己的习惯状态和那些占据你内心的固有特性开始的。这种练习就像是一种分身术，让自己的意识从身体中分离出来。如果你能够以一个旁观者的身份来观察和谈论你自己，那你就不会被你的习性所控制。你的思想会逐渐和你本人脱离开来，你不再是你所认为的你自己。

继续这种对自身思想和感觉的观察训练，你的那些固有特征就会逐渐远离你，不再困扰你。当注意力被发展成一个独立的观察员时，你就能够站在一个更加客观的位置上来看待你到底是谁。通过这种训练，身为观察者的自我会与真正的自我越来越接近。当然，当你的注意力回到自己的思想上时，那种独立的知觉就会消失，你将失去所有的客观性，恢复到"机械状态"。

从某种程度上来说，所有成功的心理疗法都借助了这种注意力的转移。接受治疗的人转移自己的注意力，作为一个中立的观察者来描述自我。准确的自我观察对于认识你自己的性格类型十分重要，因为你需要了解你内心的习性，才能从相似者的故事中认出你自己。

尽管葛吉夫并不相信他的学生能够掌握"九型人格"的精华，他还是做了许多努力来唤醒他们对性格的认识。两种被经常提起的方法分别是"触犯某人的痛处"（stepping on people's favorite corns）和"向同胞敬酒"（the toasting of idiots）。葛吉夫自己属于"九型人格"中的第8号性格，也就是保护者，他的做法十分符合这种性格类型。他的第一种教学方法就是发掘学生们性格中最敏感的地方，然后努力攻击，直到获得反击回应。他写道：

攻击他人最敏感的地方对我的工作十分有效。每个遇见我的人都受到这种方法的影响，无需我费力，他们就能非常高兴地主动放下父母赋予他们的面具。感谢这种方法，让我能够不慌不忙地以一种平静心态来窥探他人的内心世界。

"敬酒"是另一种把性格类型的观念介绍给学生们的方法。那些和葛吉夫共餐的学生们，都被训练出了一定的酒量，因为他们被要求向不同类型的人敬酒。新的客人会被要求选择与他或她性格相似的人坐在一起，然后大家会作为同胞向他或她敬酒。他的学生回忆说：

他选择了"idiot"这个词，但意思并非傻瓜，而是这个词最初的本意，实际上它也有归类的意思。在聚餐的过程中大家相互敬酒，一般的规矩是：一杯白兰地或者伏特加分别敬给 3 个人；如果是女性，允许用一杯酒向 6 个人敬酒；多的时候，一晚上可以向 20 多人敬酒。

你看，葛吉夫是俄国人，俄国人的酒量都很好，能喝很多伏特加酒，但是他们喝酒的原因可不是因为他们喜欢喝酒……在敬酒的过程中，他能够接触到许多人，而他必须在短时间内了解对方。众所周知，酒精对于打开一个人的心扉有着特殊的功效，人们刻意隐藏的东西会在酒精的作用下表现出来，这就是为什么阿拉伯人会说："酒精让人更像人。"

在敬酒的过程中，葛吉夫常常指出某类客人所共有的气质特征。有时候他会为这些特征起名字，有时候他会把这些特征表演出来。

"你是一只火鸡（比喻自高自大的人），"第一天晚上他对某人说，"一只火鸡总是希望假扮成孔雀。"大师立刻在餐桌前晃动了几下脑袋，从喉咙里发出咕咕的声音，于是大家看到了一只急于在雌性面前表现自己的骄傲的雄火鸡。没多久，一种体积更加庞大的动物出现在我们眼前。"你为什么看着我就像一头公牛盯着另一头公牛？"他问旁边的另一个人。然后他的眼睛瞪了起来，摆出一副急于向对手挑战的公牛架势，让我们观察对方的表情。

尽管葛吉夫付出了很大努力，甚至不惜采取攻击他人的方式，但是人们对于性格类型的认识依然十分模糊。是不是葛吉夫没有采用那些在性格研究中十分成功的心理学技巧，还是因为他和当代许多的内心世界导师一样，都对梳理个人的历史不感兴趣，忽略了个人的个性特征呢？

## 心理缓冲带

妨碍人们认识性格类型的主要障碍，葛吉夫称之为"缓冲带"（buffers）。

*我们每个人都把自己性格上的负面特征隐藏在了一个精心构建的内在缓冲系统中，或者称之为"心理防御机制"。这种缓冲带的存在，让我们无法看到自己性格中的真实力量。*

他认为，我们每个人都把自己性格上的负面特征隐藏在了一个精心构建的内在缓冲系统中，或者称之为"心理防御机制"（psychological defense mechanism）。这种缓冲带的存在，让我们无法看到自己性格中的真实力量。

事实上，几乎是在葛吉夫的学生们尝试观察自我练习的同一时代，弗洛伊德已经率先提出了无意识反抗机制（unconscious defense mechanism）的概念。但是葛吉夫的方法提供了探索内心世界的一种更基本的途径，因为它让人们自己去观察内心的缓冲带，而不是通过专业的心理治疗机构来寻找自己的无意识。

今天，我们更清楚地意识到，我们依赖于心理防御机制来维持我们的自我感。与"九型人格"中1－9号性格相对应的心理防御机制分别是：反向作用、压抑作用、认同作用、内投作用、分隔作用、投射作用、合理化作用、否定作用和麻醉作用。

葛吉夫的学生对于心理学知道得很少，对于上述内容也不熟悉，但是葛吉夫还是要求他们在内心中寻找自己的无意识反抗机制。

我们都知道火车上缓冲器的作用。它们是为了减少车厢之间的碰撞而专门设计的装置。如果没有缓冲器的存在，车厢之间的碰撞震动既不舒服，还非常危险。缓冲器在不知不觉中削弱了碰撞产生的冲击力。在人们的内心世界中，也有这么一种装置。这种装置不是自然产生的，而是人们自己设计的，尽管是在一种无意识的状态下。这种心理装置产生于人们自身的矛盾：观念的矛盾、感觉的矛盾、言语的矛盾、行为的矛盾。

如果一个人能够感觉到他身上的所有矛盾，他将因为这些矛盾而疲惫不堪。人是不可能消除这些矛盾的，但是如果他心里有了"缓冲带"，他就不会因为自己观点、情感和言语的矛盾冲突而感到不安。

葛吉夫认为，尽管缓冲带能够让生活变得简单，它同样减少了系统的摩擦力，而这种摩擦力对于人的自我成长是很有帮助的。在缓冲带的帮助下，我们被带入一种催眠状态，这让我们的行为变得机械化。因为我们被缓冲、被催

*所以，你一定要注意自己内心的矛盾，这些矛盾将带领你找到自己的*
*缓冲带。尤其要注意那些让你敏感的事情。*

眠，我们就无法认识真正的自己，也不会知道我们的性格类型影响了我们对现
实世界的认识。

乌斯蓬斯基，一位非常多产的作家，他根据葛吉夫的理论撰写了许多有关
内心世界的书，他也谈到了缓冲带能够减少自身的矛盾冲突所带来的摩擦。他
建议自己的学生把注意力放在那些他们感到不自在的事情上，从而发现缓冲带
的存在。

一个拥有稳固缓冲带的人从来不需要向自己证明什么，因为他完全感觉不
到自己内在的矛盾，而且对于他自己的现状非常满意。

但是，一旦我们在探索自我的进程中发现了自身的一些矛盾，我们就会知
道我们内心是存在缓冲带的。通过自我观察，我们能够逐渐了解到缓冲带两边
究竟是什么。所以，你一定要注意自己内心的矛盾，这些矛盾将带领你找到自
己的缓冲带。尤其要注意那些让你敏感的事情。你会注意到自己身上好的品
质，这些东西就是缓冲带其中一边的内容，但是你还不清楚存在于缓冲带另一
边的矛盾是什么。不过没关系，你已经开始对于这些好的品质感到不自在，而
这可能就意味着你距离自己的缓冲带已经不远了。

我们并不了解自身的基本性格，这一观点在今天已经被普遍接受。对于任
何一位希望走向心理成熟的人来说，发现自己性格结构中的盲点、防御机制和
矛盾是非常重要的。如果我们想成为葛吉夫所说的"真正的人"，这种发现就
更加重要了。对于寻找真正自我的人而言，之所以要特别地关注缓冲带，是因
为这种无意识的防御机制让注意力发生转移，从而影响了我们对现实世界的
看法。

我们没有用更积极的态度来观察和阐释性格还有一个原因，那就是我们的
性格让我们带着有色眼镜看待一切。没有什么是清楚或客观的，因为在我们与
真实世界之间，总是夹杂着我们自己的好恶和偏见。除非我们放弃这种错误，
否则我们怎么能看清人和事的本来面目呢？除非我们能首先把自己的性格除
掉，否则我们怎么能够从灵感和直觉中，而不是从我们的智慧中，获得更多的

知识呢？受到性格控制的直觉不过是偏见的表现，仅此而已。

# 已经形成的性格

"性格"（personality）这个词在日常生活中和"个性"（self）是相同的。在精神研究中，性格也被称为"自我"（ego），也有"错误的性格"（false personality）的说法，这种说法是为了区分葛吉夫所说的"本性"（essential nature）和我们在日常生活中所形成的"性格"。

我们每人所拥有的本性与我们所形成的性格是不同的，这是神圣心理学的基本观点。本体（essence）被描述为"个人自己拥有的"，是我们与生俱来的潜质，而不是我们通过自身的教育、思想和信仰获得的。在本体里，我们就像没有长大的孩童：我们的思想、感情、直觉没有冲突；我们对周围环境和他人都充满了信任；我们做出正确的动作；我们毫不犹豫地去获得我们想要的东西。作为成人，我们偶尔也会出现这样的状态，产生一种与周围世界通灵的感觉。这种情况通常可以凭直觉感知。在这样的情况下，我们往往不知道为什么就已经了解了一切；我们的身体在大脑做出反应之前就自己做出了动作；在我们还没有反应过来自己在说些什么时，我们就听见自己说出了意想不到的事实。

我们与世界存在一种直觉关系，而这种关系正是建立在我们与生俱来的本性上。这是一种非常流行，但却没有得到证实的观点。大部分引导人们挖掘更高潜能的教义都接受这样的观点，而且这些理论普遍认为，在人的自我发展中，性格是阻碍本体的。

这些古老的方法告诉我们如何让身体的能量和内心的注意力保持稳定，并且通过它们感受本体与环境和他人的联系。只有本体的体验完全取代了"我自己"的意识，也就是说，当我们忘记了"我自己"的存在时，这样的体验才是完全的。

在本体的体验中，我们不会意识到"我个人的想法"或者"我个人的感

*我们将抛开成年人的性格，重新回到孩童的内心世界，因为在这样的*
*世界里，我们的性格还没有形成。*

觉"。换言之，我们将抛开成年人的性格，重新回到孩童的内心世界，因为在这样的世界里，我们的性格还没有形成。

"九型人格"的九角星图形说明本体的存在包括了九个方面，每个方面的实现途径都有所不同。你要寻找本体的某个方面，正是因为这个方面的缺失让你感到痛苦。比如，如果你长期处于畏惧状态，很可能是因为你的本体中失去了孩童对周围环境和他人的信任；因此，寻找勇气就成为你生活中的一个动机。

我们时常会抱怨自己变成了机器，我们的生活变得机械化，我们开始不认识自己了，我们遗失了自我的某种本质。

"我对自己的习惯感到厌烦！"

"我想重新开始生活。"

这样的表述都在暗示着——我们自身的机械行为已经让我们远离了潜在的自我。

如果我们能够让自己的行为脱离自己的习惯，那就说明我们已经拥有了一个内心的观察者。

"生活很无聊！"

"我厌烦了我自己。"

这两句话和前面的两句话在表达方式上有什么不同吗？有，是注意力的放置。

同样，"我生气我居然忘记自己正在做什么"和"我看着自己对她发火"，这两种表达方式的关注点也不同。前一句话说明，生气的感觉已经取代了观察的能力，而后一句话则说明观察的意识依然存在。

"我感受我自己"，这是一种在我们与自己分离时产生的感觉。这种感觉伴随着人们"发现自己"、"发现真正自我"的希望。它能够唤醒人们与自我的联系。这种对自我的寻求，根据个人愿望的不同而不同，比如有人希望重新获得孩童的安全感，有人希望得到伴侣的关爱。这种寻求的动机，是因为人们不满于平常生活，希望在人类本体的某一具体方面得到满足。

"我想知道如何去爱他人。"

*这就好像我们自己的某个方面在早期生活中受到损害，这种损失让我们知道自己该去寻找什么。对遗失的本质的寻找，鼓舞着我们，让我们的生命焕发生机。*

"我想减轻我的负荷。"

"我想获得行动的勇气。"

……

这就好像我们自己的某个方面在早期生活中受到损害，这种损失让我们知道自己该去寻找什么。对遗失的本质的寻找，鼓舞着我们，让我们的生命焕发生机。我们感到精神问题，才会去寻求心理治疗；我们感到了痛苦，才会去接受冥想练习。

我们会有不同的性格，因为我们必须在这个物质世界上存活下去。孩童在成长过程中，他们在家庭生活中所必须遵守的现实，与他们本体上对环境的信任产生了矛盾。根据心理学的观点，个人性格的发展，正是为了保护原有的本体，免受物质世界的伤害。也就是说，在孩童的成长过程中，他们本体中与周围环境的联系受到了威胁，于是孩童必须保护自己，以免受到更多伤害。这种建立防御机制来保护受威胁的本体方面，也被称作"本体联系的遗失"（the loss of essential connection），或者"本体堕落"（fall from grace）。

根据发展心理学的观点，本体联系是生命成长中的一个阶段，在这个阶段中，孩童十分依赖于母亲和环境，他们的感觉非常敏感，他们与他人和环境没有隔阂。幼小的孩童无法区分他们自己和他人，他们没有保护自己的防护系统。随着孩童的成长，他们会在早期的家庭生活中产生一个独立的自己。不过，西方的心理学研究对于早期的意识状态并不重视，也不强调与原有本体的联系。

不管从哪一种观点来看，我们都会随着年龄的增长变成一个与众不同的自己，我们会拥有自己的智慧、兴趣和防御系统。最终，我们的注意力会集中到我们已经形成的特质上。而且随着注意力的转移，我们与周围环境和他人的本体联系被渐渐遗忘，被归入到无意识的生活中。

取代本体联系的东西，就是传统精神研究中所说的"错误性格"。这是一套我们在日常生活中形成的思想和信仰，是我们通过模仿我们的父母，减少我们受到的伤害，学习伪装自己而形成的。但是作为成人，我们依然会与我们记忆中的本体保持某种联系，我们会记得"当我高兴的时候"，"当我毫无畏惧

*一旦我们已经形成的性格开始弱化，我们就会听到一种回家的呼唤，我们"找到真正自己"的希望就被唤醒了。重新找到我们与周围环境和其他人的本来关系，这个过程就像一条回家的路，走这条路需要我们把成熟的性格和对本体的感应能力融合起来。*

的时候"，"当我拥抱爱情的时候"。不仅如此，我们知道那种本体的特质依然存在于无意识的状态中，因为身为成人的我们，偶尔也会碰到它们，当我们"脱离自己"，或者拥有特殊需要的时候。

当我们的注意力从内在联系转移到本体上时，我们就抛弃了我们的特性，以一个旁观者的身份去看待这个物欲横流的世界，这个从来没有让我们获得完全安宁的世界。在这个世界上生存，人们需要有成功的防御体系来保护自己，这很自然会与本体产生矛盾，因为在本体中，我们与环境和他人的关系是一种可以高度感知，但又毫无防范的和谐关系。

不过，一旦我们已经形成的性格开始弱化，我们就会听到一种回家的呼唤，我们"找到真正自己"的希望就被唤醒了。重新找到我们与周围环境和其他人的本来关系，这个过程就像一条回家的路，走这条路需要我们把成熟的性格和对本体的感应能力融合起来。我们希望能够借助成人所具有的成熟智慧和技能，来发挥我们本体的潜能，为人类的共同利益服务。

在苏菲教中有一句名言，阐释了人的性格与本体之间的关系。这句话是："带着你现有的记忆和理解，去成为你之前的你。"

# 性格的主要特征

当我们走上探寻个人性格类型的道路时，我们的发现会让我们大吃一惊！

我们在发现自身性格类型的同时，也会意识到性格类型是如何局限了我们的思想和观念。就连我们自己也不敢相信，我们是以多么有限的目光在看待这个全景的现实世界。我们的大部分决定和爱好都是基于我们复杂的习性，而不是建立在自由选择的基础上。葛吉夫认为性格类型是围绕着主要特征（chief feature）形成的。

不管主要特征隐藏在哪里，还是会被周围的人察觉到。当然，他们并非总能确认这一点，但是他们的判断已经十分接近。比如葛吉夫会说："某某人的特点就是他总不在家……"

他还曾指出我们当中另一个人的特点就是他根本不存在。"你明白吗，我看不见你，"葛吉夫说："并不是说你总是这样的，但是当你像现在这样时，你是不存在的。"

葛吉夫还对另一个人说，他的主要特征就是不论大事小事，都喜欢和人争辩。"但是我从不争辩。"那人立刻反驳说。大家都笑了。

在研究玄学的团体中，对性格类型的研究是缓慢而认真的。这些研究主要是为了告诉大家，我们并没有获得真正的自由，而我们的性格特征将有可能帮助我们重新获得失去的本体。比如说，如果你发现自己总是被琐事弄得不堪重负，却无法去做你生活中真正重要的事情（9 号性格——怠惰），那你就应该优先考虑自己的感觉，你会很自然地感受到有一种声音在呼唤你去做正确的事情。对于 9 号性格的人来说，怠惰一直是他们很好的朋友和保护者。这种习性让他们不必马上选择自己的立场，因为在他们看来，自己的立场总是被人忽视的。

如果你属于 9 号性格，如果你总是被一些琐事缠身，如果你总是无法拒绝，那你实际上忘记了自己最本质的需要。如果你能及时发现这一点，不要让你的习性控制你，那你就会知道什么时候该把自己的注意力从那些并不重要的事情上移开，转身去关注你真正的需求。

同理，如果你发现自己是"九型人格"中的第 7 号类型，而且你的生活是努力让自己拥有多样的选择，不错过任何令人激动的经历（7 号性格——贪食），那你就应该学会把自己的注意力集中在一件事情上，这对你将是极大的解脱。身为 7 号性格的你，面对着生活的多重选择，总以为自己是不受局限的，每天都拥有选择的自由。你会一直生活在这种幻觉中，除非某天你努力去实现一个永久的承诺，或者尝试去专注于一件事情。

如果你真能做到这一点，你的本体就会帮助你，为你带来许多聪明的计划。你的注意力越是集中，你的想法和计划就越是诱人。但是尽管高层次的意识对你充满吸引力，你可能还是无法控制自己的内心。如果你是 7 号性格者，就不要心猿意马了，你应该制服内心到处乱跑的猿猴，让它听从你的指挥。当你的注意力像猿猴一样从这棵树蹦到那棵树上时，你要提醒自己，把它叫回

*我们性格的主要特征让我们的生活发生偏差，就像打保龄球一样，这种偏差让我们很难打出直线球。*

来，拴在身边。

我们的性格限制了我们的自由。这个观点让我们现代人很难接受。因为在西方社会，人们可以自由地旅行、自由地学习、自由地攀登成功的高峰。似乎只要我们性格中的主要特征还控制着我们的注意力，我们就可以选择我们想要的工作，穿我们喜欢的衣服。然而实际上由我们的注意力展示给我们的世界，是一个非常狭隘的世界。

在自我学习的某个阶段，发现自己的主要特征是非常重要的。这些主要特征，实际上就是个人的主要弱点，就像一根主心骨，我们所有的性格都围绕着它形成。这些弱点是可以发现的，但是人们会说："荒唐，怎么可能！"有的时候，这些弱点已经明显到无法否决的地步，但是我们心里的缓冲带会让我们很快把它忘掉。

我就认识这样的人，他上一次能够说出自己性格上的主要特征，等到下一次再见面时，他已经忘得一干二净。或者，他记得的时候，是一副模样；不记得的时候，又是另一副模样，好像完全没有说过一样。你的主要特征必须你自己去接近。如果你自己感觉到了它，你会知道。如果只是让别人来告诉你，你总是记不住。

旁观者清，当局者迷。

不识庐山真面目，只缘身在此山中。

我们在观察自身性格上的细微差异时，总会感到困难。朋友们往往比我们自己更容易发现我们的性格特点。人的绰号往往就是这些特征的暗示，它往往会成为解读某人内心世界的钥匙。

我们性格的主要特征让我们的生活发生偏差，就像打保龄球一样，这种偏差让我们很难打出直线球。性格的主要特征源于人性七宗罪中的一种或更多，不过主要是自恋和空虚。个人的意识越清楚，就越容易发现它，而发现这样的特征，也能增强个人的意识。

# 潜藏的激情

"九型人格"表明了情感生活中的九种主要特征。它们和天主教中的七宗罪是对应的，另外在 3 号角和 6 号角增加了欺骗和害怕。这些情感习性是在从天堂堕落到物质世界的过程中，也就是"本体堕落"的过程中发展起来的。它们也可以被看作孩童的早期家庭生活给他们的情感世界留下的阴影。

如果孩童的成长过程良好，他们心中这种情感的阴影就会被慢慢磨损，仅仅只是作为一种倾向存在。但是如果心理问题十分严重，某一种情感上的阴影就会像火种一样被点燃，成为性格的主导力量。这时，自我观察的能力被削弱，而我们也被这种情感所操纵，从而无法专注于其他事情。

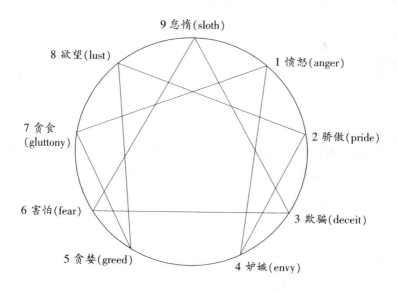

**图 1　九种激情**

希望在了解了性格上的主要特征，了解了我们潜在的激情后，我们能清楚认识到性格习性是如何从多个方面控制了我们的生活。只有认识了这一点，我们的注意力才能成为我们的帮手，它会让我们感到不自在，但也会让我们记忆起那些被我们遗失的品质。

性格的主要特征是在孩童时期形成的一种自然习性。它能成为个人的老师，它能长期存在于我们的内心世界中，不断提醒我们，让我们不致于迷失生活的方向。

# 第二章 注意力、直觉和性格类型

## 注意力和性格类型

人的性格一旦形成，我们的注意力就有了倾向。我们性格的主要特征控制了我们能够看到的世界。我们失去了自己在孩童时所拥有的那种本体能力，这种能力让我们用真实的目光来看待世界。我们开始变得有所选择，形成了属于自身性格的世界观，只会对那些支持这种世界观的信息感到敏感。

我们只看我们需要看的东西，对于其他事物则视而不见。

举个例子，如果你和我同时走进一个充满陌生人的房间，你的习惯可能是寻找认同感，让对方接受你；而我的习惯则可能是感到害怕，我会找借口离开。对你来说，获得安全感就是要获得认同，这一点很重要；但是对我而言，必须有人告诉我，我才会明白这个道理，因为我的思想早已被某些固有的性格观念所占据。

但我们的表现真的就代表了我们是什么人吗？事实很可能是，我们两个的表现都没有反映出真实的自己。我们被属于我们性格类型的思想和情感所控制，我们只是站在自身立场上思考。我们无法走出自我，也不会对于房间里的一切产生客观的看法，因为我们的注意力限制了我们搜集信息的范围，使我们只能根据自己的观点来看待一切。

把这个例子扩展开来，如果我们一起去参加聚会，我们的表现可能也是截然不同的。你希望获得人们的注意和认可，而我在努力克服我内心的恐惧。不论我们是在哪里参加聚会，哪怕是在外星球上，我们也不会拥有同样的夜晚。我们选择的谈话对象是不同的，我们的谈话内容是不同的，我们的行为举止是不同的，而我们在聚会结束前所收集到的电话号码也一定是不同的。如果我们把整个聚会的过程自己记录下来，我们会发现哪怕是同样的谈话，我们得到的结论也是不同的。对于同一个陌生人，我们的注意点往往也在不同的地方。

我这么说可能有点夸张，但目的就是要说明，你和我会把我们的注意力集中在同一事物的不同方面。你和我所看到的，都不会是事物的全部。我们不会看到同样的事实，因为我们不关心那些无法吸引我们注意力的方面，我们只关心被我们的性格确认为重要的信息。

该怎么来发现我们的性格特征呢？做到这一点并不难，固有的性格特征非常容易识别。本书收集了许多不同性格特征者的自述，他们通过敏锐的观察，发现了自己的习性和固有的思维模式，并把这些内容大方地描述了出来。他们描述出自己的注意力会被什么样的事物所吸引。他们告诉我们，如何学会把注意力从自我习性中转移出来，如何去关注那些控制了他们生活的问题。

许多训练有素的自我观察者都长期接受严肃的冥想练习，他们能告诉我们，如何让自身的注意力集中到那些控制他们的性格特征上。观察和注意是一个冥想者的语言。你感知到了什么；你是否存在，还是已经脱离出来；记录你所关注的事物，看看你的注意力到底在哪里。

但是这些并不是我所感兴趣的，我真正关注的是，我们总是过于关注是什么吸引了我们的注意力，却忽略了这种注意力是如何形成的。

为了进一步扩展我们对性格类型的比较，我们找到两类人，一类是寻求满意感和认同感的（2号尖角所代表的骄傲），另一类是胆怯的（6号尖角所代表的害怕）。我们可以问一下2号性格者，当他们想要获得别人的认同时，他们是什么感觉；我们还可以问6号性格者，当他们害怕时，他们是怎么做的。

没有经验的自我观察者可能会回答："我被对方吸引，并希望得到对方的恭维"或者"我浑身发抖，想立刻逃走。"如果这两种性格的人无法观察到他们内心注意力的转移，他们就不会注意到自己是怎样筛选信息的，也无法描述出内心出现了什么样的细微变化。这样的 2 号性格者和 6 号性格者，虽然能够分辨出让自己感到满意或者不安的暗示性信息，但是他们无法描述出自己是如何感受到这些信息的，也不能告诉我们该如何调整自己的注意力才能进入他们的世界。

一位有经验的自我观察者，往往就能更清楚地描绘出注意力会被哪些事物所吸引，以及这种关注又怎样决定了我们的性格类型。

下面的陈述来自一位 6 号性格者，是自我观察的典型。虽然你可能并不属于此类型，但你如果曾经驾车在一边是山坡、一边是悬崖的加州 101 号海岸公路上飞驰的话，你就会理解她的心境。

我在洛杉矶工作，我的丈夫在加利福尼亚工艺大学读书，所以我每周要驾车在 101 高速路上往返好几次。这对我来说并不算什么难题，除非我的心情不好。心情不好的时候，我就必须集中精力，以免在驾车途中出现事故。不过就算是心情不好，我还是愿意自己开，因为如果是我丈夫开车的话，我连窗外的山坡都不敢看，脑海中充满了可怕的场面——轮胎爆胎、转弯的时候冲出车道……这些画面在我脑海里如此强烈，让我惊恐不安。

有一个周日，我真不想开车回洛杉矶，但我还是不情愿地强打精神上了路。一路上，我的脑海里都是汽车冲出悬崖，坠落在岸边岩石上的情景。最后，我果真进了医院，不是因为我的车掉下了悬崖，而是因为我想象着自己的车翻了出去，就在我以为自己要撞到岸边岩石上的那一瞬间，我条件反射一样地扭转了方向盘。结果，车子没有掉下悬崖，却穿过了另一边隔离带，冲到了对面车道的山坡上。

这位 6 号性格的主人公显然被她自己的精神映像（mental projection）所控制，她试图把自己从一场发生在她心里的车祸中挽救出来。她接下来对于坠车的描述，感觉就像真的一样：她感到自己翻车了，看见了岩石，当她扭转方向盘时，她认为自己没救了。这位女士康复以后，又重新握住了方向盘。在后来开车的时候，她努力让注意力远离自己的幻想。

她在童年曾经有过这样的经历：

我以前很怕我的母亲。她是一个酒鬼，她的性情说变就变。几分钟前，她可能还是一个十分正常的母亲；几分钟后，她就会变得像魔鬼一样，不希望我有好日子过。所以每次她一喝酒，我就会提心吊胆。她会不会发疯？会疯到什么样子？

我曾经一天到晚监视她，看她有没有偷偷藏酒；而且每次她喝酒的时候，我都会盯着她的脸，想象晚上她会变成什么样子。我会看着她问自己：这张脸看上去稳定吗？会对我大吼大叫吗？它是不是看上去有点恐怖了？还是已经睡着了？在她开始喝酒时，我还会想象她的其他面孔，我会根据她面孔的变化，来计划自己是该留下来还是逃走。

6号性格的女士在日常生活中培养出了丰富的想象力，这样的想象力既是她的负担，也是她的福气。说是她的福气，因为她拥有了与丰富的内心世界接触的潜在途径；说是她的负担，因为她的想象有时能够强大到取代现实。很明显，当她扭转方向盘时，她看到的是自己想象中的画面。也就是说，她内心的想象被映射出来，让她对自己的现状产生了误读。在她观察母亲喝酒后的反应时，这种映射也发挥了作用。母亲平日的反应，以及她害怕被打骂、被虐待的心理，让她观察到了她认为是真实的信息。

很显然，她在孩童时代，借助自己的想象力把周围环境变得绝望而可怕。她想象中的画面如此强烈，以致于她的思维已经无法发挥作用。她学会了从自己的想象力中寻找答案，而她的行为都是基于她脑海中的画面。

## 直觉和性格类型

刚才的这位6号女士，还为我们描述了另外一场完完全全的心理经历：

我的一位好朋友在经过几年努力后终于怀孕了。当她给我打电话时，她听上去非常兴奋，我们计划好好聚聚，以示庆祝。当我见到她时，她光彩四溢；

但是我的脑海中出现了她的另一张脸，我并不想借此暗示什么。

事情非常奇怪。我们在一家墨西哥餐厅里吃饭。她看上去非常高兴，但是在她讲话的时候，我却透过那张欢乐的脸，看到了泪水和失去骨肉的悲伤。我知道她将失去她的孩子，但是我不能告诉她。现实中，她的面孔还在讲话，但是我看到她的另一张面孔变得严肃了。整个面孔变得越来越僵硬，然后这张面孔又缓和下来，最后消失了。我看见的这整个过程仅仅只有十几秒钟。我知道这是命中注定的，她将流产，然后重新尝试怀孕，在生产的过程中会遇到一些困难。不过这第二次怀孕，最终还是成功了。

6号女士继续给我们描述了当她看到一件未来事情时，自己的情感反应；她还说整个事件看上去非常自然，甚至有些熟悉。她最后补充说，她看到的那些象征，那些从她朋友的另一张面孔中影射出来的故事，在随后的一年内都陆续发生了。

# 注意力训练

所谓直觉，最好的解释就是当注意力从习惯思维和感觉中跳出时，所发挥的作用。如果没有接受基本的注意力训练，我们的注意力总是停留在我们固有的思想层面上，而忽略了直觉所传达给我们的信息。

这位6号女士，如果能够知道什么时候她对坏事情的心理预测会变强，并在这种想象取代现实之前，就把自己的注意力转移到其他地方，她就会大大受益。事实上，在她开车的多数时间里，她都能够转移自己的注意力，不会让她的想象变得过于强大。

但是，当这幻想的画面和准确的直觉感应被紧密交织在一起时，6号女士能否清楚地区分这两种印象呢？她能否学会随心所欲地获取准确的直觉信息呢？

为了让她的精神习性发挥实际作用，她必须学会区分哪些是自己的思想，哪些是自己的幻想，哪些是准确的直觉印象——就像她从朋友脸上看到的信息。

我希望告诉大家：每一种性格类型对其基本特质的关注方式既是一种负担，也是一种福气。

为什么说是负担？因为我们的注意力习性能够让我们在无意识的状态下，与我们的精神需求保持联系。也就是说，它让我们只关注我们的需要。这位6号性格的女士，她的习惯是想象最糟糕的事情，她忘记了去想象最好的事情。她的这种习性源于童年的安全需要，而且很奇怪的是，对她来说想象好的事情会觉得十分虚假。她认为，想象各种糟糕的可能才是她与现实接触的通道，而那些美好的想象则不过是孩子的幻想，应该被抛弃掉。

为什么又说是福气呢？因为6号性格的女士想象糟糕情况的能力已经非常突出，这种注意力的关注已经成了其自身防御体系的基础。如果她能够学会自如运用这种注意力的转移，她可能会成为某种直觉感应的专家。

为了继续我们有关性格的比较，我们假定6号性格的人（胆怯）都拥有神奇的"透视眼"，能够看到其他人掩藏在外表之下的真实想法，假定2号性格的人（骄傲）全都知道自己有见风使舵、随机应变的潜能，为了赢得认同和爱，能够随时改变自己，以适应环境。

6号性格者（妄想狂）如果知道自己拥有预测的潜能，就会借此力量来避免潜在的危险，让自己感到安全；而2号性格者（表演家）如果知道自己拥有人见人爱的本领，就更加会扬长避短，把自己变成"大众情人"。这些现象并不奇怪，真正令我惊讶的是，个人的固有性格特征具有如此强大的作用，它不仅强烈影响了个人的直觉感应方式，也在很大程度上决定了神经系统所能接受的外在信息。正因为如此，注意力练习才显得格外重要。这样的练习可以说是一举两得：

★ 首先，可以把他们从一个具有偏差的世界观中释放出来。

★ 其次，他们有机会意识到一种潜在的直觉感应，这种直觉感应可能早就在发挥作用，却没有被他们察觉。

具有经验的自我观察者在讲述自己关注到的大量个人反应时，会使用启迪性的语言。他们的表达方式有很多，比如：

"我融入到……"

"我身体的一部分被不由自主地吸引……"

"我体会到他们的感觉……"

"我变成了他们……"

"我脱离出来，在一旁观看……"

……

这些陈述是可信的吗？它们是不是完全基于心理映射的一种假象？它们是不是仅仅来自于一种虚幻的欲望，我们让自己相信有能力获得有关自身生活的特殊信息呢？它们是否仅仅建立在微不足道的身体感受上，还是说它们来自于我们性格类型中的某种敏感特质呢？

举例而言，与胆怯的 6 号性格者不同，2 号性格者喜欢讨好他人，他们更可能使用"我融入到……"这种表达方式来转移他们的注意力。尽管 2 号性格者可能很快就能学会如何"观察其他面孔"，从中发现潜在的危险，但是他们的陈述还是有关"我融入到……"的故事，而不会是关于糟糕情景的想象。

很多人都会讲出"我融入到……"的故事，比如那些濒临精神病边缘的病人，这种病人从来没有形成非常清晰的性格界限；或者那些热恋中的情侣，他们的注意力早已不在自己身上。但是当一位有经验的自我观察者，被要求讲述一个"我融入到……"的故事时，听起来的感觉是完全不一样的。

我发现人们在描述"我融入到……"或者"我变成……"这类的故事时，他们的口气与我德高望重的功夫老师十分相像，我的这位老师有一种特殊能力，能够通过自身感知来感觉他人。

我的老师会发出这样的口头指令："注意力下沉，到腹部，打开感觉，混合。"（腹部是人体的中心，在不同文化背景的精神修炼中都有提及。开放感觉的练习是一种独特的注意力转移，腹部的感知被扩展开，包括了周围环境和他人所散发的能量。）然后，在他注意力被打开的过程中，他能够准确地模仿出

*我们性格中的那些固有特质，正是我们注意力的栖息地。我们内心的注意力由此出发，在无意中把我们与周围环境和他人联系在一起。当我们觉得自身有某个方面的需求时，我们的注意力就会朝那个方向发展。*

几十米之外另一位练习对象的动作，而他根本看不到这位动作者，因为后者是藏在一个屏风后面的。传统柔道训练中的乱取练习（在不违背柔道比赛规则和柔道精神的前提下，不受技术动作的限制，全力以赴与一个对手或几个对手进行练习），或者多人袭击，也为我们展示了另一个远距离感受他人动作的例证。在乱取练习中，受训者可能会要求在蒙住眼睛的情况下，接受来自多个方面的攻击。受训者要想免于攻击，就必须对周围的环境，尤其是身后的环境有非常清晰的感知。

同样，当我们听到"我看见内在的面孔……"这种陈述时，实际上我们内心的眼睛开始发挥作用了。我们开始有能力区分幻想和直觉想象（intuitive visions）的区别，前者是从个人的思想上映射出来的，而后者是没有受到自己思想和感觉控制的。

为什么这种直觉的感知总是出现在我们心理受到损伤的地方呢？事实上，我们性格中的那些固有特质，正是我们注意力的栖息地。我们内心的注意力由此出发，在无意中把我们与周围环境和他人联系在一起。当我们觉得自身有某个方面的需求时，我们的注意力就会朝那个方向发展。我们对于自己想要的东西，就会特别敏感，高度关注。

比如，渴望得到爱的孩童可能学会转移内心的注意力，以便迎合父母的要求。他们还可能为了获得他人的好感，在不知不觉中改变自己，去满足他人的期望。同样，当一个胆小的孩子碰到一个大块头时，他自然就会准确感受到来自对方的潜在敌意。这样的能力到了成人阶段还会延续下去，变成真正的敏感。但是作为成人，我们能够说出自己固有的想法，却无法说出我们到底是怎样获得这些想法的。

如果你对于一些问题十分在意，你可能会超越普通的感知，在未察觉任何异常的情况下，进入直觉感应区。要做到这一点，并不需要你学习什么特殊的方法，去寻找像肢体语言或面部表情这样细微的身体线索。

直觉是内心在非思考状态下产生的一种感知。它与日常思维模式密切相关，只要你稍微改变一下自己的感知方式，你就能够训练你的直觉。如果在你年幼的时候，曾经有一种直觉联系帮助你获得安全感，那么作为成人的你，也可能在不知不觉中利用这种直觉获得有用信息。它能够帮助你快速做出决定，让你对自己的生活更加敏感。

如果在你年幼的时候，直觉没有发挥什么好作用，如果你必须去注意那些让你在情感上无法接受的事物，那现在的你，很可能会让注意力远离内心的感知。当你希望了解真实的自我时，你很可能会面临发自内心的抵触。你必须闯过神秘学中所谓的"知觉面纱"（perceptual veils），才能获得正确的信息。当人的注意力从孩童时与环境和他人的直接联系转移到性格的显著特征上时，就会产生这样"面纱"。揭开这些"面纱"，就预示着记忆恢复，注意力转移，重新获得与本体的联系。

## 直觉和本体

直觉能够让我们获得大量信息，大家都想获得这种能力。但是，直觉并不是本体。它只是内心洞察力的一种来源，自身创造力的一种工具。在本体的状态下，精神练习是没有必要的，洞察力或者直觉的引导也是不需要的，因为在本体的状态下没有个人自己。没有人在指引，也没有人被指引。注意力被完全集中在与环境和他人的直接联系上。在这样的心境中，我们能够在不考虑个人思想和感觉的情况下自然而准确地行动。

当我们在知道该如何动作之前，身体就本能地做出了正确反应，当我们在知道该说什么之前，就已经说出了真相，这时，我们就处于本体的状态之中。本体具有很多品质，在生活中，我们偶尔会自然感受到本体的某种品质。

在那些突然觉悟的关键时刻，我们会有一种在瞬间发现自我、感悟人生的感觉。

# 第三章 神秘九角星

## "九型人格"的结构

想知道"九型人格"与数学和音乐有什么关系吗？

如果你知道"三元法"（trinity）和"七元法"（law of Seven），你就会发现，其实那颗神秘的九角星恰恰揭示了这两个基本法则的相互关系。

"三元法"象征着任何事件在起始阶段所具有的三股力量。"七元法"也叫"八音律"（octaves），它象征着世上万物发展所必须经历的不同阶段。这两种法则，在"九型人格"的结构图中被融合到了一起。

"九型人格"结构图中的等边三角形就代表着"三元法"。这个三角形所传达的含义是：事物的发生是三股力量的必然作用，而不是表面上的两种力量——原因和影响。这样的理念在天主教有关圣父、圣子、圣灵的三位一体中也有所反映。在印度教中，这三股力量就是印度教的三大主神，他们分别是创造之神梵天（Brahma）、保护之神毗瑟挐（Vishnu）、生殖与毁灭之神湿婆（Siva）。这三股力量还可以被称为创造力、破坏力和保护力，或者称作主动力、容纳力和协调力。葛吉夫在他的学说中，简单地把它们成为1号力、2号力、3号力，根据他的观察，第三股力量是隐性的，是无法被人类感知的。

在万物生长的不同阶段，这三股力量会有不同的象征出现，只有准确理解了它们的含义及其相互作用，事物才能发展下去，而不至于绝望地四分五裂。比如，在事物的最初阶段出现的协调力，随着时间的推移，将在事物发展的下一个阶段逐渐转变成主动力。

在我们完全了解了"九型人格"的象征意义后，我们就会发现它实际上是一个永恒运动的模型。这个九角星图暗示了事物发展过程中某些隐性的方面，比如在什么时刻，事物需要注入一股新力量来维系生命力。

从数学的角度看，九角星图中由 3 - 6 - 9 三个尖角所构成的中心三角形可以被视为最初状态下三股力量的三位一体，其原始总量是 1。用算数的方法把这个 1，也就是力量统一体，分成相等的 3 份，得到一个无限循环数，即 1 ÷ 3 = 0.333333……

事物一旦出现，另一个法则"七元法"就开始发挥作用。"七元法"是从音乐中的八度音阶发展来的，故也称为"八音律"。熟悉音乐的人都知道，音乐中的基本音阶有 7 个，从 Do 开始循环，Do、Re、Mi、Fa、So、La、Ti（或 Si）、Do，这个八度音阶所形成的"八音律"其实也代表了现实世界中事物发展的不同阶段。七元与统一的关系也可以用数学表示，用 7 除以 1，得到一个无限循环的小数 0.142857142857……其中每一位数都不是 3 的倍数。

整个"九型人格"图就是一个被分成 9 个部分的圆形，"三元法"和"七元法"被这个圆形融合在一起，并通过圆形内部的连接线条相互作用。

当这个九角星图被用于阐释人的性格时，它中心的三角形象征着的三种核心的精神特质：想象或迷惑（3 号性格）、偏执（6 号性格）和忘我（9 号性格）。这三种核心精神特质都有相互对应的情感表达。图 3 说明了这三种核心性格的精神和情感特质。

# 性格的九种类型

## 1. 完美主义者（完美型）（The Perfectionist）

对自己和他人都有极高的要求。相信总有一种正确的方法。有一种天生的优越感，认为自己比他人强。因为害怕犯错而犹豫不决，推延行动。经常使用的词是"应该"和"必须"。

此类性格的人在进入高层心境后，可以成为非常睿智的精神偶像。

## 2. 给予者（助人型）（The Giver）

要求获得他人的好感和认同。希望成为他人不可缺少的一部分，从中获得被爱和被欣赏的感觉。愿意满足他人的需要。具有很强的控制能力和多样的自我——能够在不同的朋友面前展示不同的自我。具有很强的吸引力，引人注目。

进化后的2号性格者乐于助人，富有同情心。

## 3. 实干者（成就型）（The Performer）

希望通过自己的行动和成就来获得他人的爱。乐于接受竞争，追求成就感。总是把自己想象成胜利者并拥有相当的社会地位。注重外表形象，精于打扮。把真正的自我与工作角色混为一谈。看上去往往比实际上更出色。

进化后的3号性格者能够成为有效的领导者、优秀的组织者、能干的推销者和胜利团队的领军人物。

## 4. 悲情浪漫者（自我型）（The Tragic Romantic）

被不切实际的幻想所吸引；理想状态永远不是此时此地。性格内向、忧伤、敏感、具有艺术气质。会因为失去一个朋友而伤心不已，也会痴心于一个不存在的恋人。

进化后的4号性格者在生活中富有创造力，宁愿自己受苦，也要帮助他人。他们热衷于美的事物和充满激情的生活。

## 5. 观察者（思考型）（The Observer）

总是在情感上与他人保持一定的距离。注重对自己隐私的保护，不愿被牵扯到别人的生活中。宁愿脱离，也不愿参与。对自己的义务和他人的需要感到疲惫。喜欢把责任和义务分清楚，不愿意接触其他人和事，也不愿去体验感情。

进化后的 5 号性格者可以成为优秀的决策制定者、象牙塔里的学者，以及自我约束的修道士。

## 6. 怀疑论者（忠诚型）（The Devil's Advocate）

用怀疑的目光看待一切，因为怀疑而害怕，而疲惫。用思考代替行动，在采取行动的时候犹豫不决，害怕受到攻击。他们对失败的原因非常敏感。反对独裁。愿意自我牺牲，而且非常忠诚。怀疑的态度会产生两种极端：恐惧症型的 6 号性格者会非常犹豫不决，觉得自己受到了迫害，并急于屈服以保护自己；反恐惧症型的 6 号性格者虽然也一直处于顾虑之中，但是他们能够站出来面对恐怖，以积极主动的方式化解疑惑。

进化后的 6 号性格者能够成为团队中的好成员、忠实的战士和朋友。当他人在为自身利益工作时，他们会为了某种理想而工作。

## 7. 享乐主义者（欢乐型）（The Epicure）

他们是童话中的小飞侠（Peter Pan），那个像孩子一样天真的成年人；他们是恋青春狂（puer aeternus），渴望永远年轻。他们对任何事都是一知半解，不断更换恋人，感情肤浅，爱好冒险，喜欢美食与美酒。他们从来不愿意做出承诺，总是希望拥有多种选择，总是希望处在情绪的高潮中。他们是乐天派，喜欢前呼后拥的感觉，做事常常半途而废。

进化后的 7 号性格者可以成为优秀的综合管理者、理论家、也可以成为一个多才多艺的人。

## 8. 保护者（领袖型）（The Boss）

具有很强的保护能力。愿意保护自己和朋友；积极好斗、主动负责、喜欢挑战。无法控制自己，公开地发泄怒火，展示自己的力量；对于愿意站出来接受自己挑战的对手充满敬意。与别人的接触方式是通过性爱和面对面的冲突。过度的生活方式：熬夜、暴饮暴食、大声喧哗。

进化后的8号性格者可以成为出色的领导者，尤其擅于扮演那种孤胆英雄的角色。他们也可以成为他人强有力的支持者，愿意为朋友扫除前进道路上的一切障碍。

## 9. 调停者（和平型）（The Mediator）

自身充满矛盾；考虑各方观点。愿意放弃自己的观点，接受他人的想法；放弃真正的目的，去做一些没必要的琐事。极易沉迷于食品、电视和酒精。对于他人的需求十分敏感，往往比他人自己更了解；对于自己却不确定，不知道自己是否应该出现在某个地方或某个团队中。为人亲切，不会直接发脾气。

进化后的9号性格者能够成为优秀的调解员、顾问、谈判者，只要不偏离方向，就能取得好成绩。

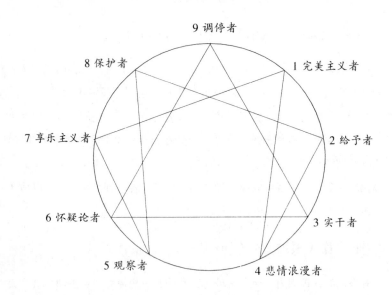

图2 "九行人格"性格类型图

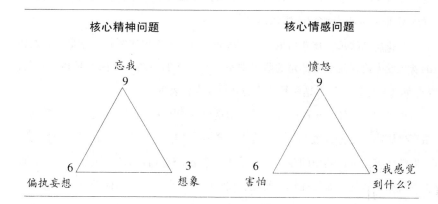

核心精神问题　　　　　　　　核心情感问题

忘我　　　　　　　　　　愤怒
9　　　　　　　　　　　9

6　　　　　3　　　　6　　　　3 我感觉
偏执妄想　　　　想象　　　害怕　　　　到什么？

图3　核心角的主要特征

# 两翼性格

我们把九角星中的3－6－9号角所代表的性格称为核心性格，而位于这三个核心角两侧的邻角，被称为核心角的两翼，两翼角所代表的性格是核心性格的变异类型。也就是说，两翼角的性格是从核心角发展而来的，因此它们具有潜在的共同点。比如，3号角的两翼，即2号角和4号角，这两种性格类型同样具有很强的想象力，而且他们对生活的态度都是基于自己的感觉。6号角的两翼（5号和7号），在本质上都是多疑的，而且经常出现畏惧心理。9号角的两翼（8号和1号）都有一种陷入忘我状态的倾向，常常会忘记个人最需要的是什么；此外他们还有一个共同点就是容易发脾气。

3－6－9号角的两翼所代表的性格类型实际上是核心性格类型外化和内化的两种结果，所以两翼性格中也潜藏了核心性格的特质。在心理治疗中，两翼性格中所潜藏的核心倾向，会在治愈的过程中慢慢显现。这意味着，7号性格（6号害怕型的外化性格），最初的表现可能是大大咧咧、无所畏惧的，但是随着心理防线的慢慢弱化，这种人可能会突然变得神经兮兮，并出现偏执幻想狂（6号性格的核心表现）的症状。

需要注意的是，在九角星图中，只有3-6-9号角的两翼，才是核心性格的外化或内化表现。其他角的两翼则不存在这样的关系。比如8号角的两翼，7号和9号性格，就不是8号性格的外化或内化表现。

尽管如此，任何角的两翼都是非常重要的，因为它们同样会对中心角的性格产生影响。比如在九角星图的上端，8号、9号和1号角构成了一个容易生气的性格类型组，其中的核心性格是9号性格。这种性格的人虽然生气了，也不会直接发脾气，而往往选择间接、被动的方式表达出来。他们有可能向旁边的8号（保护者）倾斜，选择被动的方式，做出一个生硬而坚决的表态："别催我！"；或者向另一边的1号（完美主义者）倾斜，在鸡蛋里挑骨头，通过间接的挑剔来宣泄怒火。

同理，如果某人的性格类型并非核心性格类型，他也可能受到两翼性格的影响。比如4号性格（悲情浪漫者），此类人喜欢用戏剧性的方式来表达感觉，他们既可能向5号（观察者）倾斜，把郁闷都憋在心里，也可能向3号（实干者）发展，用积极亢奋的表现来把抑郁埋在心底。

两翼的影响让各种性格更具特色。即便是属于同一性格类型的两个人，他们也不会是完全一样的，在"九型人格"的学习班中，我们被要求区分同一性格类型者所具有的不同特质，并要指明这种特质是什么。比如，一个偏向5号的4号性格者，会比一般的4号性格者更孤僻；而一个偏向3号的4号性格者，会是一个更加艳丽、生动的4号，这种人生活更积极，但是依然会保持4号性格中最基本的忧伤和失落感。每一种性格类型都会受到两翼性格的影响，尽管两翼中只有一种性格可以成为主要影响者，但也不能忽视另外一种性格可能产生的潜在影响。

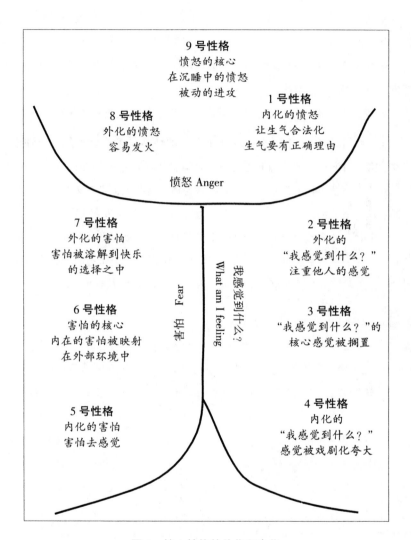

图4　核心性格的外化和内化

# 性格类型的动态变化

"三元法"还说明了这样一个事实，即每一种性格类型都是由三个方面构

★ 第一个方面是主宰方面，在日常环境中发挥作用，也就是通常被认定的“你的类型”；

★ 第二个方面的性格是当你处于行动状态（或者受到压力）时发挥作用的；

★ 第三个方面的性格是在安全状态下（毫无压力）发挥作用的。

在下面的图表中，行动中（受到压力）的性格是箭头远离你自身性格的那种性格；而没有压力状态下的性格则是箭头指向你自身性格的性格。这样，每一种性格类型实际上都是三个方面的联合体，这些方面会在人生的特殊情况中被激发出来。举例而言，当一个5号观察者（通常是安静和孤僻的）处于压力之中时，他或她就会向7号享乐主义者的方向发展（为了避免与他人打交道的压力而表现得更加外向、友善）。当他或她处于安全状态时，这个观察者就倾向于发展成8号保护者（领导他人并保护自己的私人空间）。

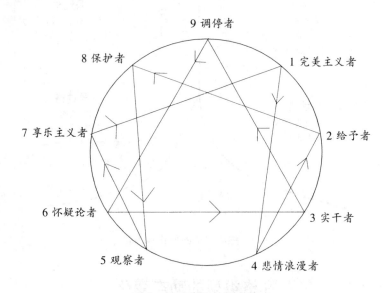

图5　性格类型的三方面

# 在安全和压力状态下工作

当我们从安全状态进入压力状态时，我们的精神和情感特质都会发生变化。安全状态下的反应似乎总是比行动/压力状态下的反应更加吸引人。这就是为什么，那些"九型人格"的爱好者已经形成了一种对安全感的崇拜。他们在不断寻找进入安全状态的方法，似乎让安全状态下的性格得到更好发挥就能让个人生活得更健康。"九型人格"安全态的热衷者们认为，自身的冲动会让他们向行动/压力状态发展。要避免这种状态，就要主动寻找让他们获得安全态性格的特征。他们的逻辑其实很简单：就是找到安全态性格的正面特征，以及压力态性格中的负面特征，扬长避短。

真是这么简单吗？与一个心仪已久、具有安全感的伴侣陷入热恋真能让你焕发出属于安全状态下的潜在特质吗？在我对小组成员的采访中，这种结论并没有得到证实。我们也没有发现获得安全感的可靠途径。事实是，安全感也会带来矛盾冲突。一个处于安全状态的人也可能做出压力状态下的反应，如果他经验不足，或者在过去有某种不安全体验的话。我就曾经采访过这样的人，他们在生活蒸蒸日上的时候，却直接表现出安全态性格中的负面特征。我还见过另外一种人，他们的优点恰恰是把压力态性格的正面特征全部发挥了出来。

借助压力状态来治愈心理问题的方法在许多心理治疗中都有应用，比如形成于 20 世纪 60 年代的格式塔疗法（gestalt therapy）。格式塔疗法，又称完形疗法，是一种非解释性、非分析性的心理治疗方法。它主张通过增加对自己此时此地躯体状况的知觉，认识被压抑的情绪和需求，整合人格的分裂部分，从而改善自己的不良适应。一些密宗的冥想训练也运用到了压力状态。总而言之，这些治疗和练习都是通过刻意激发人的负面情绪，来缓解压力。

这种有意置身于压力状态的做法，目的是为了让我们的情绪发展到临界点，通过让我们完全体验自身的负面特质，来产生一种免疫力。这些训练会让人去主动寻找令其生气的事情，而不是远离这些事情，还可能让人置身于一个

*对狄俄尼索斯的崇拜要求把注意力完全投入到感官世界中，但是一旦情绪和感觉得到完全的表达，这种崇拜就会转而变成对客观性的渴望，对感性的脱离。同样，在阿波罗崇拜中，虽然强调的是理性思维，但这并不是与生俱来的。明确的思维是在面对了一系列充满激情的问题之后才获得的；而超然的状态，也是在经历了完全的感性生活后，才会变得有意义。*

令人厌烦、浑身不自在的环境里。比如，性格骄傲的人会被要求去擦地板，畏惧的人会在月圆之夜被送到墓地。

葛吉夫那个"触犯某人的痛处"的训练也是源于这样的道理，即通过刻意激发人们在压力状态下的能量，让人们去直接面对压力，从而克服心理障碍。这种训练方法，与那些让人们把注意力远离所谓"负面情绪"的训练方法，在效果上同样有用。

一方面有计划地培养自己发泄情感，另一方面学会远离情感，这两种练习的相互关系在希腊神话中就有所表现。人们把太阳神阿波罗（Apollo）和酒神狄俄尼索斯（Dionysus）供奉在同一个神殿之中。狄俄尼索斯代表的是母系社会中痛苦与狂欢交织着的癫狂状态，充满了玄暗、野性和放纵，而阿波罗则代表着父系社会的明确、智慧和超然。这两个神在古希腊的历年中被轮流崇拜。

对狄俄尼索斯的崇拜要求把注意力完全投入到感官世界中，但是一旦情绪和感觉得到完全的表达，这种崇拜就会转而变成对客观性的渴望，对感性的脱离。同样，在阿波罗崇拜中，虽然强调的是理性思维和那种"避免一切靠近事物"的状态，但这并不是与生俱来的。明确的思维是在面对了一系列充满激情的问题之后才获得的；而超然的状态，也是在经历了完全的感性生活后，才会变得有意义。

阿波罗，代表着光明、理性、均衡、和谐和韵律——但是靠他太近的人，会被他的光芒灼伤双眼。不要直视太阳。人们时不时地还是需要找一个昏暗的酒吧，和酒神狄俄尼索斯喝上一杯。

# 第四章 "九型人格"的贡献者

## "九型人格"的贡献者

在九角星图这么一个复杂的体系中，每一种性格必须找到自己正确的位置，只有这样，各种性格之间的联系和反应才是正确的。我们前面所看到的"九型人格"的九种情感特征，是由智利心理学家奥斯卡·依察诺（Oscar Ichazo）总结排列出来的，他还为这九种性格分别起了名字。这样，结合早期葛吉夫对"九型人格"主要特征的描述，一个相对完整的"九型人格"体系就呈现在我们面前。

传统的苏菲教观点认为，人们性格中的主要特征实际上暗示了人们遗失的本体特质。依察诺根据这一观点，为每一种性格都找到了一种先天的生活状态，并为这些更高境界的精神和情感生活分别命名。简单而言，本体的特质往往与表面的性格特征是相反的。比如，属于害怕类型的人，他们的本体可能是充满勇气的；属于骄傲类型的人，他们的本体可能是十分谦逊的。依察诺把这种更高层次的精神特质称为"圣意"（Holy Idea），把更高层次的情感特质称为"德行"（Virtue）。

正确理解这种更高层次的精神和情感特质非常重要。这些特质与日常生活中的思想和感觉无关，事实上，它们也不是由平常生活中的那个负责思考和感觉的"自己"所控制的。本体的"圣意"会自动向某个方向发展，而不受个人思维的控制；本体的"德性"也会自动让身体做出反应，而不受个人喜好的影响。

---

由于这种高层次的本性往往与我们日常的性格特征相反，那是不是只要我们强迫自己变得勇敢，或者变得谦逊，我们就能回到本体的状态呢？这种想法是不对的。这种自以为可以了解自己的做法，实际上和真正的本体——那个对环境和他人都毫不设防、和谐相处的本体，还相差甚远。

依察诺的著作直到上个世纪70年代才流传开来，当时他在智利城市阿里卡（Arica）附近的沙漠里创办了一个心理精神训练营。大约有50位来自美洲各国的人参加了这个训练营，其中包括约翰·利利（John Lilly）和约瑟夫·哈特（Joseph Hart）。后来，他们开始宣传依察诺的训练方法，指出依察诺所运用的苏菲教观念和葛吉夫的研究有很多相似之处。依察诺通过练习来开发人的"三个大脑"，或者叫人类智慧的三种形式，这正是葛吉夫所说的精神智慧、情感智慧和本能智慧（也叫身体智慧），如图5所示。依察诺还总结了"九型人格"中不同性格的主要特征，约翰·利利等人把相关内容都发表在一本名为《超个人心理学》（Transpersonal Psychologies）的书中。

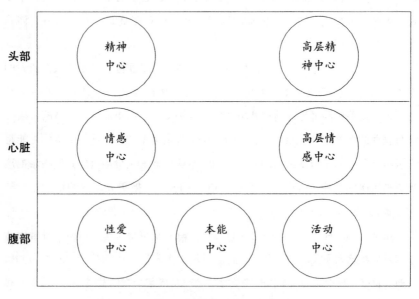

**图5 智慧的三个中心**

*尽管性格的负面差异让我们能够更加容易地区分各种性格类型，我还是觉得过于强调这些特点反而削弱了它们的重要性，让我们忘记了它们本应成为我们寻找更高层次意识的导师。*

依察诺最重要的功劳在于，他为九角星中的每个角找到了对应的性格类型，在这九种性格类型有了正确的位置后，我们才能够解释清楚不同性格的相互关系。

依察诺在一篇个人记录中说，他19岁的时候拜了一位导师，在跟着导师学习期间，他接触到了禅宗、苏菲教和卡巴拉的基本教义。他后来发现，自己在学习过程中所使用过的很多技巧都和葛吉夫的方法有类似之处。依察诺最终创办了阿里卡学院（Arica Institute），现位于纽约市（New York City）内。不过在谈到自己的贡献时，依察诺说："阿里卡并非我的发明，而是我们时代的产物。我为这所学院所提供的知识，并非我的原创，而是我从许多不同的信息源那里收集来的。"

依察诺的学生，约翰·利利和约瑟夫·哈特，在《超个人心理学》一书中对阿里卡训练有专门描述，这些内容推动了后来"九型人格"研究的发展。尤其是依察诺为九角星图中每一种性格都起了一个形象的名称，这些名称成了"九型人格"研究和教学的基础。在以精神为中心的九角星图中，每一个尖角所对应的名称，就是该性格类型最初的名称。

"九型人格"中各性格的原有名称强调的是每种性格的负面特征，因为负面特征往往是最明显，最容易区分的。比如，8号性格（保护者）对待压力的态度是制造麻烦，5号性格（观察者）面对压力则选择退缩。如果不是这种负面特征上的差异，我们将很难区分这两种性格。分不清性格类型，我们也就很难找到帮助此类性格进入更高心境的正确途径。如果我们采访的对象仅限于僧侣或者那些自我进化程度很高的人，我们可能会听到从更高层次的精神中心做出的表达，比如："我从来没有感到过压力，我知道一个问题会如何结束"（5号性格——全知），或者"我遵循于我身体内流动的力量"（8号性格——无知）。根据这样的回答，我们恐怕很难区分他们的性格类型。

尽管性格的负面差异让我们能够更加容易地区分各种性格类型，我还是觉得过于强调这些特点反而削弱了它们的重要性，让我们忘记了它们本应成为

*我们每个人都拥有三种最基本的关系领域，当我们的某一种关系受到损伤时，我们就会在精神上格外关注这个方面，以缓解由此引起的焦虑。*

我们寻找更高层次意识的导师。所以在本书中，为了让读者有更清楚的认识，我对九种性格的名称做了一些改变。

# 基本分支性格特征

根据葛吉夫和依察诺的理论，人的智慧存在着精神智慧、情感智慧和本能智慧三种形式。这三种智慧分别对应于人身体的三个中心。

★ 产生精神智慧的是思维的中心——大脑；

★ 产生情感智慧的是感觉的中心——心脏；

★ 产生本能智慧的是身体的中心——腹部。

我们对于本能智慧，也就是腹部中心的活动基本上是毫无察觉的，但我们可以从三个基本方面感受它的影响，这三个方面就是：身体生存（自我保护）、情爱关系和社会生活关系。腹部中心是人存在和生活的基础，而这三个方面就是本能的三个基本属性。有关这三个智慧层面的关系，如图5所示。

有一个的故事描绘了三种基本属性的关系，非常具有象征意义：一个放牛娃坐在一个三脚凳上挤牛奶。牛奶代表了收获的知识和生活的营养。三脚凳的一条腿坏了，于是放牛娃在挤牛奶的时候，他关注的并不是牛奶，而是凳子的那条坏腿。

这个故事想说明的是，我们每个人都拥有三种最基本的关系领域，其中一种关系比其他两种更容易受到伤害。当我们的某一种关系受到损伤时，我们就会在精神上格外关注这个方面，以缓解由此引起的焦虑。这三种最基本的关系领域就是由腹部中心决定的三个基本属性：情爱关系（亲密关系或其他一对一的关系）、社会关系（群体关系）和自我保护关系（个人生存的关系）。

作为成人，我们对于自身性格类型中的这三种固有心理特质都非常敏感，但是我们会对其中一种给予更多的关注。比如说，所有的 3 号性格者对于安全感、名望、男性/女性形象都会非常关注，但是一定会有一个方面成为关注中的焦点。如果某位 3 号性格者在自我保护关系上受到的打击最大，那么此人最关注的一定是安全感，而他或她的这种关注还将受到其性格上的主要精神特质和情感特质——空虚感和欺骗情绪的影响。图 6 详细展示了"九型人格"在不同精神、情感和本能层面的不同分支性格特征。

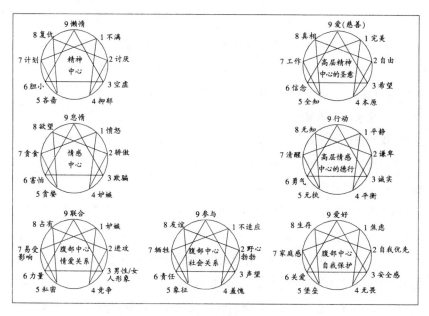

**图6 "九型人格"的基本性格分支**

## 连接现代心理学的桥梁

依察诺的"九型人格"并不完善。他对每种性格做出的结论并不全面，仅仅说明了一种性格类型的众多特征的某一方面，而且我们也无法把他的描述性语言同心理学术语对应起来。把"九型人格"分析与现代心理学联系起来的工作，是由另一位智利精神病学家克劳迪奥·纳兰霍（Claudio Naranjo）完成的。他也参加了阿里卡的训练，然后创造性地用心理学思想表述了"九型人格"的理论。

纳兰霍是东西方心理意识训练的集大成者，早在他出版《惟一的寻求》（The One Quest）一书时，就已经享有盛誉。他对于"九型人格"学说的研究终于让这门神秘学说与当代西方心理学结合在了一起。他同时让这门学说变得广为人知，让人们可以从他人的故事中，找到相似点，从而发现自己的性格类型。

为了获得更多信息，纳兰霍选择那些心理相对复杂的人进行采访，因为这些人更善于描述他们内心和思想上的主要特质。纳兰霍曾经根据这些信息，绘制了九种性格主要心理防御机制的九角星图。

对于我来说，如果说葛吉夫的理论已经暗示了"九型人格"的存在，那么依察诺的理论则是对"九型人格"的发展，而纳兰霍才是"九型人格"的完成者，如果不是他把"九型人格"与西方类型学对应起来，"九型人格"恐怕至今还是神秘莫测的。

我本人也是从纳兰霍那里学到"九型人格"的。他的传授方式依然是传统的口头交流。有一次，他邀请了很多在精神修行方面颇有成就的人，分别对他们进行采访。这些人的讲述具有很大启发性，他们会讲述自己寻求更高层次意识的原因，以及自己如何在寻求的过程中超越自己。

纳兰霍的研究是为了把"九型人格"发展成心理分析的工具。但是我的兴趣点并不在于心理学，我关注的是那些精神练习和直觉训练。我想知道同一种性格类型的人是否会对相似的冥想训练感兴趣，我还想知道每一种性格类型在训练过程中会遇到哪些典型问题。

对我产生重大影响的是第五个晚上的采访，我在采访过程中突然开了窍。当晚的采访对象是一批 5 号性格者（观察者）。当时，纳兰霍在询问这些人的早期家庭生活情况，一位非常典型的 5 号性格者引起了我的注意。他整个晚上都坐在沙发的扶手上，从一个具有高度和安全感的地方观察周围情况。他最吸引我的地方，是他说了一句话："在我的家人自己都还不知道他们想从我这里得到什么时，我就已经知道了。"

我记得当时自己突然有一种如释重负的愉悦感。这位 5 号性格者不经意的言语，与我心中长期存在的某种意识不谋而合，而他的肢体动作，和他的言语一起，正是让我对"九型人格"着迷的导火索。我立刻知道了，他在这一方面是有直觉的，他的这种敏感是他童年生存技巧的一部分；他很可能还能描述出自己如何改变自己的感知去"了解他人的期望"；而且如果他了解到自己的心理防御机制在这方面的作用，他就有可能主动接触到心理的直觉状态。

在纳兰霍的研究班中，有好几个人后来都成了"九型人格"的推广者。这里面包括我的一位好朋友，鲍勃·奥克斯（Bob Ochs）。作为一名天主教牧师，他也是"九型人格"学说的热衷者。他对每一种性格都做出了自己的分析，还把"九型人格"的理论同天主教的思想结合起来。纳兰霍的另一名学生，凯思琳·斯皮瑟（Kathleen Speeth）博士也对"九型人格"学说做出了自己的贡献，她对这个系统注入了自己的心理学理解。

我从 1976 年开始自己办班，进行直觉感应的训练。开始的时候，我的客厅里聚集了差不多 40 个人，随着时间的流逝，我的班级逐渐发展到了数千人。这些人通过他人的故事发现了自己的性格类型。我在本书中所使用的陈述，都是从这些班级课程的录音中整理出来的。有关注意力和直觉类型的内容，可以说是我自己对于"九型人格"学说的贡献。我所提到的每一个问题都经过了小组成员的反复验证，然后才被列入到某种性格类型之中。

## 注意力的关注点

**1 号**：注重评估环境中的是与非。

**2 号**：渴望获得他人的认同。

**3 号**：希望自己的工作或表现得到积极正面的关注。

**4号**：注意力在人或物的有用性与无用性之间徘徊。关注虚构事物的优点和现实事物的缺点。

**5号**：希望保留隐私权。对他人的期待很敏感。

**6号**：在环境中搜寻隐藏着他人意图的线索。

**7号**：注意力集中在快乐的精神联系和乐观的未来计划上。

**8号**：寻找任何与失控有关的暗示。

**9号**：企图决定他人的计划安排和思想观点。

我们拥有了三种形式的智慧，精神智慧、情感智慧和本能智慧。同样，我们的直觉感应也有三种：通过思维产生的直觉，通过情感产生的直觉，以及通过身体中心——腹部产生的直觉。不同的性格，产生直觉的方式和类型也不同。如图7所示：在九角星图中，位居顶部的三个尖角，即8号、9号和1号性格者，他们的直觉感应非常自然地位于腹部。他们最容易感觉到通过身体产生的直觉感应。情感直觉的拥有者是九角星图中的右边三个角，即2号、3号和4号性格者，他们的大部分知觉都来自于情感反应。精神直觉属于左边的5号、6号和7号，这三种性格的人主要通过精神途径来获得直觉感应。

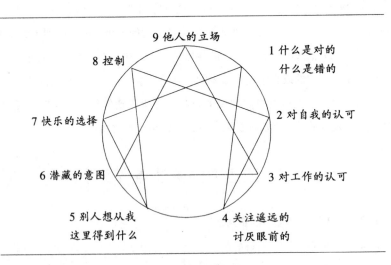

**图7 注意力的焦点**

有一点一定要记住，我们可以获得的直觉并不完全局限于我们的性格特征。也就是说，我们完全可以通过训练，来提高自己的直觉感应能力。但是由于我们的性格特征会让我们对这个全景世界中的某一方面予以特别关注，所以我们更容易获得与我们性格关注点相对应的直觉感应。

　　9号性格的人习惯通过身体来获得直觉，就好像在回答一个内心发出的问题：我与环境是什么样的位置关系？

　　受情感控制的3号性格者倾向于通过情绪体（emotional body，人体的能量的7个层次之一，控制人的感觉和心情）来感知事物，就好像在回答"我和谁在一起？"的问题。

　　受大脑控制的6号性格者则倾向于通过精神印象来感知事物，就好像在回答"这个环境是什么？"的问题。

　　每一种性格类型的人都会习惯性地把注意力放在大脑中心、心脏中心或者腹部中心上，尽管他们也可以向其他性格类型学习，但他们还是更容易分辨属于自身类型的直觉感应方式。

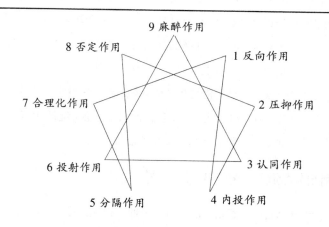

**图8　"九型人格"的心理防御机制**

**即葛吉夫所说的心理缓冲带**

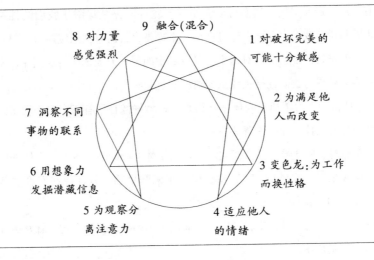

图9 "九型人格"的直觉类型

## 基于身体的直觉：1号、9号、8号

1号——能够在普通中看到完美的可能。对于处理不当或不正确的地方极其敏感，因为这样的错误会破坏"原本可以非常完美"的印象。

9号——通过自己来感受他人。就像镜子一样，能够把对方的影像反映出来，把自己变成对象的复制品。在交流过程中，9号性格者会融入到他人的观点中。具体参见下面有关"2号性格与9号性格只是看上去很像"的分析。

8号——感到自己的身体被扩大，"占据整个空间"。能够感到环境和他人的力量与特质。经过训练，能够感到更多类型的信息。

## 基于感情的直觉：2号、3号、4号

2号——能够转移自己的感情，改变自己来迎合他人。感觉要成为他人理想中的自己。在思维介入之前，感情就发生了变化。具体参见下面有关"2号性格与9号性格只是看上去很像"的分析。

3号——为了达到完成工作所需要的品质，能够像变色龙一样改变自己的个性和形象。关注点总是放在工作或者他人对工作的反应上。在思维想清楚该做什么之前，3号性格者就自动找到了自己的合适角色。

4号——能够适应他人的情绪。感知他人的痛苦，与他人产生情感上的共鸣。4号性格者说，哪怕家人、爱人和朋友并不在身边，他们也能走入对方的情感世界。

## 基于精神的直觉：5号、6号、7号

5号——能够把注意力从思维和感觉上分离出来，成为客观的观察者。能够通过精神去感知，而不受到个人思维和情绪的影响。

6号——能够看到潜藏在表面现象下面没有表明的意图。把想象力作为发现隐秘观点的工具。

7号——从看似毫无关系的事物中找到关联性。7号性格者能够心里想着一个问题，手头却做着其他事情。这样的情况不但不会形成干扰，甚至可以从其他事情中，找到解决原有问题的灵感。

## 2号性格和9号性格只是看上去很像

在谈及与他人的直觉感应时，2号性格者和9号性格者的回答都是"我融入到……"。他们的特点虽然很相似，但依然有区别。

2号性格者首先改变的是情感，通过情感渠道与他人融合，而其他方面则被隐藏在情感的背景里；在融合的过程中，2号性格者会因为自己完全成为他人所希望的形象而兴奋不已。这样的表现与2号的多重性格有关：2号的许多性格方面都很强，但是它们不会同时出现。

9号不会改变自我形象。他们会从整体上接受他人的观点，而不是改变自己来迎合他人。9号性格者也不会说他们游离于自己不同的性格方面中。当9号与他人融合时，他们说自己已经停止存在，他们忘记了自己的位置，完全融入到他人的感情和观点之中，并对此产生比自身情感和观点更强烈的感受。

## 寻找性格关系中的交汇点

在你知道你自己和你周边人的性格类型后，你就能够利用"九型人格"体系，发现你与他人有哪些共同点，以及你们需要从哪些方面相互了解。一般而言，如果两个人属于同一种性格类型，那他们很可能会有"英雄所见略同"的情况。我就碰到过好几对都是 1 号性格（完美主义者）的夫妇，他们追求完美生活的态度简直如出一辙。不论是品味，还是做事的方法，都要求至善至美。

当两个人的思维方式和观点相似时，他们能够产生一种互联感应，在相互的附和中，让自身的观点得到加强。比如一对同属于 3 号性格（实干者）的夫妇，他们会认为生活就是一系列充满挑战的任务，而一对 4 号性格（悲情浪漫者）的夫妇则会认为生活的中心是自我感觉。

即便是两个性格类型不同的人，他们也会找到一些共同点。正如我们前面所言，"九型人格"中的每一种性格，都有向左右性格类型发展的可能；不仅如此，每一种性格类型，在压力状态或者安全状态下，还会发展成另一种性格。所以，即便你和你的同伴属于不同的性格类型，你们也有可能在九角星的某一个位置，找到交汇点，这时你们会很自然地对交汇点所涉及的问题产生共鸣。

但是，如果你的位置在"九型人格"图中发生了变化，而你的同伴没有找到与你的性格交汇点，那你们就很可能会失去相互的理解。比如，由 6 号和 8 号性格者组成的夫妇，他们可以在 7 号、5 号和 9 号上找到性格交汇点。但是如果 6 号在压力状态下发展成了 3 号性格，或者 8 号在安全状态下发展成了 2 号性格，那他们就不会一致了。我们可以冒险想象一下 6 号和 8 号性格者在这些位置上的状态：

## 在 7 号交汇（6 号的外化状态和 8 号的内化状态）

愉快地聊天，分享积极的未来计划、出游安排，一起去找朋友或者共同忙碌于某事。制定互惠互利的计划，支持对方的目标。感情生活愉快，不紧张。

## 在5号交汇（6号的内化状态和8号的压力状态）

都喜欢呆在家里，或者在同一间屋子里各看各的书，或者躲在自己的空间做自己的事情。喜欢有同伴陪同的感觉，但又不喜欢太亲近。不会出现亲密的谈情说爱。因为压力状态下的8号希望获得不受打扰的私人空间，而且也希望6号能够明白，自己的封闭并不代表着感情关系的结束。8号性格不会一直这样，在他们的压力缓解后，他们还是会走出自己的空间的。

## 在9号交汇（6号的安全状态和8号的外化状态）

非常积极地融合。6号会抛开焦虑，甚至变得过于放松。在家里闲逛，做一些琐事，煲一锅靓汤。而且，只要6号不拒绝，8号会满足6号的各种要求。放松的6号很可能会体验到真爱的感觉。这一点很不容易，因为对于6号本身的性格而言，他们一旦意识到同伴的重要性，往往会很生气。这种生气最突出的表现是，当同伴在某件事情上胜过他们时，他们会产生心理不平衡。但是如果6号能够朝着安全感的更高方向发展，他或她就会愿意为了8号而改变自己。

## 8号向2号发展：安全状态

8号的行为从高度自控变成豪放不羁。在支出上，变得大手大脚，追求生活享受。原谅任何过错。8号希望得到别人的照顾，而不是被别人控制。非常在乎小动作。8号是一个以身体为主的感官主义者，所以当8号处于安全状态下时，他们喜欢美食和享乐，也喜欢别人给他们敬酒，说几句恭维话。如果6号够聪明的话，最好能加入8号的欢庆聚会。

## 6号向3号发展：压力状态

在这种状态下的6号性格者，往往是关注于某个项目，在妄想狂的临界状态摇摆。当面对一项明确的任务时，6号的注意力在兴奋和幻想中徘徊，他们会疯狂地幻想任务成功或失败的情景。这个时候，如果8号希望控制6号，或者给 6 号施压，或者急于指出 6 号在行动中的问题，都可能导致 6 号放弃任务，从 8 号身边逃走。

8 号要想支持 6 号，只能主动承担责任，自己去负责任务中可能会被 6 号耽误的方面；这样，当胆怯的 6 号看到他们以为无法解决的困难已经被解决之后，就会把 8 号视作帮助自己的英雄。8 号一定要分清楚一个大包大揽和一个雪中送炭的区别，因为 6 号对于屈服和委任分得很清楚。

# "九型人格"病理诊断图

下面的"九型人格"图包括了《精神病诊断和统计手册》（简称 DSM，是 Diagnosis and Statistic Manual for Mental Disorders 的缩写）第三版修订版中涉及的主要诊断类型，该书现在被美国各大精神医疗机构广泛使用，收录了对常见精神紊乱的描述、诊断标准、治疗以及研究发现等内容。下面是九型人格与精神病诊断的对照图。

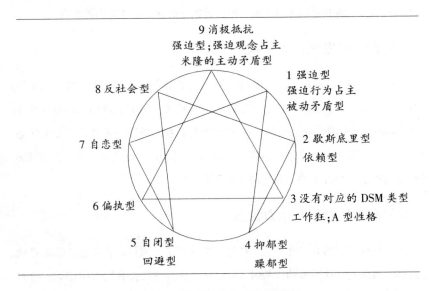

**图 10  "九型人格"病理诊断图**

需要强调的是，人们通过十分仔细和认真地研究，才确立了"九型人格"与西方心理学的联系。我曾经看到好多自称非常"准确"的系统，既没有实验研究的基础，也没有从现象学的角度通过大量采访来获得实证。这些所谓的系统看上去很吸引人，但它们和"九型人格"是无法相提并论的，因为它们根本没有坚实的研究成果作为基础。

根据纳兰霍有关心理防御体系的研究，以及多年来我所收集到的大量故事，图10所描绘的"九型人格"诊断图是与目前的心理学研究最接近的体系。这是一个具有自我修正功能的体系。那些善于自我观察的人，能够根据自身性格的描述找到自己在图中的位置，并且在他们进入安全态或者压力态时，对自身的行为变化做出正确反应。

DSM手册描述的都是一些严重的病理反应。从注意力练习的观点来看，造成这些病理的原因是我们失去了脱离自身、观察自我的能力。如果我们无法转移注意力，无法成为一个内心观察者，我们的关注点就从"我做什么"变成了"我是谁"。当注意力完全沉没在属于我们自身性格的思想和感觉中时，我们就无法接受其他的观点。

"九型人格"病理诊断图中的内部线条，说明了各个性格之间的联系，这也是当前心理学研究的热点。图中的等边三角形就代表了许多奇妙的关系：它说明9号的强迫症（obsessive compulsive）、6号的妄想症（paranoid）和3号的工作狂（workaholic）倾向可以同时存在于一个人体内；它还能预测出在什么样的生活条件下（正常、压力、安全），这些症状可能会出现。

## 诊断表现

### 身体中心型：核心——9号，两翼——8号和1号

#### 9号性格

DSM中的强迫症（obsessive - compulsive disorder）倾向，以强迫观念为

主。强迫症是指患者在主观上，感到有某种不可抗拒的或者不能自行克制的观念、意向和行为的存在。症状表现为强迫性观念或强迫性行为，或是二者兼而有之。这种性格的人是美国心理学家米隆（Theodore Millon）所说的主动矛盾型（active ambivalent type）。在面临决策时充满矛盾，被反抗的欲望和遵守的欲望包围。在"九型人格"中，9号性格正是被代表顺从的1号性格和代表反抗的8号性格所包围。

9号倾向于保持这种矛盾状态，而不是通过改变自身位置来制造机会。9号的内心问题更多的是"我愿意在这里吗？"，而不是像1号那样关注于"我是否在做正确的事情？"9号处于一种不受约束的状态下。自身的心理防御体系会让注意力向那些不太重要的事情上转移。他们的主要防御体系是隔离和自我麻醉。他们内心的矛盾可能非常强烈，但愤怒的表达却是被动的、间接的。

有些9号报告说自己有消极抵抗的特质。这些人往往更加顽固，更爱抱怨。在"九型人格"中，他们会向8号（主动挑衅）倾斜。对于消极抵抗类型的9号性格者来说，他们的矛盾在于，虽然他们同样具有强迫性的症状，但是他们不会对别人的安排言听计从。他们的态度是，即便要符合他人的希望，也不能放弃自己的独立性，所以他们会抱怨，会犹豫，还会表现出另一些反抗倾向。

### 1号性格

DSM强迫症中的偏强迫型。内心可能和9号一样充满矛盾，但是不会表现出来，属于米隆所说的被动矛盾型（passive ambivalent type）。在反向作用（reaction formation，某种冲动受到压抑后，个体表达的相反态度或行为模式）的力量下，把愤怒和真正的希望都掩藏起来。严格遵守是非正误的准则。强迫自己做正确的事情。认为一定有一个正确的选择。

### 8号性格

DSM中的反社会型。我行我素，认为自己的做法才是惟一正确的。

# 情感中心型：核心——3 号，两翼——2 号和 4 号

### 3 号性格

在 DSM 中找不到对应类型，是最近才被西方心理学研究关注到的一种性格。情感关注的是做事的兴趣。注意力在工作上，而不是自我。尽管 3 号性格者承认自己存在自恋的特质，比如相信自己的某些优点和成功是无人可及的，但是这种优越感一般都是基于努力的付出，而并非毫无依据的自信。3 号性格者的痛苦在于他们想要保持自己成功者的形象，他们会为此付出辛苦代价，他们不会像真正的自恋者那样迷恋于未来的成功，他们关注的是眼前。

### 有些相似的 3 号和 7 号

3 号和 7 号都是充满能量的性格外向者。他们都很乐观，善于自我激励，希望获得肯定。他们都把自己视为成功者。但是 3 号会一直工作下去，直到干不动了为止；而 7 号一旦失去了兴趣，就不会再工作下去。3 号性格者希望得到指挥他人的权力，成为公认的领袖，他们承诺做最负责、最出色的工作。他们渴望得到他人的认可，他们努力付出就是为了立刻得到回报。

7 号希望尝试所有好的事情。他们想要的是冒险，而不是权力。他们不需要别人的认可，因为他们认为自己早已超凡脱俗。他们不愿接受责任的约束，他们自己肯定自己，而且他们的工作是为了更美好的未来，而不是希望立刻得到回报。

### 2 号性格

属于 DSM 中的歇斯底里型和依赖型。这两种类型都需要不断得到别人的肯定和认可。对自我的感觉来自于与伴侣的关系。为了获得对方的爱，而迎合对方的需要。"我变成了我爱人希望的那样。"依赖型通过顺从来改变，会一心一意地完全依附于同伴。歇斯底里型则表现得更激进，处于居高临下的位置，希望能控制同伴。

### 4 号性格

DSM 中的抑郁症和躁郁症（bipolar disorders，也叫双项情感障碍，一种严

重的精神疾病，情绪两极化，时而大喜，时而大悲）。用"九型人格"的语言来说，在处于压力状态时，可能向 2 号（歇斯底里、依赖）发展，也可能向核心的 3 号倾斜，用过激的行动来战胜抑郁。

## 精神中心型：核心——6 号，两翼——5 号和 7 号

### 6 号性格

DSM 中的偏执狂。

### 5 号性格

DSM 中的自闭和回避型。属于这种性格的人在小组讨论中，都说自己有疏远社会的特点。有些人说他们自己过得很好，所以不关心与其他人的亲密联系（自闭型，被动分离）；还有人说他对社会关系感到疲惫（回避型，主动分离）。

### 7 号性格

DSM 中的自恋者。认为天资优越，优越感是天生的，而不是后天形成的。参见前面的"有些相似的 3 号和 7 号"。关注的是想象中的美好未来，而不是眼前的工作。最爱说的就是："不管怎样，我要对自己坦诚。"

# 第五章　正式进入前的导读

好了，讲了那么多，现在我们终于要一一揭开"九型人格"中每一种性格的面纱了。不过别着急，在具体分析每一种性格类型之前，你还需要对每一章的内容有个大致了解。

从严格意义上来说，要想理解"九型人格"的相互关系，最好的办法就是从6-3-9这个核心三角着手，然后根据1-4-2-8-5-7的顺序依次分析其他角的性格特征。我们在开班讲课时，不同性格的小组成员都会按照这个顺序就座，这样大家就能更清楚地看到不同性格在不同状态下的变化。不过在本书中，为了方便读者查阅，我还是按照从1-9号的顺序依次分析的。

在每一章的开头，都会有一段反映此类性格心理矛盾的陈述，一段典型的家庭成长背景，以及一些关于此类性格基本特征的讨论。我还简要地描述了此类性格在处理亲密关系和权威关系时的表现。

我特别感兴趣的是每一种性格的注意力和直觉类型。我认为注意力练习是连接智慧和直觉最好的桥梁，它能让我们重新与本体的特质建立联系。我希望本书中有关注意力和直觉的一小部分内容，能够充当引领我们完全理解人类本性的初级读物。

尽管每一种性格类型的直觉感应都不相同，我们一定要记住，每个人都有掌握所有直觉感应方式的机会。举例而言，你既可以拥有安全态性格中最常见的特质，也可以表现出在压力状态下的典型特质。我们每个人对待生活的方式都是不同的，但是通过研究我们的注意力，培养我们的内心观察能

*我们每个人对待生活的方式都是不同的，但是通过研究我们的注意力，培养我们的内心观察能力，我们就会发现，我们的直觉常常在不经意中影响了我们的决定和我们与他人的关系。*

力，我们就会发现，我们的直觉常常在不经意中影响了我们的决定和我们与他人的关系。

在高层精神能力和情感特质中，我们所涉及的是每种性格类型的更高层面。人们常常会把本体视为个人自我的一种延伸状态，但实际上，只有当我们改变自身意识状态时，本体的特质才会显现出来。本体的特质并不是由日常思考和感觉的自我所控制的，它们与我们平日里的意识毫无关系，但是不幸的是，本体的特质总被误认为是个人意识发展后的表现。

要想真正获得本体的特质，需要多方面的锻炼：

★ 首先，要培养自己内心的观察能力；

★ 其次，要掌握多层次的冥想、运动和能量练习；

★ 另外，还要学会把本体的特质同成熟的个性融合在一起。

我在这本书里使用的所有材料，都来自于过去 12 年的课堂讨论。本书的内容实际上是一个庞大的故事集，这些故事来自参加"九型人格"研讨和学习的数千名学生。

每章的基本内容包括：

★ 心理的困境

★ 典型的家庭背景

★ 性格的主要问题

★ 亲密关系分析

★ 两种性格夫妻关系的实例

★ 权威关系分析

★ 两种性格权威关系的实例

★ 注意力类型

★ 直觉类型

★ 适合的环境

★ 不适合的环境

★ 性格的代表人物

★ 高层心境

★ 高层德行

★ 性格的闪光点

★ 基本分支性格特征

★ 有助于此类性格的做法

★ 此类性格需要注意的事项

# 第六章  1 号性格——完美主义者
## *The Perfectionist*

## 完美型

| | 性格特征 | 本体特征 |
|---|---|---|
| 大脑 | 主要特征：不满 | 高层思想：完美 |
| 心脏 | 主要情绪：愤怒 | 高层德行：平静 |
| **基本性格分支** | | |
| 情爱关系：嫉妒心 | | |
| 社会关系：不适应感 | | |
| 自我保护：焦虑（担忧） | | |

## 困境

他们曾经是非常可爱的小男孩和小女孩。

他们知道要行为得当，要承担责任。

他们认为最重要的事情就是争取他人的肯定。

他们记得因为做错事而被批评的痛苦，他们因此学会了严格监督自己，避免因为错误而被他人注意。

他们笃信，所有人都和他们一样，渴望不断提高自我，实现完美人生。

一旦他们发现，世界并不像他们想象得那么完美，其他人有可能缺乏道德

**完美主义者他们勤劳工作、有正义感、完全独立，并且坚信朴素的思想和善良必将战胜人性的阴暗面。他们相信生活是艰难的，安逸是用汗水换取的，德行是对自己的奖赏，而快乐只有在其他事情都完成后才能获得。**

良知时，他们内心充满了失望。

完美主义者身上所表现出来的特点，实际上就是我们清教徒祖先们所倡导的生活方式。他们勤劳工作、有正义感、完全独立，并且坚信朴素的思想和善良必将战胜人性的阴暗面。他们相信生活是艰难的，安逸是用汗水换取的，德行是对自己的奖赏，而快乐只有在其他事情都完成后才能获得。

完美主义者通常不会注意到他们否定了自己的快乐。他们只关注于他们"应该"做和"必须"做的事情。他们很少会问自己，真正想要从生活中得到什么。他们自身的期望从小就被封闭起来，他们只知道去做正确的事情，却不知道自己期望什么。

在完美主义者看来，到处都是提高和改进的空间，一些严重强迫型的完美主义者会把大量休息时间花在自我提高上面。

坐公共汽车对他们来说，意味着练习正确的坐姿。

用午餐对他们来说，必须一口咀嚼 10 下。

自由时间对他们来说，就是去做一些具有建设性或教育性的事情。

……

1 号性格者认为他们的内心有一位严厉的批评家。这位批评家手握戒尺，时刻都在监督他们，因此他们总是处于自责之中。对于我们大多数人来说，这种自责的声音只会在我们犯下严重罪行时才会出现，但是对于 1 号完美主义者来说，这种自责声与他们的思维相伴，尽管他们明白这种声音是发自内心，他们更愿意把它视作某种外来的声音。

内在的评判家经常会对 1 号的言行举止做出评价。比如，如果 1 号正在举行一个讲座，内在的评判家就像一位严师，不断地指出 1 号的问题："你的观点应该更精确些，你的声音有鼻音，不要跑题！"

正是因为童年时对批评的害怕，让 1 号性格者培养了内在的监督体系，来自动监控自己的所思所言，所做所为。

1 号性格者总是把这种强大的内在评判声看作更高层面的自己，一种超越日常思想的思想，但实际上，这种内在的监控依然源于他们自身的思想。尽管

**一个完美主义者的注意力被完全集中在应该做和必须做的事情上。他们的大脑中已经没有空间去关注他们自身的希望。因此，他们总是不满。**

他们也明白这一点，他们还是更愿意把这种内在的监督视作某种更高层面的存在。

1号性格者常说，他们的思想决定了他们的感受。当他们的内在批评声十分强烈时，他们会十分憎恶那些违反规则，又没有自责表现的人。完美主义者总是在努力实现自身对完美的要求，他们感到有一种力量推动着他们变得更好，

对于1号性格者来说，内在的评判力量是如此强烈，以至于他们相信其他人也一样拥有这种内在的监控力量。所以，当他们发现其他人会为了自身的乐趣而去做不正确的事情时，1号性格者会把这种行为看作蓄意的欺骗。

一个完美主义者的注意力被完全集中在应该做和必须做的事情上。他们的大脑中已经没有空间去关注他们自身的希望。因此，他们总是不满，不满实际上代表了长期的恼怒感。不满，说明他们并没有完全忘记自己的真正需求，而是在为了满足内心的批评声而强迫自己努力工作。

1号信奉"后天下之乐而乐"的思想。也就是说，只有在生活已经稳妥，任务已经完成后，个人才应该考虑自己的休息和乐趣。他们的时间总是被安排得满满当当，而且时间表上的每一项都是为了实现完美而和谐的生活：音乐时间、锻炼时间、学习时间、看望生病的朋友等等。他们的时间总是由日程表控制的，一个个单元格有效地消灭了空闲时间，让真正的需求无法出现。

一位年轻的完美主义者是这样描述她去艺术学院之前所做的准备工作的：

我特别想上艺术院校，为此专门花了两年的时间上预备班。但是我要求我的每一步决定都必须完美无缺，结果我至今还没有正式提出入学申请。首先，我必须解决我的艺术理念与政治信仰之间的矛盾。从我的政治观点来看，我的艺术表达过于放纵，所以我必须调整自己的艺术思想，使之符合我的政治信仰。其次，我还要处理我对绘画的喜爱与我的其他爱好之间的矛盾。绘画是一个安静的职业，但是我喜欢大自然，喜欢户外运动。我还要检查我的精神信仰，选择与之相符的艺术主题。在我填写入学申请之前，我必须把我的整个世界观都调整好。

*完美主义者的世界观来自于这样一个假想：世界上的每一个问题最终都有一个正确的解决办法。他们把这种惟一的正确性视作追求的目标，不管有没有其他更吸引人的方式。*

这位有心学艺术的学生在专注于自己的热爱、期望以及绘画给她带来的快乐之前，必须服从于自己内心的评判。这和我们清教徒的祖先十分相似。在那个时代，跳舞和游戏都是禁止的，因为这些活动会带来快乐和激情，超越了内心审查体系的限制。

完美主义者的世界观来自于这样一个假想：世界上的每一个问题最终都有一个正确的解决办法。他们把这种惟一的正确性视作追求的目标，不管有没有其他更吸引人的方式。

这个世界上可能存在很多种正确的解决途径，对于这个人正确的办法也可能并不适用于其他人，但是完美主义者不会接受这样的思想，他们只认定一种正确的方法，并认定这种方法是绝对正确的，其他想法在他们眼中就统统变成了无稽之谈。在他们看来，如果所有人都能随心所欲，高兴怎样就怎样，那还有什么力量能够阻止邪恶来破坏所有的美好呢？

1号性格者的判断通常集中于愤怒和情感上，因为童年的时候，他们曾经在这些问题上遭受惩罚。一般，他们不知道自己什么时候会生气。即便他们的面部表情已经是咬牙切齿，他们也不会发现自己被激怒，因为在他们的感知中，"坏"情绪是被封闭在意识之外的。在小组讨论中，一位满脸涨得通红、言词尖锐的1号，可能在提出了一大堆批评意见后，还没觉得自己发怒了，他感觉自己不过强调了几个要点而已。

愤怒是一种"坏"情绪，他们不喜欢。所以1号性格者通常不会发觉自身的不满，除非他们确定自己是绝对正确的。这时，他们的身体中会产生强大的能量，他们内心的自责逐渐消退，压抑的愤怒被释放出来。

对于成熟的1号性格者来说，这种能量可以用于更高尚的目标。他们会在他人追逐金钱和名誉的时候，无私奉献在人道主义工作的最前沿。但是对于不成熟的1号性格者来说，同样有价值的目标，只会为他们提供一个所谓的"正义平台"，让他们能够站在上面大声宣布：你们都是错的！

一个完美主义者的心房就好像一栋拥有地下室的房子。内心批评家是这栋房子的主人，但是这位批评家没有意识到栖息在地下室里的情感有时也会膨

*对于有些完美主义者而言，为了平衡矛盾，让住在房间里的内心批评
家和藏在地下室里不被察觉的情感能够和睦相处，他们会选择在地板
上安装"活动门"。*

胀，从地板里漫溢出来。如果内心的情感蔓延得太快，完美主义者就有可能把
接受不了的情感倾泻出去。通常的做法是把注意力集中到他人的错误上，或者
用酒精或毒品来麻醉自己，让内心的批评家昏睡过去。狂欢式的喝酒、间隙性
的发怒以及时常的亲密性行为，这些都是1号为了释放压力，摆脱内心的莫名
需要而经常做出的举动。

对于有些完美主义者而言，为了平衡矛盾，让住在房间里的内心批评家
和藏在地下室里不被察觉的情感能够和睦相处，他们会选择在地板上安装
"活动门"。也就是说，他们会时不时地打开门，到地下室去看一下。

这样的完美主义者会变成"双面人"。他们会产生两种不同的生活方式，
拥有两种截然不同的性情，一种针对于"我熟悉的地方"，另一种针对于"遥
远的地方"。在那些他们熟悉的地方，他们是负有责任和受人尊敬的；但是在
远离家人和朋友的地方，他们会变得更加放松，甚至放纵。

这种"活动门"的表现形式有很多。有非常简单的，比如到一个完全陌
生的地方去匿名度假，把所有责任都抛开；也有非常奇怪的角色组合，比如一
个人既是图书管理员，又是一名妓女，或者既是传教士，又是小偷。

还有一种解决这种上下层矛盾的方法就是宽容。只要承认了错误，内心的
批评家就会平静下来，在宽容的环境中他们更容易发现自己的缺点。这种宽容
的关键在于，在他们承认错误的同时，不要让他们感到因为自己的错误而受到
污辱或惩罚。只要他们能够承认错误，在弥补错误时，他们就是"九型人格"
中最具有耐心和建设性的人。

当他们心怀感恩时，他们就会从一份出色完成的工作中感到快乐。其实一
些很简单的事情就能激发1号性格者的完美感：一间收拾干净的屋子、一个结
构工整的好句子、谈话中某个感觉良好的时刻。

## 1号性格者的主要特征包括：

★ 内心的正确标准变成严格的自我要求。不断产生自责的思想。

★ 有一种强迫性需要，只接受正确的事情。

★ 做正确的事情。

★ 在自身的高层道德和伦理观念上拥有坚定的信仰。要做一个更好的人。要求自己做芸芸众生中少数的能做正确事情的人。

★ 对于那些不符合正确标准的需要置之不理。

★ 在思想上把自己同他人比较："我比他们强还是差？"在意他人的批评："他们在评判我吗？"

★ 做决定时犹豫不决，害怕做出错误的决定。

★ 不切实际的社会改良家。把因为自身需要未被满足而产生的怒气转移到其他外在目标上。

★ 发展出两个自己：一个事事操心的自己，住在家里；一个尽情玩乐的自己，出现在遥远的陌生地。

★ 通过改正错误而获得关注，将导致：

- 超强的批评力量；
- 意识到潜在的完美可能，变成事后诸葛亮，"想想看原本该是多么完美"。

# 家庭背景

1号性格者通常都会说，他们在小时候曾经遭受严厉的斥责或惩罚，于是为了远离麻烦，他们开始强迫自己往好的方向努力。这样的家庭背景培养了听话的孩子，但是也让孩子们把父母的批评声转移到了内心，通过内心的批评家来控制自己的行为。

许多1号性格者都会早熟，他们希望变得像父母一样，担负成人的责任，以巩固自己在家中的地位。

我的父亲想成为作家，但是家庭生活的包袱阻碍了他，所以他开始讨厌自己的妻子。我感觉他把这种怒气也发泄在了我们身上，因为他没有实现自己的理想，而被他眼前的一切所困扰。我母亲多数时间都因病卧床，所以父母希望

**我让自己为快乐而努力，但是即便达到要求，我也不会给予自己应得的快乐。**

我能照顾弟妹。家里的气氛总是很紧张，孩子们都踮着脚尖走路，害怕打扰了父母，而我自己总是害怕做得还不够。

我记得有一个夏天，家里让我把所有房间的墙壁擦洗一遍，结果我站在窗边看外面的小孩玩耍。我盯着他们发呆，手里紧拽着客厅的窗帘。我已经厌倦了这种照顾所有人的生活，但是我并没有意识到。我内心的这种愤怒让我把整个窗帘都扯了下来。

完美主义者生活在一种被寄予高度期望，但却得不到奖赏和回报的环境中。在这样的环境中，尽管他们会因为错误而受到批评，他们也只会把批评视作一种修炼。为了成为一个完美的人，他们必须做出大量自我牺牲，并从内心对自身严格控制。最终，获得奖赏的快乐会被自我控制的快乐所淹没。下面这位非常成功，但是偶尔也会出现焦虑感的1号性格者，描述了他是如何控制自己的快乐的：

在读书的时候，我总是自己激励自己。我会对自己说，如果我这一周都努力学习的话，我就可以在周六的上午去打篮球。到了周六，我已经完成了所有的学习任务，我又会对自己说：好了，我的目的达到了。然后我会去做其他还没做的事情，而把打篮球的奖励忘记。我告诉自己这样才会进步。我让自己为快乐而努力，但是即便达到要求，我也不会给予自己应得的快乐。

当1号性格者剥夺了他们自己的权利时，他们内心也会产生强大的压力，他们会想办法把自己的不满发泄出去，尽管他们自己并不清楚这种愤怒。下面是一位建筑设计师的描述，看看他是如何发泄自己被压抑的不满的：

小时候，我是家里的好孩子，而且不论是在家面对父母，还是在学校面对老师同学，我都找不到有什么让我生气的理由。我有一个智力迟钝的弟弟，他总是让我难堪，但我总是尽力保护他。我的母亲身体非常虚弱，她后来病倒了。所以实际上，我感到自己是家里最强大、最健康的人，我对于自己可能获得的任何乐趣，都有一种愧疚感。

我的愤怒发泄在了行为破坏艺术上，但是我从来不知道我是在愤怒之中。

刚开始的感觉就是我想破坏某件事物，然后我就会开始幻想自己把所有的窗户砸碎，或者飙车到一个废弃的建筑工地，手持一把大锤，到处乱砸。这种感觉棒极了。

# 发泄正确怒火的冲动

许多 1 号性格者在自己生气时都感觉不到，他们总是忙于调整自己的思维，或者改正别人的错误。尽管他们的肢体语言已经暴露了他们的愤怒，但是他们自己却并不在意。他们会解释说，这"不过是精力充沛"的表现，或者"有一点小麻烦而已"，或者是"今天要做的事太多了"。

对于 1 号性格者来说，找到一个正确的途径来发泄自己的愤怒情绪是很具吸引力的。如果自己的观点是正确的，他们在发脾气的时候，就不会产生自责的感觉。正因为如此，1 号性格者总是追求观点的正确，这样才能为他们的发泄找到一个有价值的借口，一个安全的着陆平台。

事实上，如果你自己强打精神，而其他人却对你的牺牲和努力熟视无睹，你的感觉是非常糟糕的。1 号性格者的诚实和努力很少受到奖赏和回报，这对他们很不公平。虽然 1 号总是不知道自己真正想要什么，但是他们对于应该做的事情却很敏感。

1 号对于那些破坏规则的人可能非常愤怒，但是他们不会直接说出来，除非他们能确定自己的立场是完全正确的。这种未知的愤怒被压抑在内心，一旦出现了一个合法的发泄渠道，这种被压抑的愤怒就会倾泻而出。下面是一位看上去温文尔雅的美容师讲述的遭遇：

交通对于我来说十分烦心。如果每个人都能遵守交通规则，我也能够接受，但有的时候我实在太气愤了，我必须采取行动。我的感觉是，我们都身处同样的交通状况中，只要有一个人想占便宜，其他所有人都会遭殃。我最不能容忍的是有的司机在道路出口的地方加塞，不排队，非要横插进来。这时，我就会开车冲过去，把这样的违规车挤到路边。

# 开启“活动门”

完美主义者的愤怒和痛苦来自于他们未被满足的个人需求。他们内心真正的希望被一系列的“应该”压制和取代了。尽管礼貌的外表掩盖了这种因为需求被剥夺而产生的不满，但这种不满还是时常会被激发出来。

要记住，完美主义者居住在一个上下两层的房子里。他们的内心批评家住在一楼，把不能接受的感情锁在地下室里。如果1号性格者的真正愿望威胁到住在上层的批评家，批评家就会寻找惩罚措施来阻止这种不断上升的愿望。注意力就会被迫放在那些必须改正的错误上。

“你必须这样做，他必须那样做。”就好像每张美丽的面孔都一定会有污点，每个整齐的房间都一定会有脏乱的角落。

有时候，1号性格者会通过两种不同的生活方式，来平衡自身需求和精神批评之间的压力。他们会在上下两层中间安装“活动门”，让自己在上下穿梭。他们的公共生活是积极正面、循规守矩的；但是他们的私生活却充满了带有禁忌的幻想。

小时候我住在纽约，我喜欢到附近不同的街区，看看我能不能扮成意大利人或者犹太人，我还会到格林威治村（美国纽约曼哈顿下城的一个街区，曾是美国现代艺术的中心），看看我能不能扮成一个艺术家。我喜欢把自己变成其他人，因为这样我就不用担心人们对我的评价，就可以说那些我平时在家里不敢说，甚至不敢想的话。

第一次到欧洲对我来说是一种完全的解放。没有人认识我，我的父母在遥远的地方。我在旅行途中，开始扮演具有不同性格特征的角色，就像以前在纽约一样。我会毫无目的地搭上一辆火车，让我所扮演的角色决定我要到哪里去。然后我会来到一个村庄里，花上好几天时间去扮演另一个人。我扮演的最富个性的角色是“空中飞人”（整天坐飞机到处旅游的有钱人）和妓女。在扮演阔绰的“空中飞人”时，我花大量时间和各种人打交道，用三种语言给人们讲述我去过的所有地方。在扮演妓女时，我在公共场所穿最尖的高跟鞋和暴露的服装，寻找有钱的伴侣。这样做的刺激之处在于，没有人会发现我，我坐在酒吧里，用妓女的身份掩饰自己，没有人知道我是谁。

# 完美主义

1 号性格者说，他人的批评是一种极大的痛苦，因为他们已经饱受自责的折磨。

让 1 号性格者说出赞许或恭维他人的话，也是一件困难的事情，因为他们会在与他人的比较中，感到自身的渺小。

1 号从小就强迫自己要服从大人的行为标准，他们骨子里对正确的追求会让他们十分在意自己的衣着或言语是否合适，会让他们关注细节，会让他们对任何问题都喜欢刨根问底，还会让他们喜欢钻牛角尖，喜欢从鸡蛋里挑骨头。

在 1 号性格者看来，只有严格的自我监督，让每一步都做得完美无缺，才能实现目标，赢得赞美。

我依靠替别人粉刷房间挣的钱供自己上大学。工作和学习几乎占据了所有的时间，每天的计划都被我安排得满满的。总是有一种内在的声音催促着我把每件事情都做完、做好。我是一个认真的粉刷匠，经常返工，为了让工作做得更好。在工作没有完美结束前，我是不会离开的。我可以在第三次返工粉刷同一面墙时，心里却因为其他的事情而深深自责，比如自己在另一间屋子天花板上犯下的错误，自己来不及回家和家人团聚的错误，以及没有把时间花在学习上的错误。每件事情看起来都是必要的。如果我的墙刷好了，我就会拿没时间回家和没时间学习这两件事情来比较损失。

这样的 1 号怎么会对自己满意呢？他们用可望而不可及的完美目标来衡量自己的努力。年轻的粉刷匠衡量自己工作是否成功的标准是看他还有多少事情没有做。即便他做完了所有事情，而且都做得很好，他可能还会为自己想出更多的事情。

有时候，1号性格者也会发现他们的内心批评家完全控制了自己的思维，监视着他们思想中的任何一点错误。

我曾经和一位女性保持了好几年的伴侣关系，她想成为一名基督教科学研究者。她的研究对我充满吸引力。我以为我找到了一种方式，通过控制自己的思想，让我的爱情精神化。我强迫自己的思想要纯洁，监视自己思想中任何一点不良动机。就好像有一个老师在告诉你——"这种思想是好的，那种思想是不好的。"我只有检查了自己的思想和背后的动机后，才敢付诸行动。我对这个女人所有的反应都必须是崇高的，必须是在正确的时间和地点，而且只要是我和她在一起的时候，我必须监控自己的思想，不让自己产生任何邪念。

性格中对正确的追求就暗示着要强迫自己避免错误。这位年轻的追求者，习惯性地用"更好"的思想来取代自己的思想，这让他无法了解自己到底想从这种关系中得到什么。为了保持关系的正确性，他没有给自己的真实感情留下足够的精神空间。

# 惟一正确的途径

对于在童年靠着严格自控才获得安全感的1号性格者来说，注意到自己真正的想法是一件恐怖的事情。

完美主义的基础就是坚信任何情况都只有一种正确的解决方法，一旦找到了这种正确的方法，那么拥有不同观点的人也自然会看到理性的光芒，并认同正确的观点。完美主义者认为，如果一个问题存在多种正确的解决方法，这只会导致混乱。所以他们一旦发现其他人并不认可这种"惟一正确"的思想，感觉就像遭受了晴天霹雳。

如果1号性格者能够认识到，他人的行为并不是出于内心批评家的监控，许多事情就可以理解了。

多年来，我一直把我的挑剔掩藏起来，因为担心会因此疏远我和他人的关系。虽然我认为，像其他人那样不痛不痒的批评是毫无用处的，但我还是尽量避免用我对自己的严厉态度来要求他人。后来我突然发现，事情并不像我想得那么严重。在其他人眼中，并没有什么完全正确或错误的事情存在。在我接受了这种相对的思想后，我发现他人的表现并没有那么糟糕，他们只是基于自己对环境的认识，而付出最大的努力，这让我对他们的许多挑剔都烟消云散了。

而且，当我能够根据他人的观点来看待问题时，我还是可以表达自己的批评意见，因为别人知道我能够理解他们，而我的批评建议也是很有用的。

# 犹豫不决和担心

一面是沉睡的欲望，另一面是对正确的要求，1 号性格者的两个方面往往会让他们陷入两难界。如果选择正确的，他们可能会因为没有得到自己真正想要的而生气；如果选择自己想要的，他们又会担心因此而犯错误。

当快乐的目标变成可能时，1 号的焦虑也会随之增加。他们会担心别人是不是以为他们向不完美妥协了，是不是放弃了自己的工作原则，降低了对自己的要求。当 1 号很有可能为了满足自己的欲望而导致他人的反对时，这种担心是最强烈的。

随着焦虑的增加，1 号的决心会变得脆弱，仿佛到处都能听到批评他们的声音。他们可以从无关紧要的谈话中，听出含沙射影的批评；他们以为其他人都在背地里对他们的举动说三道四；他们被这些想法折磨着。

如果碰到这种情况，对于 1 号性格者来说，最好的解决办法就是亲自去了解其他人的真实看法。

# 亲密关系

一个完美主义者最深层的需求，就是拥有爱，哪怕是不完美的爱。从小他

***他们努力打造最优秀的爱情。他们会重新对自己的伴侣进行包装，忘记对方性格中的缺点，让自己忘记任何人都是一个优缺点的混合体。一旦他们发现了某人的优点，完美主义者就会坚信自己能够把对方身上不完美的地方去掉。***

们就把爱与良好的行为划上了等号，认为只有自己的所做所为都是正确的，才能获得爱。正因为如此，1号性格者常常觉得自己是不惹人爱的，因为他们总觉得自己不完美。他们也很难相信有人会爱上他们，接受他们性格中的优点和缺点。

随着亲密关系的深入，一些微小的缺点被无限放大。

"我生气了怎么办？"

"如果她不喜欢我的艺术品味怎么办？"

完美主义者总是认为自己的礼仪或习惯中，有一些让伴侣感到讨厌的地方。所以他们越是进入亲密状态，就越紧张。他们监督自己的一言一行，希望把自己的缺点掩藏起来。除了这种内心的紧张外，他们还认为只有完美的人才能获得快乐和幸福，一旦他们的缺点暴露出来，伴侣就会离去。

当这种紧张加剧后，1号性格者会特别害怕遭到拒绝，出于自我保护，他会开始对自己的伴侣评头论足。矛盾产生了，一想到伴侣迟早会离开，他们会说"我们还不如现在就分手，干嘛还要发展下去？"

1号性格者总是无法察觉自己的怒火，虽然他们什么都没说，但是他们的肢体动作已经暴露了他们的愤怒。而且他们不知道，他们在不经意间对伴侣做出的批评，会有多么伤人！

完美的1号总是在寻找完美的爱情。他们难以接受一个既拥有优点又拥有缺点的人。他们努力打造最优秀的爱情。他们会重新对自己的伴侣进行包装，忘记对方性格中的缺点，让自己忘记任何人都是一个优缺点的混合体。一旦他们发现了某人的优点，完美主义者就会坚信自己能够把对方身上不完美的地方去掉。很多完美主义者说，当他们陷入爱河时，他们内心的批评家好像沉睡了。

然而一旦1号性格者不再想从亲密关系中得到什么，或者他们感觉受到威胁或心存嫉妒时，他们就会立刻发现伴侣身上的缺点。内心批评家会重新戴上挑剔的眼镜。为了发泄被压抑的挫败感，完美主义者开始监控伴侣的行动，约束他们的行为，强迫他们改变。

*一男一女两个完美主义者很容易结为夫妻，因为他们对生活的完美追求不谋而合。他们欣赏对方的德行和工作能力。他们满意实际而独立的生活。他们注重身体健康，注重正确的生活方式，注重获得成就的价值。这些基本共识，是完美主义夫妇共处的基石。*

一方面，完美主义者一旦发火，就往往一发不可收。如果 1 号觉得伴侣让他们难堪，或者明显违背了某项原则，他们就会变得非常生气，再也无法发现对方好的一面，过去的积怨也会爆发出来。只要他们觉得现有的愤怒还没有完全发泄出去，他们就会不断争吵、发脾气。

另一方面，完美主义者对于那些能够承认自己错误的人会非常负责。只要对方承认了错误，完美主义者内心的挑剔就会消失。不仅如此，如果他们能够感受到对方的良好意图，以及为弥补错误所付出的努力，他们就会变得十分忠诚。

我最在乎他人对我的看法。当我第一次遇见某人时，他们杰出的气质真的会打动我。我会发现他们要么特别幽默，要么见多识广，要么举止优雅。只要我喜欢他们，他们给我的感觉都很好。当我感到需要保护自己时，或者对方的某种特质让我感到不舒服时，我就会开始注意到他们的小瑕疵，以达到心理的平衡。

## 夫妻关系实例：两个 1 号性格者——完美主义的夫妻

一男一女两个完美主义者很容易结为夫妻，因为他们对生活的完美追求不谋而合。他们欣赏对方的德行和工作能力。他们满意实际而独立的生活。他们注重身体健康，注重正确的生活方式，注重获得成就的价值。这些基本共识，是完美主义夫妇共处的基石。

如果某一方开始怀疑自己的真实希望，那种不被察觉的挫败感就会产生。1 号性格者总是很难发觉自己内心的需求，尤其是当这种需求与他们高尚的道德行为不相符时。在夫妇这种亲密关系中，这样的结果往往是压抑自己的愤怒，把愤怒当作一种坏情绪。他们无法说出自己的嫉妒感，或者对那些需要改变的事情只字不提。如果这样的情绪得不到发泄，即便是非常自律的完美主义者也会气得想要摔盘子——但是他们可能并不知道自己生气的具体原因是什么。

一个控制不住自己的 1 号性格者可能会不顾一切地把脾气发出来，而且不

*在完美主义的夫妻中，直接发脾气实际上是一种安全感的标志，如果*
*自己的伴侣能够听完他们发的脾气，而且不离开的话，他们就会感到*
*对方的爱。*

知道他们的言语是多么尖锐和伤人。如果夫妻双方有一人能够及时发现对方心中的气愤，及时予以阻止，帮助对方找到生气的原因，情况就会好得多。

一个完美主义者如果能够接受对方的帮助，去主动发现被自己压抑的需求，这也是一种亲密的表现。对于从小就因为害怕惩罚而放弃个人需求的1号性格者来说，如果他们能够说出自己想要什么，而不是自己应该做什么，将让他们之间的信任大大加强。

如果这种不被察觉的愤怒与日俱增，夫妻双方要么选择沉默的分手，不去公开讨论；要么其中一人跳出来总结说，问题的根源在于对方某种长期的坏习惯。

1号性格者的愤怒有时会很可怕，因为他们的愤怒爆发起来就像火山一样，而且往往超乎了实际情况。即便是在争吵之后，这种愤怒也不会消失，而像定时炸弹一样隐藏在那里，因为1号性格者的心中总是有未被满足的需要。除非这些需求都得到了满足，否则在他们眼中，这个世界总是错误百出，令人不满的。在夫妻关系中，他们会因为一件小事而互相反对，直到他们发现，即便对方想做的事情是他们反对的，他们也无法离开对方。

在完美主义的夫妻中，直接发脾气实际上是一种安全感的标志，因为愤怒通常总是作为一种坏情绪而受到压抑。如果夫妻双方能自如地发泄怒火，说明他们不再压抑自己的情绪。1号性格者常说，如果他们发脾气，他们就会觉得自己被击败了，因为他们失去了对自己的控制，而让一种负面情绪控制了自己。但是他们还说，如果自己的伴侣能够听完他们发的脾气，而且不离开的话，他们就会感到对方的爱。

一旦发脾气变得可以接受了，其他被禁止的冲动也会表现出来，比如创造力和性爱情趣。对完美主义者来说，性爱情感的公开表达就能给他们带来创造力。当情感生活的禁区被消除后，内心的批评家也随之消失，无意识的力量变得更加强大。

当生气变得可以接受时，1号性格者会报告说，他们能够观察到自己的脾气，发现自己的心理障碍。拥有自我意识的1号性格者，知道如果自己的需求

*如果他们能够找到一个能干的领导者，他们很愿意把决策权交给对方。不过也正是因为他们天性追求正确，让他们对于领导者不公平或错误的表现非常敏感。*

被忽视了，这种心理障碍就会出现，他们会借助自己的愤怒来寻找和满足自己真正的需求。当内心需求得到满足后，障碍就消退了，而不会再成为注意力的焦点。

# 权威关系

完美主义者总是在寻找绝对正确的权威。如果他们能够找到一个能干的领导者，他们很愿意把决策权交给对方。不过也正是因为他们天性追求正确，让他们对于领导者不公平或错误的表现非常敏感。

他们总是希望领导者能够制定正确的指导方针，让他们清楚目标在哪里，让他们知道自己该干什么，这样他们会感到更安全。只要他们认为领导者是能干和公平的，他们就会承担自己的责任。

如果不是这样，1 号性格者就会更加谨慎地工作，并通过抱怨来免除自身的责任。他们会批评工作细节和程序中出现的瑕疵和问题。这些抱怨和批评就是为了让大家知道，错误与他们无关。除非工作中再也找不到任何错误了，否则他们就不会点头称赞。

不要断然改变规则，这一点很重要。1 号性格者是规章制度的坚决拥护者，他们甚至会像机器人一样，完全按照设定的程序行动。如果程序突然改变，他们会觉得自己被撂在了一边，成了众人批评的对象。为了出色完成工作，他们要求其他人和他们一样努力，因为他们可以从其他人的努力中汲取工作的动力。除此之外，如果他们获得了一个正确的理由，他们也会受到激励，全力以赴地工作。但是一旦他们觉得安全受到威胁，或者面临一个危险的决定，他们就会退缩。

很多员工会直接发泄自己的不满，但是 1 号性格者不会这样做。如果他们的出色表现得不到领导的认可，他们会去关注那些毫无关系的错误，通过合理的抱怨来间接传达自己的不满。

从好的方面来说，1 号性格者拥有良好的组织能力。他们不知疲倦地工作，因为他们能够从工作中获得乐趣。只要他们坚信自己的观点是正确的，他们可以不顾所有人的反对，表现出"虽千万人，吾往矣"的气势。在这种情况下，他们变得不可战胜，内心的批评声也被击退，不再担心他人的评价，也不再担心是否会犯错误。肯定了惟一正确方式的1号性格者，会奋力前行，直到完成任务。

从不好的方面来说，1号性格者害怕公开反对权威，因为他们担心遭到报复，也担心自己的判断失误。他们天生就对权威不信任，但又希望领导者能够看到他们的出色表现，并给予相应奖励。他们会对一项工作提出批评，但又拿不出解决办法，因为他们不愿意承担犯错的风险。他们不喜欢不同观点互相交织的环境。他们倾向于一种可预测的程序和规则。

## 工作关系实例：1 号 vs. 5 号——完美主义者 vs. 观察者

如果5号性格观察者是老板，他们可能喜欢从门后面监控一切。他们只参与决策制定，而把其他环节的工作留给他人。5号观察者善于在高风险的情况下做出决定，因为他们不会受到情感的干扰。但是如果让他们去执行决定，让他们去主持会议，去与其他人接触，他们就会感到很困难。5号很注重那些能够让他们的计划付诸实施的人。他们是出色的决策制定者，而1号则是能够执行决策的人。

这两种性格的人都具有一种内在的危害性，这很可能是有利于机构成长的。因为他们不愿被不公平的等级制度所控制，所以会努力让整个机构拥有最大的工作自由度。

如果1号性格者是老板，重要的决策往往会推迟做出，尤其是在高风险的情况下。他们会去关注那些次重要级的任务，让复杂的程序占满工作时间。随着完工期限的临近，工作中的紧张气氛不断增加。5号员工会觉得很多工作环节没有必要，他们被过多的细节弄得精疲力尽，开始反对1号的监管或控制。

5号性格者不喜欢那些通过怒气来推动工作进展的人。所以如果焦急的1号急于控制局面，推动工作，他们的关系很可能出现危机。1号希望井井有条，希望获得每一个步骤的汇报，而 5 号内向害羞，不愿出现在 1 号面前。这两种性格的人都企图通过限制来控制局势，5 号的方法是避免接触，专注工作；1 号的方法则是严格控制、批评施压。

如果 1 号性格者能够松手，请求 5 号帮助，情况就会轻松得多。只要 5 号能够扮演顾问的角色，不用负责实际生产，他们的态度就会好很多。1 号需要一个局外人来帮助他们认识到自己的焦虑。如果局外人能够在 1 号发现错误之前，从他们的焦虑中找到问题，防患于未然，1 号也就不会再生气了。那些过于复杂的工作程序会被消减，该做什么，不该做什么，也就突然清楚了。

# 1 号性格者的注意力

完美来自内心的不断比较。1 号性格者总是会在心中树立一个完美的标准，然后自动参照这个标准来评判自己的思想和行为。在他们心中，决策制定的过程就好像法庭审判一样。一个想法被带到精神法庭，反对者予以攻击，支持者予以辩护，然后对这个想法的正确性做出宣判。

我坐在那里进行冥想练习，很快就感觉到头脑里嘈杂的批评声。冥想需要让自己进入一个幽深的空间，于是我听见有的声音说："还不够深"或者"比上次好一点"。然后出现了争论声："坐直一点"——"你没努力"——"我在努力"。

我的思想被这种攻击声和辩护声包围，而我自己好像失去了发言权，只能在那里静静地听着，直到脑海中某一方的声音击败另一方获得胜利。冥想中每一个安静的空间都会受到这些精神评论的干扰，除非我能从自己的思维中跳出。

我的这次冥想练习有效果吗？我是在进步，还是在后退？1 号性格者会对过程中的每一个步骤进行检查，以确保自己在不断进步和提高。这个过程可能相当痛苦，因为他们可能感到自己永远无法达到完美的目标。

*1 号性格者的心中时刻竖立着完美的标杆，在与自己较劲儿的同时，还和他人进行比较。这种内心的比较，往往是 1 号性格者在日常生活中不经意做出的，却是他们感到痛苦的一个主要原因。*

在冥想练习中，这种关注被称为"评判内心"（judging mind）。某种程度来说，我们或多或少地都会把自己的努力与完美的标准进行对比。不同的是，1 号性格者的心中时刻竖立着完美的标杆，在与自己较劲儿的同时，还和他人进行比较。这种比较，就好像儿童乐园中的跷跷板一样，一个人在上面，另一个人就在下面。

"她比我厉害，因为她赚的钱多，但她的社会地位不如我，这方面我占上风。"

"他的外表比较英俊，不过我的身体更健壮。"

这种内心的比较，往往是 1 号性格者在日常生活中不经意做出的，却是他们感到痛苦的一个主要原因。1 号性格者能够自动识别出任何环境下正确的因素和错误的因素，而且因为他们坚信"惟一正确性"的观点，只要他人获得了胜利，他们就会觉得自己是失败者。

当 1 号性格者开始自我观察的练习时，他们可能会恍然发现，他们内心比较的习惯是多么强烈。如果他们意识到了"内心评判"所带来的痛苦，他们就会更加积极地学习控制注意力的方法，让内心中的评判思想消退。

只要 1 号性格者能学会转移注意力，他们的痛苦就会少得多。当他们觉得他人在某些方面比自己强时，他们应该把注意力转移到中立的立场上，用平衡的观点来看待一切。

# 直觉类型

完美主义者的直觉来自于他们性格中的关注点。他们会习惯性地注意到任何环境中存在的错误，这也意味着，他们非常清楚没有错误的环境该是多么完美。

在任何给定环境中，当他们内心的批评家开始消失，他们的身体就可能获得"感到正确"的直觉，他们就会发现完美的可能性。

在一个完全正确的解决方式面前，他们的身体会异常放松。如果用言语来表达，这句话一定是"这将多么完美呀"。在一贯处于紧张和批评状态的 1 号性格者身上，这种放松感会表现得特别明显。只要他们确定了这种完美和正确的可能，他们就会迫不及待地消除所有错误。

我时常会感到一些奇异的时刻，我把这些时刻称作"我的神灵显现时"。每当遇到这种时刻，我内心的批评家就消失了。

让我感到这种时刻的事情可能很简单，比如一张收支平衡的账单，或者为自己的表达找到了一个恰当的词语，或者仅仅是停下思考，看一眼窗外的景色，都会让我感到高兴。没有错误存在，所有的事物都在合适的位置上，这种快乐的感觉可以延续好几个小时。我还能感觉到我身体做出的正确决定。有时候我的内心为了一个决定而困惑了好几周，最终我知道了该怎么做，因为我的身体有了正确的感觉，尽管我的思想还在矛盾之中。

## 适合的环境

1 号性格者适合从事需要组织规划和细心对待的工作，比如教学、会计、组织结构设计和长期规划工作。1 号喜欢以礼相待、有法可依、有规可循的社会环境，因此他们可以成为研究者、文法家和传教士。在宗教和信仰领域中有很多 1 号性格者，比如原教旨主义者、左翼政党人士和精神思想的激进分子，因为这些系统要求严格遵守制度。1 号还倾向于从事那些制定并监督程序的工作，比如道德规范委员会、仲裁委员会以及天主教的道德审查会等。

## 不适合的环境

1 号性格者不适合从事具有风险性的工作，比如风险决策制定或者其他需要个人担当的工作。他们也不适合从事必须接受大量不同观点，或允许不同观点存在的工作。此外，1 号性格者也不擅长根据变化不定或者不完整的信息来制定决策，他们的决策必须建立在清晰明确的指导方针上。

# 著名的 1 号性格者

1 号性格者中的名人有埃米莉·波斯特（Emily Post），她是美国著名的礼仪专家，为美国人的礼仪规范制定标准。她的听众都是那些能够把自身矛盾放到一边，专注于自己的礼仪，在餐桌上摆出笑脸的人。

## 其他著名的完美主义者还包括：

爱默生
*Ralph Waldo Emerson*

★ 爱默生（Ralph Waldo Emerson）：1803 – 1882，美国作家、哲学家和美国超越主义的中心人物。

肖伯纳
*George Bernard Shaw*

★ 肖伯纳（George Bernard Shaw）：1856 – 1950，英国著名戏剧家。

狄更斯
*Charles Dickens*

★ 狄更斯（Charles Dickens）：1812 – 1870，英国著名现代主义小说家。

真正的完美，来自于正面因素和负面因素的时时平衡。事实上，完美的条件并不是一成不变的，而是根据不同情况变化的。如果信奉"惟一正确性"的完美主义者能够意识到这一点，他们就进入了更高的思想境界。

杰里·福尔韦尔
*Jerry Falwell*

★ 杰里·福尔韦尔（Jerry Falwell）：美国著名的保守派牧师和积极的政治问题评论员。

马丁·路德
*Martin Luther*

★ 马丁·路德（Martin Luther）：1483－1546，德国神学家、欧洲宗教改革运动的领袖。

## 高层心境：完美

1号性格者的痛苦多半来自他们内心的比较。他们总是对现实与理想之间的差异十分敏感。他们觉得自己担负了把普通现实与完美理想联系起来的使命。在他们眼中，这个世界非白即黑，要么是完美的，要么就是有着致命缺陷的。他们的痛苦来自于完美与现实的落差，就好像一个美丽可爱的天使突然跑去玩泥巴了。

真正的完美，来自于正面因素和负面因素的时时平衡。事实上，完美的条件并不是一成不变的，而是根据不同情况变化的。如果信奉"惟一正确性"的完美主义者能够意识到这一点，他们就进入了更高的思想境界。任何完美的产物都要承受错误的风险，那些看上去很糟糕的错误，却可能带来最终的正确。真正的完美主义者不必追求时刻的完美，他们只需要根据现实情况尽力而为就可以了。明白了这一点，1号性格者将受益匪浅。

风险和错误是通往完美的必经之路，这种思想可能会与1号的世界观大相

*如果他们能够让所有的冲动和欲望暴露出来，他们就能获得一种平静*
*的心态。在这种心态中，他们每时每刻都处于平衡之中。所有正面和*
*负面的感觉互相交织，在身体内自由流动，无需躲避理性的自我。*

径庭。允许错误的存在，甚至允许多种观点的并存，这简直是疯狂的。

从小，1号性格者的潜意识中就树立了这样的信念，即正确思想和辛劳工作将带给他们公平的回报。正所谓"善有善报，恶有恶报"，错误必将受到惩罚。其他人工作是为了追求快乐，而1号努力工作是为了满足内心批评家的严格要求。

如果1号性格者能够说出"对你正确的事情，对我不一定是正确的"，那他们就在性格的成长中迈出了飞跃性的一步。

如果辛劳工作只会导致更多辛劳工作，他们的内心就会产生不满。一旦发现良好德行并非获得认可和奖励的必要条件，1号性格者通常会感到震惊。让他们放弃"惟一正确性"的想法，就好像让他们放弃抵御未知仇恨和欲望的最后一道屏障。

# 高层德行：平静

1号性格者总是把自己描述成体内充满能量，却又无法释放出来的人。

他们说，怨恨如同火焰一样，在他们身体内燃烧，好像立刻就能从喉咙里喷出来。他们还会这样描述自己，比如"一瓶被摇晃得马上就要冲开瓶塞的香槟"，或者"内心渴望尖叫，却又无法表达出来"。

他们内心的批评家对现实感情的判断越多，身体内积压的能量就越大。这些能量会到处寻找释放的渠道。被封闭在酒瓶里的能量，就是1号性格者的困境。他们严格的自我控制把这些能量压抑在体内，无法表达出来，无法请求帮助，也无法愤怒地咆哮。

对于1号格者来说，冥想练习或者心理治疗可以让他们了解到，所谓的负面情绪也是可以接受的，不必夸大正确的重要性。他们内心的评判其实已经告诉了他们，真正的欲望在哪里。

如果他们能够让所有的冲动和欲望暴露出来，他们就能获得一种平静的心态。在这种心态中，他们每时每刻都处于平衡之中。所有正面和负面的感觉互相交织，在身体内自由流动，无需躲避理性的自我。

如果1号性格者能够允许自己发脾气，他们就能获得那些被封闭在酒瓶中的能量。紧张情绪的释放，让他们能够暂时充满活力，自由体验内心的感受，而不去做任何判断。当不满的情绪战胜内心的批评家，他们就能获得暂时的平静。他们会放下所有防线，让感觉自由流趟。

# 1号性格的闪光点

1号性格者致力于有价值的目标。一旦决定了某个正确的目标，或者感受到他人的好意，他们就会通过忘我的工作来让他人感到满意，而不会像有些人只会为权力和安全感工作。他们的内心总是渴望着做好事。尽管有时候他们那种"我比你行"的逞强态度让人讨厌，尽管有时候他们会表现出不切实际的热情，但他们的确愿意为改善工作而付出长久努力。

由于1号性格者总是努力把世界变得更美好，他们往往是非常敬业的老师。他们追求精益求精，也希望能够教导他人去追求最好。他们相信人们在获得正确的信息后，就会改变生活状态。

他们会坚守标准，不会妥协和退步。因为他们总是坚信"惟一正确性"，他们在团队中的形象总是很明显，要么是激进的左派人士，要么是保守的右派人士。

完美主义者的挑剔和批评可以被轻而易举地化解，只要其他人能够承认错误或者承认实力不济。对于那些工作努力，却又受到错误困扰的人，1号会拿出百分之百的耐心。对于那些主动承认错误，并愿意改善自己的人，他们也会笑脸相对。

# 基本性格分支

和位于核心角的9号性格者一样，1号性格者也陷入了自我遗忘的睡梦之

*这种严格的自我控制导致了性格的分裂：一方面是不被察觉的个人愿*
*望；另一方面是要做正确事情的个人价值。这两种需求的冲突导致了*
*嫉妒心、不适应感以及忧虑情绪。*

中。9 号性格者因为强迫自己考虑是否要顺从别人的观点，而忘记了自己真正的愿望。1 号性格者则是强迫自己思考正确的事情，用正确的事情取代了自身的真实愿望。这种严格的自我控制导致了性格的分裂：一方面是不被察觉的个人愿望；另一方面是要做正确事情的个人价值。

这两种需求的冲突导致了嫉妒心、不适应感以及忧虑情绪。这些让他们不舒服的感觉，可以成为 1 号性格者监控内心的工具。只要有这些不舒服的感觉出现，就说明他们的真实愿望与他们的正确思想发生了冲突。

## 一对一关系：嫉妒心

1 号性格者的嫉妒心表现在监控伴侣的行动，并对两人之间的任何事情都斤斤计较。

感觉就像身体要爆炸一样，我疯狂地想把一切和我的伴侣说清楚。她在做什么？她会选择谁？一想到这些，我就无法控制自己。那个人身上有什么是我没有的？我会不断地比较下去——对手得到一分，我就更失落；我得到一分，就更高兴。我知道我自己疯了，我气得恨不能把对方杀了。真那样做当然是错误的，我也没法那样做，因为我自己的内心已经奄奄一息。

## 社会关系：不适应感

不适应感是因为个人的真实欲望与 1 号必须遵从的社会形象产生了矛盾，并因此而产生困惑。比如：

我感觉距离我所属的宗教组织越来越远。虽然我加入该组织已经 5 年，我还是对最后宣誓时的承诺感到不舒服。我对这个组织的宗教观点没有疑问，但是我不赞同它的内部等级结构，以及一些有关世界政治的观点。其他人似乎不在乎这些差异，从来不质疑自己与组织的关系，但是我不行。只要存在着我不同意的方面，哪怕是很小的差异，我就觉得自己好像生活在谎言之中。

### 自我保护：焦虑（担忧）

1号性格者担心自己不完美，担心自己没有生存的资格，尤其担心因为犯错而影响自己的发展。

内心中总是有个声音在提醒我，哪些地方可能会犯错，或者其他人可能怎么看我。这种提醒无处不在，可能是我生活中的某个细节，也可能是一些真正需要担心的事情。提醒的内容很多都是关于金钱和生存的，这大概与我当了20多年的项目承包人有关。有时候大量的现金就在我眼前，有时候我的生意则完全是投机、碰运气。但即便是在资金充足，项目运转正常的时候，这个声音也会时刻发出对财政问题的担忧。

# 对1号有利的做法

1号性格者不愿意接受心理治疗，因为他们不愿承认自身存在错误；有时候他们放弃冥想练习，因为害怕失去对意识的控制。如果他们寻求帮助，那一定是因为他们遇到了无法解决的问题，比如焦虑攻心，药物滥用（为了逃避内心的批评），或者因为心理紧张而导致身体不适。这些暴露出来的问题往往是他们真实情感的不同面具。

1号性格者可以通过下列的方式帮助自己：

★ 不要强迫自己做事；不要把自己的工作安排得满满当当，以至于没有时间思考真正重要的需求。

★ 需要对内心的严格标准进行修改。需要对规则提出质疑。

★ 不要把自己的洞察变成对自己的攻击。"我怎么会连自己的错误都发现不了？"

★ 到现实中去找答案。如果觉得其他人在对自己品头论足，那就直接找他们问问清楚。如果感到自己的担忧在加剧，就去寻找事实信息来消除不必要的焦虑。

★ 知道"惟一正确性"的思想会限制妥协的机会，或者与其他观点交流的机会。

★ 关注其他人思想观念中的价值和一贯性。

★ 学会寻找快乐和接受快乐。

★ 学会区分"应该"完成和"想要"完成之间的差别。

★ 关注你对他人的怒火，很可能他人的所做所为正是你内心渴望的。

★ 注意未被察觉的生气现象：比如内心很生气，表面还故意摆出笑脸；言语很礼貌，但声音很尖刻；或者面带笑容，但动作僵硬。

★ 学会让阴影情绪发泄出来。

★ 运用想象力来化解怒气。想象最糟糕的情况，直到怒气消失。

# 1 号需要注意的做法

1 号性格者的怒气，以及他们对自己和他人的判断，都来自于他们未被满足的个人需要。1 号性格者应该努力发现自己的需要并根据自己的真实需要来行动。在改变自己的时候，要尤其注意下列不良现象：

★ 感到有两个自己存在，一个很快乐，一个很严厉。

★ 对个人的希望毫无察觉。

★ 因为察觉到自己内心的怒火而感到焦虑，"我设法不要对别人发脾气。"

★ 把时间都占满了，没有给快乐留下时间。

★ 犹豫不决。把简单的问题复杂化，不愿做出最后的承诺。

★ 被压抑的需求找不到表达途径，导致自身压力不断增大，不满情绪随之增强。

★ 需要从环境中找到错误。

★ "焦土政策"（一种在战争中实行的自我破坏政策）。一旦发现错误，就要求全部返工。无法妥协。因为楼梯的位置不对，就非要把整栋房子都拆了。

★ 为了平衡内心对自身的批评，对他人的抱怨越来越多。

★ 注意力僵硬。把所有的注意力都放在生活中需要改进的地方，对其他方面毫不关心。把内心的冲突抛在脑后。

★ 无法忍受多样的观点。"我认为事情只有两种结果，不是正确，就是错误。"

# 第七章 2号性格——给予者

## *The Giver*

## 助人型

|  | 性格特征 | 本体特征 |
|---|---|---|
| 大脑 | 主要特征：讨好 | 高层思想：意志（自由） |
| 心脏 | 主要情绪：骄傲 | 高层德行：谦卑 |
| 基本性格分支 | | |
| 情爱关系：诱惑/进攻性 | | |
| 社会关系：野心勃勃 | | |
| 自我保护：自我优先权 | | |

## 困境

他们喜欢与人相处。

他们要知道自己是否受欢迎。

他们需要得到他人的认可和好感。

他们希望被爱，被保护，并成为他人生命中的重要部分。

2号性格者在童年时代通过满足他人的愿望来获得爱和安全感。为了寻求他人的认可，他们建立了一套灵敏的雷达系统，能够迅速探测到他人的情绪和喜好。

*给予者从小的生活环境让他们确信：要想生存下去，就必须获得他人的认可。他们把人际关系视作维持生存的最重要条件。这样的观念让2号性格者总是不自觉地改变自己，迎合他人。*

　　给予者说，他们调整自己的感情去适应他人，而且通过这种调整，他们能够确保自己更受欢迎了。他们还说，他们甚至会强迫自己改变习惯，被迫放弃自己的需要，以换来他人的关爱。

　　给予者从小的生活环境让他们确信：要想生存下去，就必须获得他人的认可。他们把人际关系视作维持生存的最重要条件。这样的观念让2号性格者总是不自觉地改变自己，迎合他人。

　　他们知道该如何表现自己，才能获得欢迎。这种迎合有时也会成为他们的负担，因为他们的内心并不情愿牺牲自己的真实需要。2号是舞台上的演员，他们所展示的只是他人想看的，而并非真正的自己。正因为如此，2号也会时常感到自己是在愚弄他人。

　　2号性格者觉得自己拥有多个不同的自我，为了满足那些重要人物，他们可以扮演不同的角色。这些不同的自我有时也会让他们产生混乱和困惑。

　　到底哪一个才是真正的自我呢？

　　你所看到的不过是我的一个方面，你真认识我吗？

　　在两性关系中，2号性格者尤其倾向于为了追求强势伴侣而改变自己。他们可以完全放弃自己过去的生活和兴趣爱好，把注意力全部集中在伴侣所期望的形象上。但是当他们为了讨好对方而改变时，他们自己又会产生一种失去自我的失落感。

　　在两性关系的初期，2号会为了讨好对方而按照他或她的方式生活。但是到了关系发展的后期，他们就会感到自己被对方的意愿所控制，就会产生一种强烈愿望，想要从中解脱出来，重获自由。所以当关系发展成熟后，他们经常会歇斯底里地突然发怒，因为在求爱阶段被遗忘的自我又开始浮现出来。

　　一方面要改变自己来不断满足对方，另一方面又想自由自在地做自己喜欢的事情，2号性格者往往会陷入这样的矛盾冲突中。

　　由于给予者总是在压制自己的需求来满足别人的需求，所以他们往往会对自己的伴侣，或者处于强势的人，产生强烈依赖感，以平衡内心的失落。与权力的联系能够保证他们的生存，还能让他们维持给予者的形象。

*如果他们付出的努力没有被发现或认可，他们会感到遭受了打击。*

2号性格者认为，他们改变自己，实际上是一种给予和付出，所以他们必须赢得他人的爱，才能让他们自身的需求物化。他们与他人保持关系的方式不是通过强权或者公然威压，而是通过自己的付出或者给予的帮助。如果结果并非他们所愿，他们的需求没有被物化，他们就会抱怨，因为给予没有得到回报，这让他们心里十分不平衡。抱怨也是为了让人知道，他们付出了多少牺牲。

2号性格者相信，他人需要他们的理解，自己的家人和朋友需要他们的帮助。如果他们付出的努力没有被发现或认可，他们会感到遭受了打击。他们的价值似乎完全取决于别人的看法。只要有人轻轻拍一下他们的肩膀，对他们点点头，他们立刻就会觉得自己很重要："他们没我可不行。"一旦某个重要人物对他们投去轻蔑的一瞥，他们立刻就会觉得地位不保："怎么办？我得让那人重视我呀。"

2号性格者可以成为很好的帮手和意见给予者。但是如果他们出色的支持没有得到回报，他们很可能变成幕后的权力操纵者。

## 2号性格者的主要特征包括：

★ 争取得到他人支持，避免被他人反对。

★ 对自己的重要性感到骄傲。"他们没我不行。"

★ 对自己能满足他人的需要感到骄傲。"我不需要任何人，但是他们都需要我。"

★ 对自己为了满足他人而扮演的多个角色感到困惑。"我的每个朋友对我的看法都不同。""哪一个我才是真正的我？"

★ 对自己的需求感到困惑。"我能够变成你期望的样子，但我对你的真实感觉是什么呢？"

★ 把性吸引力当成一种获得认可的保证。"我并不想和你发生关系，但我知道你很想。"

★ 对"成功的男人"或"出色的女人"十分依恋。

> *2 号性格者在孩童时期很讨人喜欢，因为他们知道如何让他人高兴。他们能迅速发现自己身上吸引他人的地方，不仅如此，他们还能针对不同的成年人，做出不同的表演。*

★ 渴望获得自由。感到自己被他人的需求所控制。

★ 当自己的真实需要与为了满足他人而扮演的角色发生冲突时，会变得歇斯底里，爱发脾气。

★ 这种改变自己来满足他人的方式，可能会导致

- 能够体察他人的感情，或者
- 强迫自己改变以确保获得他人的爱。

# 家庭背景

2 号性格者在孩童时期很讨人喜欢，因为他们知道如何让他人高兴。他们能迅速发现自己身上吸引他人的地方，不仅如此，他们还能针对不同的成年人，做出不同的表演。他们是惹人爱的孩子，而且知道如何让这种喜爱源源不断地涌向他们。

我的父亲和家人不是很亲近，这更加激发了我吸引他注意的欲望，因为我的兄弟姐妹都不擅长这一点。我觉得自己就像一个体温计，总是在测量他的性情。我记得我放学回家后，总会跑到他的书房门口，偷偷地扒着门往里看，看看他的脾气如何，这样我就知道晚上该如何表现了。

这就好像是在决定当天晚上我该选择哪一种性格，只要我找到了合适的性格，我总能让他高兴。后来在接受心理治疗时，我给每一种性格都起了名字，我还清楚地记得每一种性格所产生的感觉。

我最喜欢扮演的性格角色是"公主"。她很甜。当我扮演"公主"时，我会津津有味地给父亲讲述我当天做的每一件事情。有时候我还会假装告诉他，在学校里我感觉也像公主一样，虽然他不在我身边，但是我表现得很勇敢，因为我觉得自己是国王的女儿，我就这样顺便恭维了他。

还有些 2 号性格者表示，他们对于他人的需求特别敏感，这主要是因为从小他们就要给予父母情感上的支持。

我是一个很会帮忙的孩子，我觉得我的家人能力都不强，他们需要我的支持和帮助。所以我通过照顾我的父母，让他们变得更强大，才能好好地照顾我。我让他们去参加教堂在星期日举办的宗教活动，因为我觉得这样能让他们变得更强，而且他们还能知道，我是教堂的星期日培训班中最出色的学生，这会让他们对生活更有信心。

　　在我长大后，我也曾经好几次把自己交付给某个男人，为了让他照顾我而主动服务于他。我会努力工作挣钱，然后把钱给他，让他来照顾我们的生活，就好像他在支付我的生活费。这样的话，我就觉得是他在照顾我，就会有一种被爱的感觉，虽然实际上我还是自己在照顾自己。

　　还有一种典型的童年背景，在这种背景下成长起来的 2 号能够发现让自己变成他人的必需品，并被他人关爱的多种可能，他们能够利用自身的吸引力从他人身上获得自己想要的东西。

　　我的童年完全是一种三角关系。我的父亲非常慷慨，而且十分风趣，但是我的母亲却正好相反。所以我总是把母亲放在第一位，把自己放在第二位。我知道只要和母亲相处好了，我就能从父亲那里得到任何我想要的东西。

　　我和父亲之间的关系十分奇妙。他希望能够控制我，而我呢，会采取两种截然不同的做法：要么努力迎合他，把自己打扮成乖乖女讨他喜欢，要么彻底违背他的意愿。我不听他的话，并不是我真的想和某个他不喜欢的人约会，或者真的想很晚回家，只是因为当我违背他时，他会被迫给予我更多关注，这让我觉得自己很重要。

## 多样的自我

　　2 号性格者说，他们对自我的感觉来自他人的反应。他人的赞许能够激发他们做出最出色的表演。他们也知道自己迎合他人是为了确保获得他人的爱。2 号性格者感觉他们把自己分成了若干份，每一份都分给了不同的朋友，

> *尽管他们的确是"见什么人说什么话",但这并不意味着他是在伪造自我,是在引诱他人进入虚假的友谊。他们的真正问题,是他们已经习惯了从他人的正面赞赏中寻找安全感。*

但是没有人知道完整的他们到底是什么样子。

这种自我改变的能力,常常会让2号觉得自己在愚弄朋友。从自我防御的角度来说,他们这样做是为了避免完全暴露自己而带来的风险;从他们的成长背景来看,这样做正好印证了他们童年的信仰:要获得爱,就必须把不被接受的方面隐藏起来。

通过改变自己来迎合某个朋友,这很可能让2号与自己的真实感情失去联系。当他们的注意力集中在他人的希望上时,他们自己的感情就被遗忘了。

认同对于我来说是不需要思考的,这是一种本能需求。我从来不会去考虑该送什么礼物给某人,我会自动地从他们身上发现线索,知道他们的需要。这是我的生存状态,如果我不知道自己怎样做才能对他人有用,那我就会感到非常不安。

我的整个高中生活似乎都是这样度过的:早上起来,首先决定今天要扮演什么角色。我有各种不同类型的朋友,而且我知道用不同的方法来对付不同的朋友,我觉得每一种方法都是我的真实表现。

但是,如果他们同时出现在一间屋子里,我就会感到非常不舒服,因为那样我就不知道该扮演哪一个角色。而且如果有新成员出现的话,我会觉得自己需要改变,但是又希望其他人不会发现,我对待新成员的态度与对待他们有所不同。

上个月我度过了我的30岁生日,那次聚会对我来说真是一次巨大的考验,因为我的各色朋友都来了,他们除了认识我以外,没有任何共同点。结果,一个护士和一个卖迷幻药的在厨房里大吵起来,因为他们互相都看不顺眼。但是对我来说,他们每个人都是好朋友。

2号性格者觉得每一种自我所扮演的角色尽管不同,但都是完整的。他们在不同的朋友面前,自我表现可能截然不同,但是他们对每个朋友都是真心的,甚至是深情的。尽管他们的确是"见什么人说什么话",但这并不意味着他们是在伪造自我,是在引诱他人进入虚假的友谊。他们的真正问题,是他们

---

已经习惯了从他人的正面赞赏中寻找安全感。

多种自我所导致的一个问题是，2 号性格者更善于去迎合他人的需要而不是去满足自己的需要。

在童年时代，他们通过付出自我来获得安全。当他人需要他们时，他们会产生一种骄傲感，反而不愿承认自身的需求。因为自身的需要有可能与他人的需要是矛盾的。满足了自身的需要，他们就无法获得他人的认可。于是久而久之，为了确保自己的受欢迎程度，他们的注意力被完全集中在他人身上。

我的工作是牙医助理，对我来说，最重要的就是让病人们喜欢我。如果来了新的病人，我会感到一点儿安全感都没有，除非我能够和他们交谈，知道他们喜欢什么，他们的兴趣是什么。这就好像钓鱼一样，我最终找到一个他们感兴趣的话题作为鱼饵。只要我找到了鱼饵，我就感到安全多了，就能决定我到底是喜欢他们，还是不喜欢他们；但是在我获得认可之前，我无法说出对他们的感觉。

如果是老病人，感觉就像是在做连连看的游戏，你必须找到与病人相对应的性格。病人 A 意味着我是 A 号性格，我在谈话中要马上表现出相符的特征。这个过程相当费劲，因为我总是希望能够有一些迹象说明我做得很好。

## 雨伞效应：为获得而给予

2 号性格者总是说他们很难在不同关系中，保持同样的性格特征。当他们在不同的角色之间转变时，他们遗失了"真正的"自己。他们自己也说，要想变成别人希望的样子很容易，要想成为自己很难。2 号性格者尤其愿意为掌握权力的人而改变自己。

我到一个新环境中要做的第一件事情，就是看看谁是负责的，谁是整个房间中掌管权力的人。我通常会不露声色地观察人与人之间的关系，直到我发现哪些人是受尊敬的人。一旦我知道了，就感觉有了挑战，而他们就是我的目标，其他人都不存在了。我会变得更加活跃，会与对方进行视觉接触。哪怕屋子里的人很多，我也会感到我们之间的直接联系，就好像我被他们吸引，而他们也在朝我走来，尽管他们的身体可能并没有移动。

给予者寻找那些能让他们自身需求物化的人，这就是所谓的"雨伞效应"。在下雨的时候，他们会为自己的伙伴提供一把雨伞，然后希望自己能够依偎在对方的臂弯里。

对于 2 号性格者来说，他们给予对方的东西，一定也是他们希望得到的回报。这一点很重要。如果他们贡献了雨伞，他们一定也希望自己不要淋雨。如果他们记住了别人的生日，他们一定也希望自己的生日被别人记住。如果他们提供帮助和支持，他们可能是期望能够加入一个成功的企业。在他们提供帮助时，他们的表现一定是最令企业满意的，这使他们自己也很难区分，这种帮助到底是出于真诚，还是出于对回报的期待。

这种为了获得而给予的习惯，往往是无意识的行为，但是就和其他需求一样，需要被带到意识的层面才能释放出来。2 号性格者通过自我观察，为我们提供了好几种为获得而给予的模式。

感觉就好像我为所有的朋友建立了一个庞大的生活支持系统。我不断地为他们提供支持，对他们做的每一件事情都兴致勃勃，最终我自己疲惫不堪。我和各种各样的朋友进行各种各样的活动，最后我厌倦了这种永远处在高度兴奋中，为他人做事的状态。我想退出，再也不想为他们做任何事。

这位女士的自我强烈依赖于他人的称赞。她把自己完全放到朋友们的生活中，把自己变成他们的必需品。当她的回报没有被物化时，她就开始感到疲惫。只要给予与回报失去了平衡，2 号性格者就会产生很多抱怨，这是他们在无意识地提醒他人——我付出了。

除了这种事事支持的给予方式外，还有一种给予方式就是把自己的特色进行分割，分别展示给不同的人。比如一个女人可以成为千面女郎，或者一个男人把自己身上不同的特质分给不同的女人。

*他们的生活哲学是：任何人都是可以征服的，只要找到正确的方式，并加以适当的特别关注。事实上，大部分的2号性格者都能够准确把握他人的感情，从而选择正确的方式来与对方相处。*

还有些给予者会在自我表现中使用性暗示。很多2号性格者都反映，当他们的情感与他人交织在一起时，他们往往没有意识到自己已经习惯性地把他人希望看到的一面展示了出来，这种展示可能是非常明显，甚至具有明显诱惑性。

这种诱人的表现常常会被指责为强烈的性暗示。这时，毫无意识的给予者会辩护说："我没有诱惑，我没有说什么越轨的话，我是无辜的。"他们可能真是这样想的，因为他们完全没有意识到从自己内心发射出来的那种暗示。比如，一个毫不在意的2号性格者，可能会穿着性感的衣着与他人谈情说爱，他们可能只是想证明自己是吸引人的，或者是有人爱的，但是他们不会意识到自己的举动是明显的性暗示。

# 诱惑性的自我展示

从某种程度上来说，所有的2号性格者都具有诱惑性。原因很简单，他们总是在为了让他人喜欢上自己而不断改变。他们的生活哲学是：任何人都是可以征服的，只要找到正确的方式，并加以适当的特别关注。事实上，大部分的2号性格者都能够准确把握他人的感情，从而选择正确的方式来与对方相处。

他们这种诱惑性的自我展示，目的还是为了获得关注。只要有人需要他们，他们就会感到安全；而如果这种需要是生理上的，他们会感到格外安全。那些原本就早熟的2号性格者，成人后很可能会散发出具有挑逗性的个人魅力。不过2号也说，虽然他们的外表极具诱惑力，但他们对性爱的渴望并不强烈。

我的白日梦都是关于爱情与复仇的。比如，我是某个伟大人物的秘密情人，他会告诉我一切秘密，会到我这里来寻求安抚。很多亲密时刻会反复在我脑海中出现：当那个男人想我时，他的脸是什么样的；当他说我是他一生中最棒的爱人时，我的感觉是什么样的。如果我们的关系不好了，我也会想象很多场景，比如怎样表面上毫不在意，但又能重新赢得他的心；或者怎样在他污辱我后，对他进行报复。

把一个男人吸引到亲密的谈话中来，或者让他放弃手头的事情，把注意力转移到我身上，这让我感到快乐。这些微小的诱惑很管用，所以我一直认为自己很性感，我犹豫的原因只是因为我对已婚男人比较谨慎。现在我发现我想要的并不是性关系，而是一种关注，我希望得到一个特别的拥抱，或者听到他们喊我的名字，好让我把这种关注封存起来。

2号性格者通常都会说，他们只是想得到性关注，而不是发生真正的性关系。实际上，他们很害怕真正的亲密，因为近距离的接触可能会暴露他们的秘密，让人发现他们不过是带了一张讨人喜欢的面具而已。这种暴露对他们来言是莫大的威胁。

从心理学的角度来看，人们会对深层的性欲望感到恐惧，因为这种性欲望最初的对象正是他们的父亲或母亲。孩童在成长过程中常常会有这种乱伦的感觉，为了在情感上存活下来，孩童必须压抑他们早期的性反应，但在内心深处，这种父母和孩子之间的感觉从未消失过。

正因为如此，2号性格者对亲密有一种畏惧感，但是他们会运用性感的表现来测试新环境中未察觉的"性气象"。他们想知道的是，谁会注意到他们，又不会对他们提出真正的生理要求，以及谁对他们来说比较"危险"。

对我而言，诱惑和挑战就像同义词。只要我的面前存在障碍——某个我还没有征服的人，我就会兴奋。我享受在接触中的细微动作和暗示信号，以及在获得一个微笑或者正确认可时自己的激动心情。只要这种化学反应还存在，我就会一直做下去，把其他人抛到一边。

我有一种特殊的感觉，觉得自己很有女人缘。我不确定这种感觉是否准确，但是我知道我可以变成任何类型的男人，只要她们想要。我记得我第一次发现自己的这种能力是在高中的舞会上，我站在舞池旁边，把自己扮演成各种不同的角色去邀请每位女生跳舞。

# 是独立，还是依赖？

在两性关系中，当2号真正的自我开始浮现，他们会为了一个真实的承诺而极度困惑。从某种意义来说，这种"扮演角色"与"演员本人"之间的冲突，实际上是一件好事。这说明他们终于想起了被长期遗忘的真实自我。

有一些对自己缺乏关注的2号，可以一辈子生活在被自己改变的自我中。他们要么觉得自己对他人很依赖，要努力满足他人的期望；要么觉得自己很独立，因为他们知道如何通过讨好来控制他人。

在我漫长的20年婚姻生活中，我对自由的需求一直在我思想中占据了主导地位。我们都在洛杉矶的音乐界工作。我的妻子是一位演奏家，我从事电影配乐工作。

我第一次在舞台上见到她时，我就被镇住了。她是一位非常出色的演奏家。她对我充满了挑战和吸引力：她很漂亮，她是同性恋，她演奏的音乐和我的音乐完全不同，而且她对我的工作根本不感兴趣。我花了两年时间排除各种障碍追求她，最终胜出。

可是当我得到她后，我开始患上了幽闭恐惧症。我已经把自己奉献给她——支持她的事业，为她谱曲，为她安排演出——现在我想做我自己的事情。我感到十分疲惫，想推翻一切，重新找回自己的自由。我的一部分献给了她，但是还有一部分没有。

但是每次当我试图重新做回自己时，我都会感到困惑。我记得有一次，我坐在街边小店里一边喝咖啡，一边看报纸。我感觉好极了。这时，我看到一位迷人的女性从街边走过。当时我感觉自己整个人都站了起来，随她而去，但实际上我还坐在那里，手里拿着报纸。

当你已经和某人交织在一起，就像我和我老婆，然后又想重新把自己找出来时，你的感觉就好像自己有一半已经和你爱的人融到了一起，另一半却还悬在空中，或者游离在街边小店里。当我起身付账时，我无法分辨收银员的声音是来自他自己，还是来自天花板，或是人群中的其他人。

我的困惑来自我自己和我爱的人，如果我认为他们在评判我，我就会感到自己像泄气的皮球，我的能量流走了，我在我自己面前消失了。这时，我总是想找一面镜子或者一扇玻璃窗，看看自己的影像还在不在。

我经历了 20 年的婚姻生活后才明白，实际上我并没有被我妻子的希望所控制，我完全没有必要为了维系与她的爱情而刻意接受她的音乐和想法。

很多渴望自由的 2 号性格者会发现，他们真正想要的并不是自由或独立，而是对方的认可。他们会发现自己依然被伴侣所控制，不论他们是选择留下还是离开，这都与他们真实的自我无关。许多表面上非常独立的 2 号，实际上只是空有一个坚强的外表，他们的情感还是依赖于他人。下面这位年轻女性的做法，就很好地说明了一切：

有一年多的时间，我每月和别人煲电话粥的费用都高达 400 美元，就是想让他知道我是多么不需要他。

# 三角关系

2 号性格者是三角关系的常客。他们总是被那些具有某种特质，能够有助于他们个人发展的人所吸引。他们通过帮助别人来帮助自己，所以他们并不在乎对象是一个还是多个。

遗憾的是，他们往往过于注重别人的特质，从而混淆了自己与他人的界限。一个 2 号性格者会去习惯性地检查伴侣的情感状况，而忽视他或她自己的情感需要，结果导致他们自己身体内也产生了与对方相似的欲望。

性接触对我来说很重要。就好像我的整个身心都被对方拽了过去，被完全控制了。这种性吸引并不完全是生理反应，好像我要和对方发生性关系，这种感觉更像是我被吸引进入到对方的思想空间。你感到很愉悦，因为你能看到他人最好的一面，并且通过对方来发现你自己的优点。

给予者常常会陷入三角恋，甚至多角恋中。这主要有两个原因：第一个原因是因为他们童年时代存在对父亲或者母亲的性幻想，以至于在成年后，他们依然很喜欢那种秘密情人的感觉。给予者并不要求完全占有他们的爱人，但他们希望自己是那个能够真正理解对方并被深爱的人。他们希望自己是对方生活中不可或缺的一部分。2号性格者常常希望能获得已婚者的爱，但他们并不希望破坏对方的婚姻，也不想侮辱对方的合法伴侣，只是想在对方心中占据特殊地位。

导致2号性格者陷入三角恋的另一个原因在于，他们总是觉得不同的爱人能够让他们看到不同方面的自我。不过这些不同的自我也常常让他们感到困惑，因为不知道哪一个才是真的，所以有时他们也会面对不同的爱人而难以做出选择。

# 骄傲

在2号性格者的世界观中，他们的注意力都集中在外人身上，一心想着如何讨他人喜欢。结果，他们往往会以为他人也十分需要他们的给予。他们会觉得自己就是这个世界的救世主，源源不断地把支持和帮助送给他人。没有他们，世界将无法运转。

那些自我意识较强的2号能够感受到自身的骄傲情绪，因为他们的给予给他们带来光荣。但是这种骄傲感也会带来痛苦，因为他们的自我价值是以他人的赞许为基础，一旦失去了关注，骄傲感也就随之消失，就好像从重要的位置上被赶了下来。

当我加入一个新的团队时，我会立刻对周围的人做出判断。哪些人值得我去交往，哪些人只会浪费我的时间。

就好像我的脑海里有一副望远镜，我会时常躲在角落里，用它来观察每个人的举动，看看有没有什么让我感兴趣的人被我遗漏了。

*2 号性格者在面对一段具有挑战性的关系时，他们的表现最抢眼。对方越是难以接触，2 号性格者就越会想办法去靠近，他们完全忽视了自己的感觉，把自己打扮成迎接挑战所需要的模样。*

# 亲密关系

在两性关系中，挑战是一个关键词。一个经验丰富的诱惑者需要挑战的刺激，才能把自身能量全部激发出来。

我的目标总是那些有点距离感、无法轻易得到的人。追求这样的人让我兴奋，因为他们能焕发我的潜能。当我和这种人在一起时，我总会变得非常活跃，兴奋异常。随着我们关系的发展，我们之间就会产生一种情感的互动，这和我们见面谈些什么毫无关系。言语不过是空白空间的填充物罢了。

问题出现在他们开始喜欢上我的时候，我感觉我把他们想要的我给了他们，但是这仅仅是我自己的5%而已，我剩下的95%该怎么办呢？他们并不了解我的全部，如果他们无法接受这个完整的我，我感觉会为了他人而失去自由。

2 号性格者在面对一段具有挑战性的关系时，他们的表现最抢眼。他们这样做也是为了保护自己，避免暴露自身的弱点。对方越是难以接触，2 号性格者就越会想办法去靠近，他们完全忽视了自己的感觉，把自己打扮成迎接挑战所需要的模样。

对我而言，越是难以到手的人，我就越有兴趣。他们不知道我内心的空虚，追逐是为了让游戏进行下去。"让我来给你展示一下我的优点，让我来逗你开心。"开始的时候，我别无所求，只想得到他们的爱，所以我一心想成为对方梦想中的女孩。

但是我这个"梦中情人"无法忍受任何细小的打击。只要我的伴侣在看我的眼神中流露出了一丝倦意，我就会立刻从"多么快乐的我"变成"多么可怜的我，没人喜欢的我"，仅仅因为我的朋友好像对我不感兴趣了。我就是这种人，只要他看起来很在意我，我就会一直保持好情绪，但是如果他流露出了哪怕是一丝一毫的不关心，我的心情立刻就会一落千丈。

当两性关系中的挑战消失后，2号性格者的注意力就从如何讨好对方，转移到了与对方相处的感觉上。由于在此之前，他们一直在压抑自己的需求，所以现在他们会觉得伴侣想要的，可能并不是他们真正想要的。他们会为个人的自由而挣扎，觉得这段关系并没有实现自己的所有价值。也就是说，当他们追求的对象终于向他们敞开大门时，他们会恍然发现，自己很多部分都被关在了门外。

我曾经拥有三次婚姻，基本上每次婚姻我所表现出来的性格都是完全不同的。我现在是单身，这是我14岁以来第一次决定要首先找到真正的自我。在这之前，我不会冒险开始新的关系，因为我很可能会再次把自己完全投入到丈夫的生活中。

我的第一任老公是一位摇滚乐手。我们有三个孩子，一起住在旧金山（San Francisco）的一栋舒适的维多利亚式建筑中。我的第二位老公是民权运动者，他不喜欢孩子。我们住在南方一栋只有三间房的小屋里，要自己去打水、劈柴，但是我从来没有再去想过旧金山的生活和摇滚音乐会的场面。

我的最后一位老公是位商人。我又过上了完全不同的生活。从南方来的人不会发现我也曾经是圣路易斯的主妇。只有我的那些孩子还能帮我回想起过去，因为他们一直和我在一起，拥有完整的记忆。

2号性格者总是根据他人的反应来塑造自己，他们知道自己离不开别人的认可。在两性关系的第一阶段，他们倾向于融入到对方的期望中；但是一旦关系稳固后，他们就会觉得这种依赖性的融合是对自己的束缚。他们开始反对伴侣想要得到的一切东西，因为他们发现自己为了讨好伴侣而出卖了真正的自我。

一旦他们开始觉得两性关系变成了束缚，他们会变得异常独立，为自己而战。在这一时期，他们要求苛刻，容易发脾气，而且不再去理会对方的要求。他们期望能够重新激活被遗忘的自我。他们会去做那些令伴侣感到失望的事情，甚至会去寻找新的爱情。

从好的方面来说，2 号性格者很愿意帮助他人，让他人的优点更加突出："如果对方获得了发展，他们也会激发我的优点。"他们能够集中精力，制定相关目标和策略，帮助伴侣获得成功。

从不好的方面来说，2 号性格者很可能会成为伴侣的监控人。当他们希望控制双方关系时，他们觉得"我的爱能够让他或她得到一切。"为了完全控制对方，他们会对伴侣给予过度的关怀。他们要充当成功的给予者，而伴侣就是被关爱的对象，这种关系可能很难摆脱。

## 夫妻关系实例：2 号 vs. 7 号——给予者 vs. 享乐主义者

7 号性格者十分关注自我，2 号性格者将对此予以支持。只要双方目标一致，夫妻俩可以长期幸福相处。2 号能够投入到 7 号的计划之中，并被 7 号的乐观和兴奋所感染。2 号希望帮助 7 号发挥他们的潜能，并愿意与 7 号结盟，相信他们夫妻俩的计划会在未来得到完美结果。夫妻两人经常会结伴而行，打造出令人羡慕的公共形象。他们对时政的看法会很一致，在娱乐休闲上也会相处愉快。

双方都会给对方留下私人空间。7 号当然不用说，因为他们通常只热衷于自己的想法，被自己的爱好或工作所吸引。只要是让他们高兴的事情，他们就会立刻去做，不会考虑是否有他人在场。而且他们能让 2 号随时随地加入他们，这样 2 号也不会再去思考自己的问题。

尽管 7 号的独立可能会让 2 号感到威胁，但是只要 7 号能在公众场合对 2 号给予关注，并且让 2 号相信，他们并没有背着 2 号到处调情，7 号就能得到他们想要的自由。双方都不会有受到限制的感觉，而且他们还能从对方的兴趣中找到快乐。

这两种性格的人都是天生具有诱惑力的。2 号的表现更公开，但却往往不能坚持到底。7 号的诱惑没有那么公开，但会从许多细节流露出来。双方都喜欢关注度和性暗示。事实上，如果他们知道自己的伴侣很有异性缘，他们会以此为荣。这样的夫妻一般会互相商定一个可以接受的调情底线，只要伴侣没有超越这个底线，他们愿意让对方在外面受到关注。

但是双方对于长期的亲密接触会很谨慎。7 号总是会把精力分散到其他事情上，而不愿让自己陷入长期的亲密关系中；2 号也会觉得自己受到了控制。但 7 号对于亲密关系的退缩，反而会让 2 号更加积极，这促使他们能够继续在一起。反之，如果 2 号想从关系中摆脱，7 号也会去争取挽回消失的感觉。

总之，2 号和 7 号如果分手的话，他们的原因一般不会是缺少浪漫，或者没有共同兴趣。导致他们分手的一个最大原因，可能就是 2 号希望在 7 号的生活中占据更加中心的位置。2 号会因此变得挑剔、易怒，但是 7 号对此并不在意，他们希望 2 号能自己恢复理智。结果，2 号认为 7 号用情不深，而 7 号则会认为 2 号的情感过于强烈。

只要 2 号能够与 7 号的目标保持一致，7 号很愿意跟他们讲述自己的事情，也乐意被他们照顾。但如果 2 号表现得过于投入，企图操纵或者改变 7 号的思想，那 7 号就会选择从二人世界退出。他们会对自己的行动保密，或者制造假象来分散 2 号的注意力。

还有一种情况会导致双方关系出现危机。当 7 号因为受到限制而开始逃避，或者不再符合 2 号的理想伴侣形象时，双方就会发生摩擦。失望的 2 号反应强烈，双方的信任出现了裂痕。2 号性格者在接受采访时常常会说，只要他们感到自己不受重视了，就会产生下列反应：

★ 双重标准——"我对你那么好，你就应该和我在一起；但你总是忽视我的存在，我只好去寻找其他爱人。"

★ 证据——"要证明你爱我，就要按我说的做！先把这个做了，再把那个做了。"

★ 情绪——"我虽然没说，但你自己不会去感觉吗？"

★ 脾气——"太不像话了，你怎么能对我视而不见呢？"

*他们更喜欢扮演宰相，而不是国王。这个位置让他们更有安全感。通过维护权威，2号性格者不但确保了自己的未来，也获得了他们想要的爱。*

# 权威关系

2号性格者喜欢权力，也希望得到当权者的爱。他们非常善于发现环境中潜在的胜利者，并能够让自己占据恰当的位置，成为领导者在制定策略和行动中的助手。他们擅长处理人际关系，总是能够让自己融入到团队的主流中。

虽然他们并不承认自己帮助领导者是为了获得回报，但他们的确非常在意权威的表态和意见。他们会从自己的角色中谋取利益，不过对他们来说，最大的利益就是永远位于当权精英的核心关系圈内。

2号性格者会根据当权者的要求改变自己。尽管他们本人也有能力成为领导者，他们还是倾向于扮演"垂帘听政"的角色。他们更喜欢扮演宰相，而不是国王。这个位置让他们更有安全感。通过维护权威，2号性格者不但确保了自己的未来，也获得了他们想要的爱。给予者很少会选择一个不受欢迎的位置，除非这个位置背后有一个更强大的权力集团。

2号知道，哪些人物是需要精心对付的，哪些人物是不用浪费时间的。比如，要对付一个处理违章停车的女警察，或者某个重要人物的秘书，最好的办法就是说几句恭维话，与他们套套近乎。要对付一个不负责任或者不讨人喜欢的领导，最好的办法就是在幕后操纵一场政变，推举一个对自己更有利的人上台。

这种性格的优点在于，2号性格者能够看到人们的潜质。他们愿意接近他人，愿意给予帮助，让他人感到舒服。只要相处得愉快，他们并不在乎有多少物质回报。他们能够把一个局外人带入行。他们能够适应各种各样的环境，能够与各种人打交道，是出色的交际家。

这种性格的缺点在于，2号性格者倾向于通过奉承来操控他人。所有的人被他们分成两类，有价值的和没有价值的。为了赢得那些"有价值"的人，他们会和他人展开竞争。对于比自己厉害的人，他们会施展诱惑功夫；对于不如自己的人，他们则趾高气扬。

## 权威关系实例：2 号 vs. 8 号——给予者 vs. 保护者

如果 2 号是领导者，表面上他们会表现得非常独立，但实际上他们还是会吸取业内要人的意见。作为领导者的 2 号会努力工作，不仅为了物质回报，也为了打造成功的个人形象。这样的动机让给予者努力与业内要人保持密切联系，也让他们很难做出可能与这些人发生冲突的决定。

即便是在最佳的工作条件下，2 号性格者的决策也是说变就变，因为他们的注意力会随着优先考虑事情的变化而变化。不仅如此，2 号老板的态度也是忽明忽暗。他们有时希望得到员工的喜爱，有时又觉得员工是他们的负担。他们的情绪更是阴晴不定。他们很容易发脾气，但他们也会很快忘记自己的火气，尽管他们的员工可能记忆深刻。

2 号老板还喜欢把那些"理解自己的员工"拉拢到身边，组成一个小圈子。

在 8 号员工眼中，2 号对业内要人的态度是在屈服于他人的权威。8 号希望知道 2 号老板在机构中的立场到底是什么样的，他们希望规则明确，希望奖罚分明，希望团队有凝聚力。他们反对特权，反对拉帮结派，反对老板拉拢所谓的"局内人"，尤其是在他们不知情，或者被老板的"小圈子"排挤在外的情况下。

8 号性格者希望自己能够进入那个"小圈子"。如果他们发现有人比他们能力更突出，更受欢迎，他们会觉得自己处于劣势。8 号为了打入到"小圈子"中，通常会采取直接攻击的方式。他们把身边的人分为两种，一种是支持他们的人，另一种是反对他们的人。如果他们被拒绝了，他们会短暂抗议后恢复沉默，因为他们已经知道谁是他们的朋友，谁是他们的敌人，知道该如何保护自己的安全。

8 号不喜欢被任何团体排挤在外，他们希望成为控制者。可惜他们并不善于察言观色，因此如果碰上 2 号这样的老板，他们的位置就很不稳定。2 号很善于花言巧语，如果 8 号对他们有用，他们就会让 8 号有一种内部顾问的感觉。而8号只要觉得自己受到了重视，就很容易被诱惑，死心塌地地为2号服务。8号对于人际关系中的明争暗斗往往毫无察觉，他们常常被2号当作斗争的棋子，还会被机构中的其他人视作不肯妥协的顽固分子。一旦他们对2号失去了作用，2号能够轻而易举地找到理由把他们除掉。

如果2号老板是个聪明人，他们会为8号雇员在机构中安排一块自留地。只要8号在他们自己的空间中拥有足够的权力，他们心里就会平衡很多，就会产生一种骄傲感，不会再去干涉其他人的工作，因为大家的权力范围已经十分明确，而实际上真正掌握大局，制定总体规划的还是2号。

只要2号能够开诚布公地对待8号，他们完全可以在工作中相互尊敬。这两种人都喜欢接受挑战，而且他们也知道对方对权力的渴望。对于这两种人来说，公开竞争可能是最好的相处之道。只要这种竞争以公平为基础，只要双方都能把不同意见公开表达出来，他们反而能够互相促进，产生积极的结果。

相反，如果2号开始用权力来威压他人，或者企图控制他人的思想，8号就会觉得自己被出卖了。他们会表现得格外不合作，要么在办公室内挑起革命，要么干脆辞职。

在公开争论中，疏远8号最好的办法就是优雅的贬低。8号喜欢直来直去，这种并非直截了当的贬低反而让8号感到尴尬，觉得受到了污辱，他们会因此而恼羞成怒，态度强硬不妥协。只要知道了8号的这个弱点，2号就能有意激怒8号，迫使他们被开除或自动辞职。

**现在我们再调换一下角色。2号成了员工，8号当了老板。**

2号员工非常清楚8号老板喜欢对一切都了如指掌。如果他们认为8号老板是一个可靠的靠山，他们就会不遗余力地帮助8号，成为8号的左膀右臂，主动承担大量责任，让机构正常运作，并单独向老板汇报工作。

8号的控制欲非常强。如果他们意识到自己要依赖于他人，他们更希望能掌控一切。为了确保自己的控制权，他们会私下里进行检查，甚至对一些细微的环节抓住不放。

8号会把程序规则制定得相当清楚，但是偶尔他们自己会去违反规则。他们是要借此告诉其他人，只有老板是站在规则之上的。他们很少对员工给予鼓励和夸奖，却会公开指责员工的错误。

如果2号雇员足够聪明，他们会引导老板去关注那些需要关注的方面。这样做一方面可以满足8号的控制欲，另一方面也能避免8号插手其他事情。只要2号员工能够让8号老板掌握各方信息，并让他们注意到那些真正危险的问题，8号就知道自己要做什么了。他们会很高兴拥有一种领导者的感觉，这种领导者的感觉也会提醒他们要保护自己的员工。

2号性格者可以运用他们出色的社交才能为老板获得特殊信息。缺乏想象力的老板会把这当作一种优势，如果8号老板聪明的话，他们会为这样的员工提供相应的地位和保护。但是如果8号总是担心会陷入他人的控制之中，而经常对2号施压，企图控制他们的话，2号员工很可能会另觅靠山，在机构中密谋政变，推翻8号。

## 适合的环境

对2号性格者来说，任何能够与权威套近乎，能够让他们对权威给予支持的环境，都是具有吸引力的。他们可以成为某个宗教领袖的门徒，可以是摇滚歌星的粉丝，可以作总裁的秘书，或者其他领导人物的得力助手。

他们也很愿意为一个大群体的利益服务。他们可以成为平民利益的呼吁者，社会服务的自愿者，还可以从事其他有帮助性的行业。

他们容易卷入三角关系中，成为插足的男人或女人。他们还可以从事其他展露个人魅力的工作，比如化妆师、歌舞团的女演员或者个人色彩顾问等。

## 不适合的环境

如果工作无法获得认可或赞同，2号性格者肯定不会愿意。比如，你很难看到一个2号性格者会在讨债公司工作，除非他或她正在与公司老板热恋。

# 著名的2号性格者

美国女歌星麦当娜（Madonna）就是2号性格者，她的造型总是非常性感，她的第一张专辑就取了一个大胆无比的名字《宛如处女》（Like a Virgin）。

麦当娜（*Madonna*）

## 其他著名的2号性格者还有：

★ 猫王（Elvis Presley）：1935－1977，美国著名摇滚歌星，以富有魅力的风度对美国大众文化产生极大影响。

猫王
*Elvis Presley*

★ 伊丽莎白·泰勒（Elizabeth Taylor）：以美貌著称的好莱坞著名女星，主演《埃及艳后》等多部电影。

伊丽莎白·泰勒
*Elizabeth Taylor*

★ 抹大拉的马利亚（Mary Magdalene）：《圣经》中的人物，原为妓女，被基督拯救和赦免后，成为圣女。

杰里·刘易斯
Jerry Lewis

★ 杰里·刘易斯（Jerry Lewis）：
美国当代著名喜剧演员。

多莉·帕顿
Dolly Parton

★ 多莉·帕顿（Dolly Parton）：
美国著名乡村女歌手。

# 2 号性格者的注意力

2 号性格者总是习惯性地去关注那些重要人物的情感表现，因为他们希望能引起对方的注意，赢得对方的关爱。从表面上看，2 号会关注他人所关注的。他们会注意到什么话题让对方露出笑容，什么话题让对方皱起眉头，然后尽量选择对方感兴趣的话题以示讨好。

但是从内在来看，2 号往往会在没有获得任何外在线索的情况下，就主动改变自己的形象。2 号会说，当他们的注意力被吸引时，他们就会想象对方的内心愿望，并根据这种愿望来打造自己，让自己变成对方心中理想的原型。

最开始是因为讨厌被拒绝。要想不被拒绝，就要学会变得和其他人一样。你学会去观察一个陌生人，感觉你们的共同点，然后把自己转移到他人的感情中去。这样的移情作用在大街上就能发生，当我碰到某个人时，我就会主动寻找我们之间的共同点。

在亲密的两性关系中，这种感觉更加强烈。就好像你要什么，我就要什么；你的感觉是什么样，我的感觉也是什么样。你有什么样的性需求，我都可以满足你。只要我们之间的化学反应还存在，这就是一种非常奇妙的亲密感。但是如果我觉得自己迎合他人的生活，仅仅是因为自己缺乏安全感，我会立刻感到所有一切都是沉重的负担。

2号性格者的注意力总是放在他人的需要上，他们忽视了自身的需要。从心理学的观点来看，他们是在通过帮助他人去实现一种他们自己可以接受的生活，让内心被压抑的需求得到满足。心理治疗可以帮助2号发现他们自己的需求，让他们找到一个稳定的自我，不再根据他人的需要而改变。

在注意力练习中，2号可以尝试把注意力放在与自身相关的某个方面。通过训练，他们能够发现坚持自己的感觉与关注他人感觉是不同的。

# 高层心境：自由

把注意力转移到自身，往往会让2号性格者产生焦虑感。虽然这种注意力转移能够让他们发现自己的真正需求，但这还是有违于他们的习惯，让他们无法获得情感上的安全感。2号常说，他们害怕内心中并不存在真正的自我，可能身体的中心不过是一个空洞，并不存在任何自我，所以转移注意力可能并不是什么好事。

2号往往过于注重他人的需求，他们忽视了一个事实，即他们的付出实际上是有回报的。正是因为这种回报，让他们产生了依赖感；而这种依赖感，让他们失去了感觉的自由。当他们必须单独行动时，他们就没有了依赖，他们会变得焦虑不安，尤其是这种行动很可能有违他们喜欢的人的心愿时。2号总是害怕因为违背对方的心愿，而永远失去对方的爱。

许多2号性格者说，当他们独处的时候，他们感觉更自由，更容易发现自己的需求。他们实际上肩负了两项任务：不但要能够感知他人的需要，更要学会发现自己的真正需要。

在我的第二次婚姻破裂后，我搬到深山里，希望一个人好好静一下，找到我真正想要的生活。在过去的生活中，我好像从来没有真正存在过。现在，我的丈夫终于不在我身边了。可是当我真正一个人的时候，我觉得很失落，甚至很害怕。我每天都要考虑如何让自己过得舒服，每天都要在沉思中面对我内心的空洞。我感觉我内心的空洞深不见底，我会一直走下去，却找不到一个人。

但是最终，我找到了。我找到了我自己的节奏，我学会了如何满足自己的需求。我在那里生活了将近三年，然后重新搬到城里，恢复正常生活。令我最惊奇的发现是我拥有了两种功能。当我一个人的时候，我非常清楚自己想要什么，但是当我望着别人的眼睛时，我又会完全融入到他们的感觉中，而忘记自己。

# 直觉类型

给予者相信他们能够理解他人最深层的感受。他们在孩童时代，就因为讨人喜欢而受到欢迎；在他们成人之后，他们能够敏锐捕捉他人的需求。对于"九型人格"中的每一种类型来说，直觉类型都产生于童年时代的生存方式。2号性格者这种感知他人内心愿望的直觉，也正是来自童年时代对爱和认同的渴望。

我们很难分辨清楚，2号性格者对于他人需求的感知到底是一种客观感觉，还是凭空想象。到底他们是通过换位思考而得到的感觉，还是完全发自内心的感应，他们自己也说不清楚。

有人的直觉来对他人的敏感，还有人则是具有了移情的能力，下面的描述对此进行了区分。

当我20出头时，我有一种很简单的想法，就是我爱所有人，作为回报他们也爱我。我相信我是大家都喜欢的孩子，为了报答他们，我也想表现出我对他们的关注。在我逐渐成熟以后，我拥有了好几次可怕的经历——被我爱的人拒绝，我这才开始意识到，我可以让人们喜欢我，然后控制他们。我是怎么做的呢？我开始想象他们想要什么，然后根据他们的需要采取行动；我还会站在他们的位置上思考，或者想象自己曾经历过的类似情况。

比如，如果我的一个朋友向我倾诉她对某个男孩的感觉，她说："我一见到他心里就怦怦直跳，感觉就像坐过山车一样，忐忑不安。"我就会想象自己坐在过山车上的感觉，想象自己像她那样恋爱的感觉。

又过了好多年后，我成了一名心理医生。我学会了心理学的投射认同（projective identification，在心理治疗中，病人精神的某个方面被投射进了治疗者的心灵，治疗者把自己的精神与病人结合为一体，由此产生了与病人相同的感觉——译者注）。我能够体会到病人的处境，这种处境可能与我自己的生活方式截然不同。我把这种直觉上的融合视作与病人沟通最有效、最直接的方式。

我运用这种移情作用有很多成功的例子。有一次，我的一个病人希望回忆起被他遗忘的童年时光，在那段时间里，他被送到了另一个家庭寄养。当这位病人坐在我的办公室里，告诉我他无法回忆起当时的任何感觉和事件时，我自己的身体开始发热，就好像快要昏倒了一样，但我清楚我并没有真正昏倒。

我把这种反应告诉了病人，他也发觉自己的身体在发热，最终他的身体感觉终于唤醒了他被压抑的回忆，他记起他曾经和家里的另一个孩子在地下室里大汗淋漓。房间里非常闷热，因为靠近锅炉，在整个午休的时间里，他都保持清醒状态。他的心里很痛苦，因为没有人告诉他，他要在这个家庭里住多久，他也不敢问他们这个问题，因为害怕被他们讨厌。

# 高层德行：谦卑

所有高层次的情感都是基于身体的本能反应，这种反应是不受思想控制的。真正的谦卑，不是卑躬屈膝，也不以获得他人的回报为基础。被错误的谦卑所迷惑的 2 号，可能会说："我把右臂给了你，这不过是小事一桩，不足

*谦卑与自我牺牲是不一样的，后者往往会成为掩盖个人无意识行为的
面具，用来控制他人，并获得他人的依赖。*

挂齿。"

谦卑与自我牺牲是不一样的，后者往往会成为掩盖个人无意识行为的面具，用来控制他人，并获得他人的依赖。

那些表现出谦卑的人，可能并不知道他们能够给予正常的帮助，也不知道他们的帮助将会受到感激。他们也没有期望得到他人的回报。他们才是真正的给予者。

谦卑实际上是对自己内心真正需要的认识，它是一种自然的倾向，不求多，也不求少，只求恰当。人们知道了自己的真实需要，才更有可能为他人提供恰如其分的帮助。

谦卑就好像一丝不挂地站在镜子前面，并满意于镜子中的景像，既不会骄傲地夸大自己，也不会沮丧地不接受现实。同样的道理，个人应该客观看待并欣然接受与他人的关系，不要习惯性地控制他人，或者一定要把自己摆在重要的位置上。

有一种自我观察的练习，能够帮助人们培养谦卑的态度。这个练习让人们区别两种感觉：一种是自身通过给予他人帮助而产生的客观反应；另一种是在"给予为了获得"的思想控制下，所产生的感觉。

# 2 号和 9 号的相似之处

和 9 号性格者一样，给予者更在意他人的需求而不是自己的需求，但他们的做法是不一样的。2 号的思想是通过讨好他人来控制他人，所以他们要改变自己。9 号不同，他们不是通过改变自己来控制他人。他们把自己融入他人情感的方式称为"镜子效应"，也就是把自己当作一面镜子，把他人的特性和观点在自己身上表现出来。2 号和 9 号的另一个区别是，2 号性格者锁定目标后行动积极，但是 9 号则往往是慢慢靠近。

这两种类型的人都能融入到他人的感情中。2 号性格者是寻找共同点，或者寻找对方身上令人兴奋的地方。他们对于融入的对象很挑剔，必须是一个值

得他们付出的人。相比之下，9号性格者的目的性没有那么明确，他们会说：
"进入他人的内心，找到什么算什么。"2号为了得到他们想要的东西会全力以
赴，全身心地讨好他人，融入他人。

## 2号和3号的相似之处

3号性格是2号性格的核心性格，所以和3号性格者一样，2号性格者也
失去了与自身真实情感的联系。3号性格位于"九型人格"图的右边，2号、
3号和4号，在童年时代都曾经历过个人愿望与父母愿望之间的冲突，这三种
性格各自代表了为了解决冲突而牺牲自我情感的三种不同方式。2号的方式就
是适应他人的需要，关注他人的情感和喜好，通过满足对方来获得对方的保
护，巩固自身的安全感。

成功的2号和3号看上去是相似的。他们可能都是事业上雄心勃勃，外表
上精力充沛。不一样的是，3号成功的动力是为了自己的行动获得奖赏，这与
感情无关；而2号的内在动机是为了获得爱，而不是获得成就。

成功的3号和成功的2号，他们努力付出的区别在于：3号就像是一位演
奏家在给观众表演，他表现的目的是为了演出的精彩；2号也是在台上表演，
但她的目的却是为了取悦坐在观众席前排的男友。

## 2号性格的闪光点

2号性格者能让人们的自我感觉良好。他们有能力让他人展现出自己最好
的一面。他们的积极和热心，能够让那些原本困难的变化变得容易起来。他们
支持那些寻找权力的人，并且会成为一个快乐的支持者。对于那些反对陈规旧
习的朋友或合作伙伴来说，他们是巨大的财富。

人际关系在给予者的生活中是最重要的。他们会想方设法处理好自己的人
际关系，不管是通过对抗、诱惑，还是满足他人需要，或者制造大量麻烦。他

们会生气，但是不会记仇。他们会花时间和精力去举行庆祝活动，把大家聚在一起。在他人生日和节假日的时候，他们会精心准备特别的礼物。

# 基本性格分支

2 号性格者的性格分支也是根据童年的天性发展而成的。这些性格特征往往都是童年时代，他们通过讨好他人来满足自己的需求时所采取的策略。

## 一对一关系：诱惑性/进攻性

诱惑是因为他们希望得到他人的认可，因此必须首先吸引他人的注意力。进攻性说明他们愿意克服关系中的任何困难，努力争取接触机会。

我可以注意到人群中的任何一个陌生人，看他们是否合适于我。就好像我的身体希望变成他们喜欢的样子，而且如果我与他们联系，就会产生一种生理上的感知。当我觉得这种联系是安全的时候，我就会向他们靠近，因为我早知道他们是喜欢我的。

## 社会关系：野心勃勃

2 号性格者的野心表现在他们喜欢与强势人物交往，希望在团体中拥有稳定的社会地位，并得到强权的保护。

最近，我成为一家医院的精神病医师。每次部门开会时，我都会左顾右盼。谁的旁边坐的是谁？谁得到了高层领导的关注？我必须去和那些受欢迎的人打交道，成为他们的朋友。

## 自我保护：自我优先权

下面就是一个自我优先态度的例子：

"别挡我的路！"这是我最常见的反应。如果到了银行要站在一米线外等候，或者要夹在一群拥挤的人群中等待餐馆开门，我就会怒火中烧。我觉得只要别人得到了想要的东西，我的需求就无法得到满足。如果自己被排挤在外，我就会格外生气，就要想方设法让自己站到排队人群的最前面。

# 对 2 号有益的做法

2 号性格者常常会选择心理治疗或者冥想练习来找回真正的自己。他们希望把自己真正的需求和那些为了满足或反对他人所进行的改变区分开来。如果他们无法区分的话，他们可能会面临一系列问题，既有情感关系上的，也有身体上的。他们可能患上一些疾病，比如偏头痛、哮喘，而病根很可能来自心理上对自身需求的压抑。2 号性格者需要清楚，他们的注意力什么时候从自己的感觉转移到了他人的感觉上。他们可以通过下面的方法来帮助自己：

★ 发现自己的控制欲。

★ 认识自己对他人的真正价值。既不要过分骄傲，夸大自己的重要性，也不应该表现得过于卑微。

★ 认识到奉承很可能导致焦虑增加。

★ 不要过于注重最初的情感反应，要注重其他反应，因为最初的反应往往是遮掩自己真正感情的虚伪面具。

★ 注意心理疗法的作用，在一个小时的心理练习中集中注意力会受益匪浅。学会与他人讨论自己。

★ 在出现下列情况时对自己予以提醒：希望表现得无助，希望心理治疗不会令人难堪，不愿意提供有损自身形象的内容。

★ 认识到保持"多个自我"与保持统一形象之间的冲突。

★ 认识到生气实际上是真实感觉的一种暗示，也是对内心冲突的解释。

★ 不要通过奉承来拉拢他人，并认识到自己的复仇欲望来自于被伤害的骄傲感。

# 2号需要注意的做法

在转变的过程中，如果2号性格者能够意识到自身的下列现象，可能会对他们很有帮助。

★ 希望扮演另一个人，幻想通过不同的方式得到爱。

★ 对多个自己感到困惑——"哪一个是真正的我呢？"

★ 在两性关系中不愿选择最好的对象，而倾向于第二位的对象。虽然也想和"最好的"在一起，但是害怕被拒绝，所以宁愿选择"爱我更多的那个人"。

★ 害怕没有真正的自我，害怕被复制，害怕模仿他人。在冥想的过程中，害怕身体的中心是一个空洞。

★ 失去了他人的保护后，就会产生强烈的不安全感，感觉生存受到威胁。

★ 相信获得认可与获得爱是同等重要的。相信独立将导致再也得不到爱。

★ 当寻求认可的习惯与逐渐浮现的自身需要发生冲突时，会突然大发雷霆。相信是他人在试图限制自己的自由。

★ 要求获得无限自由，拒绝对多样的自我做出承诺。

★ 被难以得到的关系所吸引。陷入三角恋。对于难以到手的目标，通过不断的追求来保持控制权。要求独享真正的亲密。

★ 一旦得到了真正的亲密，又没有经验去面对。对于真正的性需求和情感需求并不熟悉。需要花时间找到自己真正的感情，而不受他人影响。需要学会区分逢场作戏的爱情游戏和海誓山盟的真爱。

# 第八章　3号性格——实干者
## *The Performer*

## 成就型

| 性格特征 | | 本体特征 |
|---|---|---|
| 大脑 | 主要特征：空虚 | 高层思想：希望 |
| 心脏 | 主要情绪：欺骗 | 高层德行：诚实 |
| **基本性格分支** | | |
| 情爱关系：男性/女性形象 | | |
| 社会关系：声誉 | | |
| 自我保护：安全感 | | |

## 困境

他们从小成绩名列前茅。

他们的屋里贴满了奖状。

放学回家后，父母只会问他们在学校表现得有多好，而不会问他们今天感觉如何。

他们不需要拉拢他人或者融入他人的生活，来赢得认可和奖赏。

他们总是靠自己的能力得到一切。

*3 号性格者非常认可美国主流文化的价值观念。他们表现出来的形象*
*总是乐观向上、幸福安康的。他们好像从来不会遭受痛苦，他们甚至*
*一辈子都不会知道，自己实际上与内心生活失去了联系。*

他们是家长的宠儿，因为他们表现出色。

3 号性格者就是这样成长的。他们从小就忘记了自己的情感，一心要用出色的表现来获得他们需要的爱。他们努力工作的目的就是为了获得认可，成为佼佼者，在竞争中获胜。失败是他们极力避免的，因为只有胜利者才值得拥有他人的爱。

3 号性格者的形象总是非常摩登。他们往往是社会上的成功人士。他们年轻有为、精力充沛、积极向上。与此同时，他们还具备了变色龙的性质，能够把自己装扮成任何社会阶层的典型形象。他们可以是西装革履的管理者，也可以是勤劳贤惠的超级妈妈，还可以是头发长到脚后跟的嬉皮士。只要他们觉得自己属于哪个阶层，他们就能够用行动把自己打造成这个阶层的杰出人士。而且他们相信，为了让那些他们尊敬的人认可他们，他们可以扮演任何形象。

3 号性格者非常认可美国主流文化的价值观念。他们表现出来的形象总是乐观向上、幸福安康的。他们好像从来不会遭受痛苦，他们甚至一辈子都不会知道，自己实际上与内心生活失去了联系。

3 号为了获得外在的奖励而工作，他们往往不会考虑自己对工作的感觉。他们看重的是公司的名望，自己的地位。在 3 号看来，自己的价值就体现在年薪的位数上。他们从事的工作可能是相当枯燥的，但只要这个职位有一个迷人的名称，他们就能忘记枯燥。就像有一位 3 号性格者说的："别考虑那么多，把工作做了就行。"对他们来说，有事可做是最好的抗抑郁药。只要他们在不断忙碌的状态中，他们就没有时间感到沮丧。

工作是他们喜欢的活动。3 号认为自己的价值体现在出色的工作成绩上，所以他们往往会全身心地投入到工作中。他们能把想法立刻付诸行动，不会在思考和行动之间浪费时间。

他们总是能量充沛，生活在快乐幸福之中。但是这种关注于个人成就的生活，必定会以牺牲内心生活为代价，让他们在情感和亲密感上出现问题。

许多 3 号性格者都没有意识到，他们这种不停忙碌的生活，妨碍了他们自身创造力的发挥，因为这种创造力需要把大量时间投入到自我和内心情感之中。

3号的时间安排总是满满的。他们每天都在进行不同的活动，他们没有时间留给自己的感情。如果他们去度假，他们一定会选择那种几天内周游多国的旅程，把每天的活动都安排得严丝合缝。他们甚至喜欢在度假时携带工作任务，或者在娱乐时也带着学习任务。反正对于3号来说，面对不知道该干什么的空闲时间是一件可怕的事情，因为他们坚信——你的价值在于你所做的事情，而不在于你是谁。

他们尽量避免空闲时间。因为空闲时间会让他们注意到个人情感，而个人情感很可能会影响到工作效率。3号性格者很少会让疾病或者个人生活成为阻碍工作的借口。对于那些不求上进的人和那些为情所困的人，他们总是嗤之以鼻。

3号性格者是努力工作的实干者，但他们也被称为"表演者"。"表演者"总让人想起那些虽然拥有很多形象，但却内在空虚，缺少自我的人。事实上，在3号看来，工作的确高于自我。他们的自尊建立在他人对工作结果的认可上，而不是他人对他们的喜爱上。他们的眼里只有工作。如果他们受到夸奖，他们会认为夸奖的对象是他们的工作成绩，而不是他们自己。

在亲密的两性关系中，3号也会扮演"亲密爱人"的角色。但是他们的甜言蜜语，柔情蜜意，并非他们真实情感的反映，而是他们在有意把自己打造成善解人意的"亲密爱人"。他们可能在与对方亲热的同时，脑海里却盘算着别的事情，比如：第二天上午9点的会晤安排，或者与某位权威人士的午餐计划。

3号心里只有如何做好工作，他们把自己的情感遗忘了。直到有一天，他们的情感和工作发生冲突时，他们才会注意到这一点。

哪怕是表达爱意，3号选择的方法也是行动。他们对家庭生活的感觉也是通过活动来体现的。一起旅行，一起打网球，一起讨论孩子的问题。3号只关注活动和安排，而不会想到和家人在一起的悠闲时光。对于3号来说，他们要让两性关系有效地运转，他们的婚姻必须"有用"。工作和收入永远都是重要的。

他们会从自己的各种成就中受到鼓舞，形成乐观的性格。失败当然是要尽力避免的，而且即便失败了，他们也会重整旗鼓，把失败变成更大的成功。他们宁愿面对竞争和最终期限，也不愿让自己在休息中无所事事。

随着时间的增长，3号性格者能够发展出适应工作角色的能力，能够让自己的形象特质符合职业要求。这种变色龙的本领让他们总是能保持成功者的形象，也让其他人更加信赖3号的能力。但是，这种能力也可能导致严重的自我欺骗，因为他们用成功人士的感觉取代了自己的真情实感。当3号开始把自己打造成"杰出领导人"或者"完美爱人"时，这种自我欺骗的程度也就更深了。

"工作狂"总让人想起那些为了工作不顾一切，从早干到晚的人，当"工作狂"发展到极端病态时，形象的确如此，而很多3号都属于这一类型。他们发现一旦他们陷入"工作狂"的境界时，自己就受到神经质需求的驱使，一定要做得出类拔萃。他们会把全部的注意力放在手头工作上，他们仿佛变成了这份工作最理想的榜样，以至于他们无法把工作形象与真实自我区分开。

## 3号性格者的主要特征包括：

★ 看重自己的表现和成就。

★ 讲究效率。

★ 喜欢竞争，避免失败。

★ 相信爱情来自你能提供什么，而不在于你是谁。

★ 只关注事物积极的方面，不理会消极负面的信息。

★ 难以了解个人的感觉。在工作的时候把情感放到了一边。

★ 为争取认可而打造有利形象。公众形象属于社会高层人物。

★ 在真正自我和工作角色之间会产生困惑。

★ 通过集合思维的方式集中注意力，通过多条渠道来寻找问题的答案。

★ 能够下意识地调整自我形象，以为调整的形象就是个人的真我。

# 家庭背景

3号性格者受到夸奖往往是因为他们的所作所为和他们取得的成就，而不是他们自己。他们逐渐认识到，获得他人认可和爱的途径就是成功表现。他们学会了自我推销，学会把自己塑造成工作需要的理想角色。

我无时无刻不在通过具体行为来衡量我在他人心目中的价值。我生活在一个传统的中产家庭中，拥有 4 个和我年纪相仿的兄弟姐妹。为了获得父母的爱，我们 5 个孩子就好像在进行一场赛马比赛，只有那个最出色的，才能得到奖赏。我并没有什么与众不同的特质，所以为了赢得父母的关爱，我必须想办法让自己出类拔萃，比如在钢琴比赛中拔得头筹，让自己的手工作品摆在班级展柜的显眼位置，或者寻找其他任何能够引人注意的方式。

当我表现出色的时候，我就会被注意到，我就会拥有父母的爱。于是这就成了一种循环现象，我的每一个成就都成了下次成功的基石。这些成就不会越积越多，所以我必须不断获得成就才能保持自己的价值。

3号性格者的这种特征在 15 岁至 20 岁出头的这段时间里表现得最为突出。下面的这段陈述出自一个 17 岁的高中生，这是一个年轻的 3 号性格者希望在竞争中获胜，避免被大家当作失败者的典型例子。

除了所有的学科都是 A 以外，我还参加了学校舞蹈队的表演，而且我努力在社会上获得成功。我每天上午 8 点到 12 点在学校里上课，每天下午 1 点到 5 点在外面打工，然后回家做功课，然后去练习舞蹈，我每天都要练到凌晨两点。我做这些事情只有一个原因，就是如果我不做，恐怕没有人会喜欢我。我希望我在学校里表现出色，但是我不知道这是否因为我对每一门课都很在意。我希望得到一张优异的成绩单，因为这样大家就会认为我拥有了一切。所以上学更多的是为了得到认可，而不是出于学习的目的。

**只要是 3 号性格者看重的群体，他们就能让自己变成该群体的理想人物。**

  我曾经练习了 6 年的体操，每天 4 个小时，一周 6 天。从 6 岁到 10 岁，我几乎每个晚上都在练习体操。在后来的 3 年里，我开始憎恨这项运动。可是当时我并不知道我恨这项运动，直到我停止练习后才发觉。我在不停地做，回到家，做作业；到体操馆，做练习，我在不停地做、做、做，根本没有时间停下来思考一下，我真喜欢自己做的事情吗？我必须去参加比赛，我不喜欢那些比赛，但是谁能够让你坐在那里发牢骚呢？然后我获胜了，我的父母会认为一切很棒，但我却在想，更多，更多，我还要做更多。

  后来，这种心理压力严重到我甚至不敢去看电视上转播的奥运会体操比赛。我感到自己只有两个选择，要么退出体操练习，要么精神崩溃。最终让我决定退出的原因是我的一个朋友退出了，然后我发现她一切正常，并没有人因此而讨厌她。于是有一天，我也放弃了。当时，我突然多出了很多空余时间，我必须找到其他活动来填补这些时间空隙，我找了一份工作，开始跳舞，我当上了班长。就是这样，现在我打算进入斯坦福大学深造。

  但是我没有告诉任何人我在申请去斯坦福，这样即便我没有成功，也不会有人知道。我无法形容这种糟糕的感觉，你为了一个目标而不懈努力，却不知道是否能成功。万一我真的失败了，我最好的朋友也不会发现，我会尽量让自己忘掉它。好了，我走了，还有别的事要做。

  只要是 3 号性格者看重的群体，他们就能让自己变成该群体的理想人物。比如说，如果他们的家庭十分看重在公众场合的表现，那他们就会在这个方面出类拔萃。如果他们的家庭看重的是其他成就，3 号也会努力让自己符合家里的要求。一个在乡村长大的妇女是这样描述她的家庭环境的：

  我很小的时候，母亲就告诉我，我将会做一些特别的事情。并不是因为我的人很特别，而是因为我将来要做的事情会非常特别。她是一个单身妈妈，情绪很不稳定，所以为了讨好她，我总是主动照顾弟弟妹妹。学习成绩我并不看重，我更希望成为家里的助手，好好照顾我的家人。我后来开了一家小店，6 个月后我把这家店转手卖了，从中赚了一笔。从那以后，成功的大门就向我打开了。我开始经商，生意一直很好，因为我知道人们需要什么，我把他们需要的卖给他们。

如果说到生产和销售，我有一肚子的经验，现在就可以开班授课。我感觉，只要我接触到什么事儿，就有一种内在的挑战吸引我做下去，直到做成大家公认的权威，让那些我敬仰的人也对我产生敬意。这大概是因为我小时候，从来没有因为我自己而获得爱，却总是因为干活干得好而得到夸奖和鼓励。

# 多相性活动

3号性格者依靠他们的成绩获得爱。久而久之，他们把活动和成绩变成了对自己的控制。3号发现，把自己扮成"大忙人"，不仅可以不断取得成绩，还能有效解决空余时间，这样自己没有时间去担心潜在的危险，也就不会感到焦虑。

为了最有效地利用时间，3号经常会在同一时间内做好几件事情。他们就像杂耍演员一样，用双手抛接尽可能多的球。我们把这种同时进行多项活动的现象称为"多相性活动"（polyphasic activity）。不过在外人看来，3号的这种多相性活动倾向实际上是以牺牲情感生活时间为代价的。

我能够一边打电话，一边喂女儿吃东西；一边安排会晤时间，一边听他人谈话，而且能把所有事情都做好。同时忙碌于两三件事情能让我感到轻松，因为在我忙碌完手头的一件工作后，总会有其他事情等着我继续忙碌下去。把所有的时间填满后，我就有一种真正的安全感，不会感到空虚。

放松是为了下一轮的工作。一般来说，我的放松活动就是泡澡，这能缓解我的身体疲劳。每次泡澡的时候，我都会在浴缸旁放一个录音机，因为我躺在浴缸里，想的却是第二天的安排、下一次的会议、下一笔生意，如果有什么好的想法，我会赶快对着录音机录下来。如果我在很长时间没有得到别人的表扬，或者我干的工作没有得到大家的认可，我就会非常渴望到体育馆去发泄一下，或者到其他什么能让我找到一点称赞的地方。

*广告公司具有很明显的3号性格。广告人知道他人喜欢什么样的形象，他们能够把广告产品包装成他人喜欢的形象，予以宣传推广。*

# 形象

为了获得认可，3号会逐渐把自己塑造成适合工作的理想形象。他们能轻易改变自己的外观，而且他们具有一种直觉，能够让自己的形象为自己的工作服务。

有些3号性格者明知自己会为了塑造有利形象而放弃自身情感，他们还是甘愿冒险，去吸引他人注意。他们很清楚，当他们工作时，他们就把情感搁在一边，他们甚至可以抛弃自己，成为他人希望的样子。这些3号性格者还说，为了避免露馅，他们必须密切关注自己所塑造的形象，尽量让大家相信他们的言行举止。

还有些3号性格者，他们根本不知道自己的这种习惯，他们轻易地相信，自己塑造的形象就是他们自己。如果他们知道了自己的真实需要可能与自己塑造的高大形象产生冲突，他们会痛苦不堪。

我能融入到我接触的各种团体中。我就像一个善变的艺术家，能把自己变成任何团体喜欢的样子。我的衣柜了挂满了各种各样的衣着，这样我到哪里都能找到合适的服装。我曾经在一天之内穿出3种不同的风格：西装笔挺的职员、一身皮衣的摩托车手和身着燕尾服的社交人士。但是这些只是外在的变化，真正的变化是内在的，让自己的性格符合我接触的团体。

我会立刻知道如何与对方打交道，就好像身体通了电一样，只要我与他人有联系，我就能感到自己的存在。如果我与他人失去联系，如果我没有得分，我就好像失去了身体的能量，好像根本不存在了。当我满足了他人的期望，给他人留下良好印象时，我会从身体中感受到自己已经被接受了。

广告公司具有很明显的3号性格。广告人知道他人喜欢什么样的形象，他们能够把广告产品包装成他人喜欢的形象，予以宣传推广。相比之下，3号性格者服务的是特定社会群体，他们能够让自己变成特定社会群体中最被看重的形象。他们可以成为能干的专业人士，也可以成为理想的民权领袖，或者完美的伴侣。虽然他们喜欢工作忙碌的状态，但是如果大家都追求轻松悠闲的生活，他们也能让自己接受这样的生活。

我和两个儿子一起住在郊区，我从事兼职的心理咨询工作，所以我的大部分时间都能在家里轻松度过，生活环境十分理想，而且我一直知道自己想要什么样的生活。但是，很多时候我都无法清楚自己内心的感受，因为我总是在注意事情的外表。我的孩子穿的是否整洁？他们看上去是否高兴？我后来发现，我实际上是在把自己塑造成一个完美的新世纪女性心理医生，这样的女性都过着悠闲的生活，既能够照顾孩子，又能够做自己的工作，还住在郊外。

实干者会把自己改造成任何文化标准所看重的形象。如果他们是冲浪运动员，他们一定要有漂亮的冲浪板和古铜色的完美肤色；如果他们是经理，他们就要表现出迷人的领导风范。

我人生中的重大决定都和形象有关。不论是谈恋爱、上大学，还是找工作，我的选择都要符合大家寄予我的希望，要帮助我树立社会名望。因为我不想被当作一个外人，或者一个反传统的人，所以我会强迫自己去追求舞会上最迷人的女孩，去成为团队中最出色的成员。

如果 3 号性格者意识到了他们的外在形象并非真实自我，他们就会痛苦不堪。真实感觉与表演形象之间的差异，会让个人陷入危机之中。他们会觉得自己就像一个冒牌货，仿佛被一个虚假的故事所欺骗，而自己却被蒙在鼓里。当他们发现真正的感觉与他人期望的角色并不相符时，内心的愤怒油然而生。他们生气，因为他们觉得别人能够轻而易举地得到一切，而他们则必须放弃自我。

3 号性格者的形象往往非常明显：年轻美貌、聪明能干、富有成就。但是这些都是他们为自己打造的虚假自我，因为他们相信这样的形象能让他们获得爱。一旦有人揭穿了这种虚假自我，发现了他们的真实自我，他们会受到沉重打击。所以为了维护自己的形象，成年的 3 号性格者不断给自己加压，要让自

*在政坛中有很多塑造得很出色的形象，比如里根，这个曾经当过演员的总统很清楚这个国家需要什么样的领导人形象。他把自己塑造成一个迷人的总统，态度诚恳，心地善良。*

己出类拔萃，因为只有胜利者才能得到爱。但是在旁观者看来，他们可能会认为 3 号完全生活在压力之中，为获得个人成就而出卖了自我。

实干者关注的是具有实力的地位，以及那些象征成功的特征。他们最得意的就是自己的成就，自己的荣耀，以及自己击败所有竞争者的胜利感。他们努力争取到高高在上的位置，好让他们拥有控制他人的权力。

从某种程度上说，他们是自恋的，因为他们相信自己的实力高人一等，只要是在做他们认为重要的事情，他们总是以自我为中心。但这并不是因为他们觉得自己天生优越，而是因为他们相信自己的实力，相信自己会表现得比别人更出色，挣得比别人更多。

3 号性格者工作是为了得到他们想要的，他们的目标就是完成任务，在竞争中取胜。但是和真正的自恋者不同，3 号性格者清楚这个世界并不欠他们什么，一切必须靠实力获得；如果他们无法获得地位和尊敬，他们就会焦虑不安。他们不相信天上会掉馅饼，一切必须靠实力说话。

正因为 3 号把大量的精力都投入到对成功的追求中，所以一旦失败了，他们要么就坚信"失败是成功之母"，要么就会把失败的责任推卸给他人。他们会尽量躲避失败，如果一个项目已经岌岌可危，或者一段关系已经覆水难收，他们会让自己赶快摆脱出来，去做其他更有用的事情。

只要他们眼前还有大展宏图的机会，3 号就不会有失败感。只要还有足够多的活动等着他们，只要还能看到未来的美好希望，他们就不会放弃。他们能够迅速调换工作，改变形象，保持积极向上的心情。

他们这种超强的适应力，既是一种福气，也是一种负担。说是福气，因为他们能够在面对压力时做出迅速而有效的反应；说是负担，因为他们为了完成工作，把真实的情感抛在一边。另外，他们这种快速接受新任务，让自己适应新角色的能力，也让他们成了他人眼中善变的人。

## 欺骗与自我欺骗

在政坛中有很多塑造得很出色的形象，比如里根，这个曾经当过演员的总统很清楚这个国家需要什么样的领导人形象。他把自己塑造成一个迷人的总统，态度诚恳，心地善良。经验丰富的实干者能够把自己完全融入到他们所扮演的角色中，表现出角色的性格特征。比如在施瓦辛格拍摄的自传式纪录片《铁金刚》中，这位曾经多次赢得世界健美冠军的好莱坞巨星就表现出了3号性格者的特点，他把自己战胜他人的优势形容成一种心理技巧，就是在其他对手上台之前，他已经把自己想象成了天下无敌的胜利者。

在接受心理治疗时，3号性格者通常会说，他们已经意识到了自己为了赢得信任和支持而有意改变形象的能力。他们还说，当他们过于投入到自己扮演的角色中时，他们就会找各种理由来欺骗自己，压制消极的感觉，消除对失败的担忧。只要他们扮演的形象得到了正面的反馈，他们就会兴奋地继续扮演下去，把自己变成最终的胜利者。

如果我发现某人在我感兴趣的方面比我更厉害，我就会努力去获得对方的认可。不论是拉美政治，还是学术问题，或者艺术修养，所有事情都是这样。地位高的人看上去都很像，他们解决了一切的外在问题，他们拥有金钱、地位和权力，这些都对我充满吸引力。让自己的形象朝这个方向发展会让我感到快乐。相反，如果我发现这个理想形象不过是我的虚幻，发现我有可能付出后却得不到想要的工作，或者发现并非所有人都喜欢胜利者，这些事实会让我感到痛苦。就好像你付出了一切，最终换来的却是美梦破裂。

然后你清醒了，发现所有形象不过是一种自我欺骗。你背叛了你自己，为了让自己在群体中脱颖而出。为了成为他人心中的完美女性，或者团队中的领导人物，我和真正的自我越来越远。当我发现这一点时，我感到十分痛苦。现在，我变了。我和以前的爱人成了朋友。对我来说，最重要的是他们喜欢我这个真实的人，而不是为了讨好对方所塑造的完美形象。

## 亲密关系

这种真实自我与表演自我的分裂在亲密关系中尤为明显。

---

感情似乎永远都是完成工作的障碍。你可以坐在那里情绪激动得什么也不做，也可以继续做你的工作，不去理会自己的感情。很多人都说我像个"冷血动物"，我只关心他们的产出，从来不关心他们的情感。事实的确如此，因为我就是这样要求我自己的。对我来说，有些事情是很难理解的，比如：有的人在面临压力时，他们的工作进展会放慢，或者当私生活出了乱子时，他们就无法把工作做好。

当我试图与我的真实感觉保持一致时，我感到的是真正的困惑。我的感觉正确吗？我怎么能够分清楚哪些是我自己的感觉，哪些是我的形象认为我应该有的感觉呢？当你一生都在迎合别人的期望时，突然之间你有了自己的感觉，这是令人吃惊的。真正的喜欢和不喜欢出现了。你试着选择一个不同的温度计，去探测自己对外物的感觉，而不再仅仅关注外表。你的关注点变成了你自己，而不是那些对你有影响的人，但这种改变让你害怕，因为你不知道会在自己身上发现什么，你甚至担心到头来一无所获。

3号性格者能够把自己打扮成亲密爱人，但他们很清楚自己不过是在扮演一个角色。如果需要敏感，他们就会敏感，但这种敏感可能并不真实。他们愿意想象亲密伴侣的行为，然后照那样去做，让自己变成完美爱人。

当真实感情出现时，他们的反映往往是：

★ 不知所措："我只有一、两种情感是清楚的，我的其他情感呢？"

★ 觉得受到了干扰："如果要关注所有情感，我就会被淹没在情感的大海中，不能自拔。"

★ 担忧："我的选择正确吗？"或者"我是否会受到感情困扰，而无法工作呢？"工作狂型的3号在第一次面对自己的感情时，总会这么想。

生气是最不好办的。我有一次萎靡不振了好几个月，后来我才发现原因是我很生气，但是我又花了好久才发现我为什么会生气。这种感情非常可怕，我的形象被破坏，我开始讨厌所有人。更可怕的是，我宁愿选择改变工作和形象，我自己重新创造一个新的世界，也不想去直接面对这种感情。

现在当我通过心理练习开始反思时，我非常感谢那些能够帮我找到自己真实感情的人。我发现，其实过去的很多情况中，如果我面对了自己真实的感情，结果可能会大不一样。在接受心理治疗时，我的问题往往在于我无法感觉到自己当下的感情，我需要时间和空间去体会。

3号性格者的优点在于，他们能够对家庭成员的期望和目标予以绝对的支持。他们会努力工作，为他们认同的人带来快乐，也会为这些人的成绩感到高兴。他们擅长帮助他人走出孤独，摆脱忧郁，重整旗鼓。如果他们认同的是家庭生活，他们就会把时间和精力花在家庭上。如果他们认同了一段亲密关系，他们就会努力成为亲密伴侣。但是如果他们认同的是工作，他们肯定不会在家庭和爱情上花太多时间。

另一方面，3号性格者的这种投入常常不被人理解。比如，他们认为自己是为了家庭在努力工作，但是他人可能误认为他们是在追求个人成就。

我觉得我开始表现得很出色，我们的第一次约会很成功，大家互有好感。随着关系的进一步发展，我想把更多时间放在工作上，而我的伴侣却感到很无聊。我们出现了矛盾，我很晚才回家，因为我希望挣到更多的钱，让我们的生活更成功，但是我回到家面对的却是她的冷言冷语。

如果我实在无法忍受了，我就会把所有的感情抛开，我可能表面上在跟她严肃地对话，但脑子里却想着工作的事情，或者干脆离开，回到工作中去。当我对她说："停住！"我的意思是，不要再逼我。我需要时间来默默地清理我的坏情绪和失败感，等我知道我不会被这一切击垮，我还能面对我自己时，我就会想要回去。

## 夫妻关系实例：3号 vs. 5号——实干者 vs. 观察者

在感情问题上，3号和5号都有各自的问题。3号性格者的苦恼在于，他们需要展现他们真实的自己，而不是他们擅长扮演的角色；5号性格者的苦恼是，他们害怕因为亲密接触而暴露自己，或者受到侮辱。

这两种人对待感情的态度都是谨小慎微的。3号通过忙碌的工作来阻碍亲密情感的产生；而5号则会用退出的方式来逃避情感。如果3号和5号在一起，3号通常是追求者，而5号则是被追求的对象。3号让一切发生，而5号则是被动接受。

只要形象需求得到满足，实干者会主动走入亲密关系；但是如果他们的自尊受到了伤害，他们就会离开。一个观察者会因为短暂的激情而陷入亲密情感中，但前提是对方保证不会干涉他们的生活。这两种人对于最初的情感火花反应都是迟钝的，他们需要退出来冷静地思考清楚。在相处过程中，3号需要尊重对方的隐私，不要把自己变成控制者；5号则需要学会容忍。

只要3号下了决心，他们就会寻找各种途径来促进这段感情关系，他们不会担心来自5号的反对。3号喜欢设计生活蓝图，然后去实现一个又一个目标。如果他们能够把家庭生活规划好，5号很愿意配合。5号喜欢把一切都分得清清楚楚。他们觉得工作是工作，生活是生活，朋友是朋友，爱人是爱人。5号习惯在亲热之后就恢复原样。如果家庭中出现了紧张气氛，他们就不会主动示爱，很可能长时间都不会主动和3号说话。如果3号的工作影响了家庭的正常生活，5号会表现得很生气，而且如果他们处于安全状态中，他们甚至会像8号性格（5号性格的安全状态）者那样大发雷霆。对于3号来说，来自亲密伴侣的怒火是致命的伤害，他们将立刻做出反击。

在社会生活上，3号希望能够树立一个迷人的公众形象，喜欢到那些能让他们感到安全和宠爱的地方。5号不喜欢热闹，喜欢独处，而且也不愿陪3号去那些情况无法预料的公共场所。如果他们参加聚会，5号希望提前知道聚会的内容，谁要说话，说些什么，说给谁听。3号喜欢组织和参加各种聚会。他们还能经常帮助5号处理社交中的麻烦。

3号和5号的关系像是一个在明，一个在暗。身为观察者的5号如同一个看不见的智者，在远处对3号进行遥控。身为实干者的3号负责所有的对外接触、讨价还价、决策安排，他们会定期向观察者汇报进展，而观察者连家门都不用出。

# 权威关系

3号性格者希望成为领导者。他们知道什么事情是重要的，他们会努力在竞争中取胜，然后享受成功的快乐。他们通常是单枪匹马地争取个人胜利。但是如果他们认同了团队的力量，他们也会积极带动大家，发挥领导者的作用。他们会不断推动团队向前发展。

从好的一方面说，他们是那种愿意付出的领导人，而且对大家极具号召力。他们不但能够忘我地工作，还能够保持乐观情绪，让大家相信成功在即。他们能很快把想法付诸行动，也愿意接受其他权威人士的不同意见。

如果出现问题，3号性格者会与多方交流，避免同样的问题再次发生。如果有人要挑战高风险的工作，他们也会给予支持和鼓励，消除对方的紧张和害怕情绪。

从不好的方面来说，3号性格者的这种权威感很可能会让真正的领导人处于尴尬境地。他们可能会在工作中自作主张，而把领导撂在一边。他们可能会夸大自己的角色，或者把自己与他人的关系建立在纯粹的工作基础上，而不带丝毫感情色彩。

## 工作关系实例：3 号 vs. 6 号——实干者 vs. 怀疑论者

如果分工合适，3号和6号可以成为理想的合作伙伴。6号性格者将负责项目的创意，出点子，提供解决问题的方法；3号性格者负责项目的实施，推动项目的完成。

如果6号能够提供想法，并且发挥他们的怀疑精神对计划安排不断质疑和修改，找出所有潜在的问题，那么3号就能为完成计划提供精神动力，有效推动计划的实施。如果6号觉得自己的想法受到了尊重，他们也会乐于3号代表他们向公众展示自己的创意。

一旦6号觉得受到了忽视，他们的疑心就会越来越厉害，怀疑3号要夺走他们的权力。6号会觉得3号在向公众展示他们的想法时，有蓄意夸大和欺骗的内容。他们会怀疑3号这样做是在有意谋取个人利益，而不是为了大家的利益。这种怀疑会让6号觉得自己是个失败者，他们会背着3号去寻找其他合伙人。

对于3号来说，要达到目的，可以不择手段。3号一旦有了目标，他们的关注点就是最后的成功，他们很难注意到同事们的感情，所以很可能对于6号的担心毫不在意。3号的脑海中充满了胜利之后的高大形象，他们可能完全不会注意到，他人已经疲惫不堪。对于所有的负面评论，3号都充耳不闻，他们把6号的质疑视为一种干涉，并努力确保自己的控制权："别挡道，不然我不客气了！"

如果一项工作陷入困境，3号希望更努力地工作，而6号则希望能够停下来谈一谈。如果这项工作继续恶化，3号会选择跳槽，去寻找更好的发展机会。6号会把3号的行为当作背叛，并希望自己能坚持下去扭转局面。如果工作成功完成，3号会助长乘胜追击，继续扩大规模；6号则会表现得比较谨慎，不会急于行事。6号担心成功会遭来他人的嫉妒，所以他们的首要任务总是保住现有的果实。

如果3号性格者能够与大家分享决策制定权，在行动之前先告知大家，让大家有所准备，6号的怀疑和担心就会减少很多。另外，当6号性格者陷入怀疑和犹豫时，如果3号能够提供有远见的看法，也能推动事情的顺利进行。对于6号来说，如果他们能够学会公开质疑，而不是根据错误的信息背地生疑，双方的工作关系也将改进很多。

# 3号性格的闪光点

3号性格者对于手头的工作和未来的目标总是充满激情。他们吃苦耐劳，尽心尽力，而且他们的努力能够感染其他人去表现得更加出色。他们活到老，学到老，总是能给自己找到乐趣。不论是对于自己，还是对于工作，3号都希望保持积极向上的正面形象。他们愿意支持那些社会公益活动，帮助他人通过

> *3号性格者不喜欢那些没有发展前途的工作，那些不能给他们带来声望的工作，那些与他们的社会形象不相符的工作，以及那些需要通过不断反省和尝试才能完成的创造性工作。*

自身努力获得物质上的富裕。他们还非常愿意成为领导者。

# 适合3号的环境

3号性格者适合工作的环境包括那些通过长年打拼，逐步扩大规模的企业。他们可以成为出色的经理、销售人员、传媒人士、广告业者或者形象工作者。3号还适合从事那些把想法付诸实施的工作，比如包装、宣传、市场推广。

3号会成为他们所属环境中的典型：他们可以是最激进的左翼分子，也可以是最保守的右翼分子。他们总是被那些能够让他们具有成就感的环境所吸引。他们喜欢具有发展空间的高层职位，比如企业的高层领导。如果他们是政治家，他们会通过媒体形象和个人风格来争取更多选票。

# 不适合3号的环境

3号性格者不喜欢那些没有发展前途的工作，那些不能给他们带来声望的工作，那些与他们的社会形象不相符的工作，以及那些需要通过不断反省和尝试才能完成的创造性工作。3号性格者更适合当记者，而不是小说家；更适合作杂志美编，而不是那些要花上好几个月才能完成一件作品的严肃艺术家。

# 著名的3号性格者

3号性格的著名人物包括意识推销员沃纳·埃哈德（Werner Erhard），推销员出身的埃哈德后来开始研究心理学，他创办的埃哈德研讨训练组织（EST，Erhard Seminars Training）在企业界很受欢迎。

沃纳·埃哈德
（*Werner Erhard*）

---

## 其他著名的 3 号性格者包括：

罗纳德·里根
*Ronald Reagan*

★ 罗纳德·里根（Ronald Reagan）：1911 – 2004，美国第 40 任总统。

沃尔特·迪斯尼
*Walt Disney*

★ 沃尔特·迪斯尼（Walt Disney）：1901 – 1966，美国动画片制作家、演出主持人和电影制片人，迪斯尼企业的创始人。

法拉·福塞特
*Walt Disney*

★ 法拉·福塞特（Farrah Fawcett）：美国女演员，曾因主演电视剧集《霹雳娇娃》而走红。

约翰·肯尼迪
*John F. Kennedy*

★ 约翰·肯尼迪（John F. Kennedy）：1917 – 1963，美国第 35 任总统。

*这种注意力的关注方式，就好像你为自己建立了一条的高速公路，你不断地朝着压力和竞争的方向行驶，这是你的选择。*

# 3 号性格者的注意力

对于旁观者来说，3 号性格者是一个注意力高度集中的成功者；不过 3 号性格者自己却说，他们只是为了让自己保持积极向上的情绪。如果有人表现得好，3 号一定要表现得更好，因为 3 号的自尊建立在胜利的基础上。

他们总是处于活动的状态，这实际上是一种控制方式。3 号喜欢同时忙碌于多件事情，这是他们的习惯，这种注意力的支配方式叫"多相性思维"（polyphasic thinking）。

我在开车的时候也不会闲着。我会与车上的人聊天，眼睛注意着周围有没有交警和时速限制；或是一边吃三明治，一边选择自己喜欢的电台。同时做这些事情让我感觉良好，好像成了万物的主宰者。

多相性活动让个人无法将内在注意力集中在单一事项上。3 号性格者在工作中，很少会把全部注意力都放在手中的具体工作上，他们会关注接下来要做的事情。他们基本上没有思考和反省的时间，也没有时间去分析哪些事情应该优先处理，更没有时间去关注自己对工作的个人感受。

你必须是最好的，否则你就根本不存在。我感觉自己总是在老二的位置上，总是在努力登上第一的宝座。手头上总是有 3、4 个项目要做，你的身体在做其中一个项目时，你的思想却在思考另外一个。等到第一个项目接近尾声时，我早已投入到第二个项目之中，根本不会注意到第一个项目已经完成。就好像现在永远都不存在，因为我所关注的永远是下一个。

这种注意力的关注方式，就好像你为自己建立了一条的高速公路，你不断地朝着压力和竞争的方向行驶，这是你的选择。

你对环境中任何有利于你现有目标的事物都高度敏感，而你周围的人，也被分成了两种——你的障碍和你的助手。如果他们是障碍，你要么不理会他们，或者绕开他们；如果是助手，你会把他们找出来，看他们能帮你做什么。

*这种为完成某项工作而改变自身形象的做法叫"认同作用"。这是一种在长期成长过程中形成的防御机制，我们通过这种做法把自己变得和周围人一样，或者变成某种环境中的佼佼者。*

障碍会带来压力，压力让你更专注于你的工作。因为如果你没有实现目标，就会有别人抢在你前面，你因此而沮丧不已。亚军是难以接受的。对你来说，要么是第一，要么就不参加。

如果障碍一直存在，你就会搜肠刮肚地回忆你经历过的所有类似情况，看看有没有什么解决办法能够用上。这种把注意力集中在环境中的各种线索、过去的记忆和经验上的思维方式称作"集合思维"（convergent thinking）。3 号性格者特别擅长这种思维方式。当常规途径无法解决问题时，他们往往能够通过这种方式找到创造性的解决途径。

我经营过好几家不同性质的公司，而且都能扭亏为盈。我的经验是：当我面临一个棘手问题无法解决时，我会从过去完成的项目中寻找每一个可行的办法。这种做法往往很有效。我的经验就是不断把过去的成功和现有问题结合在一起。

# 认同作用

当3 号性格者的注意力开始放在一个重要项目上时，他们会动用所有的精神力量，向实现目标的方向前进。他们会让自己表现出完成该项工作所需要的所有个性特征。这种为完成某项工作而改变自身形象的做法叫"认同作用"（identification）。这是一种在长期成长过程中形成的防御机制，我们通过这种做法把自己变得和周围人一样，或者变成某种环境中的佼佼者。

对于我们多数人来说，心理学上的认同作用一般表现在"我很像我的母亲"，或者"我是美国人"。但是对于一个 3 号性格者来说，这种认同作用就意味着"我是这方面的权威，是榜样"。

当认同作用发生时，3 号性格者很难分清楚哪些是个人价值，哪些是他们在工作中创造的价值。如果他们的工作结果遭到了质疑，他们就会认为是自己受到了攻击。

一旦发生了认同作用，3 号性格者会相信他们自己就是理想的实干家。如果认同作用不完全，他们就会感到自己在自欺欺人，就会觉得自己是在带着面具表演。

完全的认同作用具有相当的说服力，能够让 3 号长期生活在自己扮演的角色中，而没有丝毫察觉；除非有什么疾病或者中年危机的出现，让他们不得不停下手头的工作，让真实的感情流露出来。如果他们的工作让他们拥有了头衔、形象和金钱，那他们可能会一直生活在他们所扮演的工作角色中，根本不会停下来思考自己的人生是否完满。

## 认同作用练习

下面这个练习能够帮助你理解在 3 号性格者身上经常发生的认同作用。

与一个同伴面对面坐下。其中一人扮演旁观者，另一人扮演 3 号性格者。如果你是 3 号，你就是这个练习中的积极活动者。你把眼睛闭上，这样你就不会受到对方的干扰。眼睛要一直闭着，然后选择一种你平常没有的特征，作为认同的对象，比如美丽、英俊、睿智、激情或者快乐。不管是什么，一定是一个你陌生的特征。

想象你在体内感受到了这种特征。如果你曾经体验过拥有这种特征的感觉，你的感觉更容易到位。留意在你"制造"这种特征时，你的注意力有什么变化。留意这种特征是如何出现的，又是如何消失的。当这种特质出现时，你就成了被这种特质所认同的 3 号；当你努力去维持这种特质时，你的感觉就像 3 号在维持自己的形象。

不要睁开你的眼睛。专注于想象这种特质，让它透过你的身体释放出来。当你能够稳定地注意到这种特质在你体内产生的感觉时，把你的注意力转向你对面的观察者，想象对方就是你生命中某个重要的人，比如你的老板或者配偶，他或她有能力影响你，而你现在所表现出来的特质也是他或她愿意接受的。

现在睁开眼睛。把你的注意力还是放在你的内在特质上，但同时与你的伙伴进行简单的对话。这时，请留意当你试图从内在来认同这种被同伴接受的特质时，你的注意力是如何变化的。3 号性格者会注意到这种落差变化，前者是他们伪造了一个吸引人的形象，而后者则是他们完全投入到该形象中，并认为自己就是对方看重的人。3 号性格者会习惯性地把自己的注意力放在被社会文化所认同的形象上，然后把这些形象当作他们自己。

当 3 号性格者完全投入到他们塑造的形象中去时，他们会非常在乎其他人的反应。如果他们的形象受到好评，他们就会继续保持；如果没有得到认可，他们就会下意识地改变自我表现。

# 直觉类型

在孩童时代，3 号性格者必须在大家认可的活动中取得最好成绩，才能获得安全感。这些依靠成功形象和表现获得幸福的孩子们，对于环境中的有利信息会非常敏感。

当我来到一个新的环境中时，我会立刻注意到他人对我的印象。我发现不管其他人对我印象如何，我都会努力让自己融入到他们中间。可能我自己的感觉并非如此，但是我能知道什么样的表现能够让他人接受。

我在做促销工作的时候，非常需要这种能力。我会带着同样的生产线从一个工厂推销到另一个工厂，虽然每次都说同样的话，但是情况总会有所不同。我会站在那里开始我的介绍，有时我能听到自己在讲话中突然调整自己的音调，我并不知道自己为什么要这样做。有时我还会感到自己的身体在表演，这完全不是我计划中的。

如果这位销售代表知道，当他进入产品展示状态时，他自身的位置已经被角色所取代，他一定会感到十分困惑。如果他学会了区分自己的真实感情与推销产品时的表现，可能会给他带来几种有趣的结果。

★ 首先是情感上的：他可能会因为欺骗他人而焦虑不安；他也可能借助

这种能力说服更多客户，推销更多产品。

　　★ 另一种结果是他开始学会了区分自身需要和自己在利益驱使下做出的行为。

　　★ 还有一种结果是，他有目的地训练自己。为了满足他人的要求，他让自己能够自如地进入内心世界，通过直觉来修正自己的形象，同时感知任何对他有用的信息。

# 高层心境：希望

　　实干者认为，他们的价值在于他们给别人留下的印象。他们骄傲于自己的成就。他们相信，没有工作就没有价值。当3号性格者情不自禁地投入工作，当他们不遗余力地推动一个项目时，他们已经忘记了自己，他们的注意力都集中在了工作之中。

　　这种积极投入的正面影响是，3号能够从匆忙的活动中感到活力，而且他们习惯了去适应不同工作的不同要求。我们的研究对象当然会记得这种迫不及待给他们带来的疲惫和精神消耗；但是他们也会描述出当他们与某项具体工作的节奏和步伐一致时，所产生的良好感觉。

　　3号性格者说，那种感觉就好像是被悬浮在无尽的能量之中，所有困难都能迎刃而解。虽然你是在紧迫中全力以赴地工作，但是却感觉时间仿佛放慢了脚步；你的烦恼和担忧都没有了，你不需要反思或质疑，就能自然而然地发现需要解决的问题。

　　在这样的心境中，你总是充满希望，成功似乎是注定的。你不必担心失败，因为你知道每一步工作都必然通向正确的结果。

　　有一位旧金山的餐饮业者，说自己是典型的工作狂，他是这样描述这种充满希望的心境的：

　　尽管和我共事的人年龄都比我小很多，但我还是愿意做这项工作，并且把它做好，这会让我感到快乐。厨房里的工作，有时候紧张得让人连喘气的工夫都没有。大家都挤在一个狭小的空间里，你挨着我，我挤着你，手里的各种厨具，一不小心就会碰到人。如果你出了错，整个晚宴可能都会被你搞砸。在那些时候，我心里只想着一句话："上帝呀，保佑一切顺利吧。"

但是还有些时候，尽管我是在高强度的工作状态中，我的心情却很平静。我可以连续工作多个小时，感觉依然良好，因为我知道一切都会很完美。

# 高层德行：诚实

3 号性格者的身上有很多美国主流文化所认同的特征。事实上，因为他们身上拥有了太多被这个社会所认可的特征，他们常常会把这种表面的自我误认为是真正健康的自我。

如果你能让自己相信社会的目标就是你自己的目标，那你还用为自己设定个人目标吗？如果你所扮演的形象能够让你获得尊敬并被社会所接受，那你又何必冒着被拒绝的危险，去做你自己呢？如果真正的自我只能带来痛苦，你又何必需要呢？最明哲保身的做法，恐怕就是让自己符合社会认可的文化标准，搁置自己的情绪，放弃自我。

3 号性格者通常都认为自己的心理十分健康，他们说只有那些失败者，那些无所事事，跟不上时代节奏的人，才会情绪沮丧。3 号可能完全不会发现自己成功塑造的"虚假自我"与他们自己的情感需求是有差异的。他们可能只知道自己不喜欢低沉、郁闷的情绪，也不喜欢去感受到内心的情感需求。但是他们往往忽视了这样的事实，那就是他们可能触及的情感范围实际上非常狭小，因为他们总是充满活力，并努力把自己打造成乐观的成功人士。

只有在被迫停止活动时，实干者才有可能面对他们真正的感觉。他们一般不会自愿停止活动，往往是一些特殊情况让他们不得不停止工作，比如失业、疾病或者配偶的干预。这种强迫性停止对于这些工作狂来说是相当可怕的，这会让他们开始担心自己的价值，而且一旦注意力从活动中转移出来，真实的情感就会显现。

除非你是在做某件事情，否则你根本感觉不到自己的存在。除非我知道自己接下来要做什么，否则我就会觉得屋子里空无一人。去年，我因为明显的疲劳过度而病倒了。我才40岁，就有了冠心病。我躺在医院的病床上，望着天花板发呆，计算着我什么时候能出院。

这种强迫的安静比真正的心脏病更糟糕。我担心我的身体好不了了。当这种感觉出现时，我好像整个人麻木了，对发生在自己身上的一切毫无感觉。有时候什么事情也没有，但是我却会觉得有好多事情，然后变得兴奋异常，但是很快我又会陷入不知所措的麻木状态。

实干者习惯了去做，而不是去感觉。他们在从事一项活动时，总是自然而然地限制自己的感觉。对于那些希望寻找自己真实感觉的3号性格者来说，他们需要学会区分自身的真实感觉和那种为了胜利而表现出来的感觉。

他们的问题变成了：我是该跟着感觉走，还是与我要做的事情保持一致？跟着感觉走的风险是，3号将失去成功给他们带来的认可；忽视感觉的风险则在于，3号会生活在欺骗中。

通过区分自己的真实感觉和别人要求的感觉，3号性格者会逐渐从欺骗走向诚实。但是在这种转变的过程中，3号会有一段很痛苦的时期，因为他们必须放弃童年形成的保护习惯，才能获得心理上的自由。

下面的陈述来自一位工作相当出色的职业女性：

在接受心理治疗的初期，我觉得自己没什么问题。真正有问题的是我丈夫，因为他不像我那样对生活充满兴趣。我的第一动力总是希望去做事，而不是去感觉，因为一旦我有了很多空闲时间，我惟一的感觉就是害怕。星期天是最糟糕的。一整天都不知道该做什么。我不过是在做些家庭琐事，打打电话，为下一周的工作做准备，但是所有的空闲时间都会让我感到害怕。

在接受心理治疗后，我不得不把我的"情感课程"放在工作日程表上。我必须记得在工作的过程中停下来，问问我自己喜欢什么，不喜欢什么，以及我是否感受到了什么。这项训练最困难的部分就是，我要带着我的感觉返回到

*他们把自身的性感和对他人的吸引力视作一种个人价值，他们会努力*
*在他人眼中表现得魅力十足。*

工作中，而以前一旦我开始工作，感觉就不存在了。

现在，我很骄傲我已经找到了自己的各种情感。我能够让别人理解我，也非常在意我自己的反应。我能知道我是否高兴，或者是否喜欢我的工作。我现在的生活是以前完全没有的。

# 基本性格分支

基本性格分支是人们在童年时代为了减少焦虑而形成的性格特征。对于年幼的 3 号性格者来说，他们最担心的就是被别人看不起，所以任何能够带来金钱、占有（安全感）、名望，或者增强他们女性/男性形象的环境，都是他们喜欢的。因此他们会通过观察和经验积累来消除自身的担忧，这也让他们形成了塑造有利形象，忽视真实情感的天性。

当 3 号性格者意识到他们诚实的感受可能与社会价值观念发生冲突时，他们就陷入了选择的危机。该走哪一条路呢？该去争取成功，还是该去面对自我？

当 3 号面临退休，受到疾病的困扰，或者拥有大量空闲时间时，他们就会陷入困境。如果他们决定放弃自己的形象、社会地位或者稳定的财政基础，他们会觉得生命受到了威胁，因为他们的自我需要这些方面的支持。

## 一对一关系：男性/女性形象

3 号性格者倾向于选择一个性感的形象，他们很清楚自己的角色。他们把自身的性感和对他人的吸引力视作一种个人价值，他们会努力在他人眼中表现得魅力十足。有一些 3 号性格者说，利用性感外形获得胜利的渴望，掩盖了他们内心深处的性别混乱。他们的情感会表现出男性的一面，也会表现出女性的一面。比如，一个女人味十足的 3 号，可能是在借助性感的外表来掩盖自己希望"像男人一样竞争"的渴望。在我们的调查中，没有一个感到性别混乱的 3 号性格者是同性恋，也没有人认为自己充满魅力的外表实际上是为了掩盖双重

> **3 号性格者追求对金钱和物质的占有，这样能够减少他们在个人生存中的焦虑感。金钱和地位能够给他们带来安全感，这也是他们努力工作的目的。**

的性别取向。

我最大的自欺行为来自于我的亲密关系。在我延续了 10 年的婚姻即将结束时，我终于认识到我只不过是在塑造一个完美女人的样子，但是我并不知道我真正想要的感觉。如果我的丈夫看上了广告上的某个美女模特，我就会把自己从头到脚都打扮成那个模特的样子。

## 社会关系：声望

3 号性格者一心想表现出良好的社会形象。他们会改变自己的个人特征，去适应群体的价值特征。3 号希望成为群体的领导者。

学生时代，我希望在毕业生纪念册那张属于我的照片下面，能够拥有最骄人的成绩。后来，我成了一名临床医生，我非常关注我这个领域的名人，他们受到了多少尊敬，他们开了什么样的研讨会，尽管我对研讨会的内容可能并不关心。

我还发现，我希望成名的原因是，如果我的意见被我所尊敬的人否定，我就会感到自己好像根本不存在，被完全忽视了。

## 自我保护：安全感

3 号性格者追求对金钱和物质的占有，这样能够减少他们在个人生存中的焦虑感。金钱和地位能够给他们带来安全感，这也是他们努力工作的目的。

尽管你在尽全力工作，而且挣得也足够多，这种恐怖感觉也不会消失。你可能拥有 5 万美元的银行存款，但依然担心钱不够用，觉得自己应该找个工资更高的工作，或者有几个备份的选择，以防万一。如果某人批评了你的工作表现，你就觉得自己的生命受到了威胁。

# 对 3 号有利的做法

当疾病的困扰或者失败的打击让 3 号性格者无法保持正常工作节奏，无法

*他们应该去接触自己的生理和情感反应，尤其是那些被他们抛弃的感觉，比如疲惫、害怕以及不知道下一步该做什么的困惑。*

回避自己的感情时，他们就会来接受心理治疗或者开始冥想练习。当他们被强迫停止工作，开始注意到自身情感时，他们最初的反应可能是害怕，因为他们从来没有意识到自己有那么丰富的内心情感。

他们应该去接触自己的生理和情感反应，尤其是那些被他们抛弃的感觉，比如疲惫、害怕以及不知道下一步该做什么的困惑。当对工作的承诺开始控制自己的情感时，实干者应该意识到这种情况，然后学会等待，直到真正的答案出现。对3号性格者来说，下面这些做法对他们都是有帮助的：

★ 学会停止。给自己的情感和真实思想留下时间。是什么在驱使自己不停地工作，找到这种担心，并直接面对。

★ 不要让自己的行动变成机械化反应。意识到自己成了生产机器，而情感被全部搁置。

★ 不要让对个人成功的幻想取代了自己的真实能力。

★ 遇到困难时，不要通过寻找新的工作来逃避困难，也不要无视失败，或者抱怨批评自己的人。

★ 意识到自己常常会把情感的快乐延迟。"我完成了下一个推销任务后，就会快乐。"

★ 认识到真正自我与公众形象的差异。学会从形象中抽离出来。

★ 注意自己的欺骗倾向，喜欢表演。"没有人会发现面具背后的我；他们只会看到我的所作所为。"

★ 不要把自己看作离不开的关键人物，把周围的人都看作没有能力的懒汉。

★ 注意到自己总是希望成为最完美的心理病人。总是在心理医生面前表现出典型症状，把治疗当成工作，把冥想变成任务。"我今天静坐了多少分钟？"

★ 学会通过身体的感觉来发现自己的感觉。比如，在你无法确定自己的情绪时，你首先说出自己的身体感觉，"我的脸发热"或者"我的肚子很紧"。这些身体上的感觉能够帮助你找到自己的真实感受。

★ 学会找到动手做和用心感受的区别。在工作的时候，记得要把注意力从工作中转移到自己对工作的感受上。

★ 学会让自己被感动、被影响、被作用。

★ 鼓励自己接受情感上的选择。

# 3号需要注意的做法

当注意力被放在了自我形象和工作狂一般的生活中时，3号性格者应该对以下反应保持警惕：

★ 对感觉感到困惑。"我的感觉正确吗？""哪个感觉是真的？"

★ 在过度活跃的幻想中生活。在方法根本行不通，或者出现负面效应时，依然幻想成功。

★ 为自己打造虚幻的形象，并且相信这些特质是自己天生具有的。

★ 急于求成，用工作取代情感需求，并感觉良好。在心理治疗的成果还没有显现时，就想要退出。

★ 需要获得成功的证明。

★ 在讨论个人问题时，总是习惯性地避免讨论自身感觉。觉得个人的问题说一说就能解决，无需情感体会。

★ 在接受心理治疗时，倾向于选择十分能干而吸引人的心理医师。看重的是心理医师的价值，而不是去发现自己的价值。

★ 在冥想的过程中，担心真正的自我根本不存在。

★ 当遭遇他人的批评时，感觉自己像个圣人。"我做出了那么大的贡献，我根本不用理会那些批评。"

# 第九章 4号性格——悲情浪漫者
## The Tragic Romantic

## 自我型

| | 性格特征 | 本体特征 | |
|---|---|---|---|
| 大脑 | 主要特征：忧郁 | 高层心境：本原 | |
| 心脏 | 主要情绪：嫉妒 | 高层德行：泰然（平衡） | |
| **基本性格分支** | | | |
| 情爱关系：竞争/憎恨 | | | |
| 社会关系：羞愧 | | | |
| 自我保护：无畏/不计后果 | | | |

## 困境

他们总是记得小时候被别人抛弃的样子。

他们因此若有所失。

他们的眼神闪烁着忧郁，他们感伤失去的美好。

他们过着戏剧性的生活，他们的目标总是遥不可及。

4号性格者的内心世界就和文学作品中的悲情浪漫者一样，这种人尽管获得了社会的承认和物质上的成功，也依然无法开怀。他们渴望得到的是失去的爱、遥远的爱、未来的爱，他们认为只有这些爱才能带来幸福。

> **他们拒绝那些轻而易举就能得到的东西，因为他们的眼中只有那些无法得到的东西。**

4号做出的决定有可能是基于对事实的认识，也很有可能是基于情绪的变化；在交谈中，他们关注的是语气语调、隐射与暗示，而不是言语本来的含义。

抑郁是一种常见的情绪。这种情绪能够让生活停止，让人整天躺在床上，不停地想着过去犯下的一些无法改变的错误。

"如果我能采取另一种方式……"

"如果我能再有一次机会，那就好了。"

4号的脑袋里只有一个词："如果，如果"。他们的注意力被封闭了，就好像一台老式留声机的唱针被卡在了唱片的某个地方。

4号性格者基本上都了解这种抑郁情绪。有些人把这看作一种宿命，愿意长时间的独处。还有些人让自己处于不停地忙碌之中，希望通过极度的活跃状态来摆脱这种抑郁。另一些人利用这种情绪对人类经验的黑暗面进行艺术探索。

本书中所涉及的4号性格者都知道这种情绪，但是他们还有另外一种情绪，叫"忧郁"。他们被这种情绪所吸引，就如同在迷失和痛苦的土地上，发现了一座扭曲情感的庇护所。

忧郁能带来甜蜜的遗憾。和抑郁一样，它们都产生于缺失感，但是在忧郁的情绪中，悲伤是美好的，如同一片荒凉海岸上的迷雾。4号性格者在情感变化的迷雾中感到强烈活力。在他们看来，没有什么是永恒的，因为他们的情绪说变就变。

4号性格者的核心问题是缺失感和时常降低的自尊。

"如果我表现得更有价值，我是不是就不会被遗弃了？"

在生活中，4号性格者总是认为，他们获得爱的来源被夺走了。"我曾经被爱过，现在我得到的爱哪去了？"

在他们的成长经历中，总是有被抛弃或者类似的经历，他们因此而感到悲伤。在他们成年后，这种遗弃感也不会消失。他们拒绝那些轻而易举就能得到的东西，因为他们的眼中只有那些无法得到的东西。虽然这可能是无意识的习惯，但还是让他们痛苦。

4号性格者总是有意无意地把注意力放在遗失的美好上。眼前的一切似乎毫无吸引力。他们特别渴望激情四射、能够带来满足感的两性关系。他们是渴望得到爱的人。

他们的忧郁情绪也能为他们带来一种甜蜜感。当他们因为失去爱而悲伤时，他们同时也会浪漫地幻想未来的理想伴侣。感觉好像眼前的伴侣不过是为未来准备的陪练，当真正的爱情来临时，"我的真我将被爱唤醒"。

4号即便获得了实际生活的成功，哪怕是用多年汗水换来的成功，他们也不会在意这些辛劳成果，因为他们只关注生活中缺失的东西。如果你得到了想要的工作，你就会想要一个伴侣；如果你得到了一个伴侣，你又会想要单身；如果你回到了单身状态，你又会想要工作和伴侣。注意力总是不断转向缺失的美好。拥有的东西看上去总是枯燥和毫无价值的。

浪漫者总是喜欢破坏现有的成就。如果他们必须关注现实生活中的琐事，比如收拾伴侣的袜子，或者容忍他人的某种特性，他们就会变得非常愤怒和失望。他们想象的爱情是完美无缺的，但是这个完美画面被现实生活中那些令人厌烦的时刻给破坏了。他们还会把这些小问题放大，伴侣身上的任何小毛病都会变成不能容忍的刺激。

"她是政治上的白痴。"

"他根本听不懂音乐。"

"他怎么能把牙刷放在杯子里！"

要容忍他人的庸俗让4号性格者愤怒，他们强烈渴望保护内心的美好蓝图。

一旦他们意识到亲密关系需要牺牲完美的标准，他们就会想办法在真爱被破坏前，让伴侣离开。他们认为事情很清楚，该责备的人是他们的伴侣。受到打击的4号可能会说出一些最恶毒的话，为了清楚表明是对方辜负了他们的希望。

但是一旦双方的关系恢复了距离，4号又会开始思念这种亲密感觉。他们

*对于4号来说，追求快乐可能让他们失去与内心情感世界的联系。更*
*糟糕的是，他们担心自己会变得和他人毫无区别，过着平庸的生活。*

的爱情经常是分分合合：拥有的时候推开，得不到的时候又拉回来。一切都仿佛是"远看一朵花，近看一个疤"。

为了获得安全，4号性格者会让自己与他人保持一个臂长的距离。他们不希望与他人的距离太遥远，但也不喜欢过于亲密。虽然他们也渴望与他人建立亲密关系，但是亲密无间的生活又会让他们担心自己的缺点被暴露出来，并因此遭到遗弃。如果伴侣厌倦了这种一个臂长的安全距离，威胁要离开，4号可能会突然病倒，或者深深自责，因为他们希望能够挽回关系。当被遗弃的危险出现时，4号会放弃所有的情感障碍。当他们最初的缺失感重新出现时，他们会表现得非常戏剧化、疯狂指责、极度失望、甚至出现自杀倾向。

4号性格者说，这种情感生活的起伏让他们感受到一种强烈的存在感。这种感觉是一般的快乐无法相比的，这是一种比一般人的生活更丰富的生活层面。他们觉得自己是普通现实的旁观者。他们是独特的，是与众不同的，是自己生活的主演者。要让他们放弃这种高层次的情感生活，等于让他们牺牲自己的独特性。

对于4号来说，追求快乐可能让他们失去与内心情感世界的联系。更糟糕的是，他们担心自己会变得和他人毫无区别，过着平庸的生活。

## 4号性格者的主要特征包括：

★ 觉得有些东西在生活中遗失了，而别人又恰好拥有自己遗失的东西。

★ 被遥不可及的事物深深吸引。把一个不存在的恋人理想化。

★ 依靠情绪、礼貌、华丽的外表和高雅的品位等外在表现来支撑自己的自尊。

★ 带有忧郁感。追求的目标是深入的感情而不是纯粹的快乐。

★ 不愿意接受"普通情感的平淡"。需要通过缺失、想象和戏剧性的行动来重新加固个人的情感。

★ 追寻真实。感觉现实不是真的，相信当个人被真爱包围时，真正的自我将出现。

★ 被生活中真实和激烈的事物所深深吸引，比如生死、性爱、灾难、遗弃等等。

★ 对已经拥有的，只看到缺点；对那些遥不可及的，却能看到优点。这种变化的关注点加强了：

- 被抛弃的感觉和缺失的感觉。
- 敏感于他人的情感和痛苦。能够帮助那些困境中的人。

# 家庭背景

4 号性格者的家庭背景一般有两种类型的主题。

**一种是在童年遭到遗弃。**他们通常都能够描绘出各种各样被抛弃的故事，而且抛弃他们的人总是他们认为最重要的人。他们描述最多的情形就是父母离异，他们深爱的父亲或母亲远离了他们。还有一种主题是生活在一个充满忧郁的家庭中。大人身上的痛苦被孩子感知了。下面的叙述来自一位极具天赋的舞蹈演员，她一直处在单身状态，把全部的精力都放在了对艺术的追求上。

我是一个早产儿，所以身体非常脆弱，医生对我父母说，我活下来的可能性很小。我想大概是这个原因，他们不愿亲近我，因为害怕自己的感情受到伤害。所以虽然我没有真正被抛弃，但是一直有那种被抛弃的感觉。在我还很小的时候，我的父亲得了重病，奄奄一息。我总觉得能在屋子里看到一口棺材，还能闻到花的香味。那些陷入困境或者濒临死亡的人总是能吸引我，因为他们能够接触到自己内心深处的自我，在灵魂面前表现得更加诚实。

**感到被抛弃的 4 号性格者还描述另一种童年的生长环境：**父母中的一方时而出现，时而消失，而且对他们的态度也反复无常，一会儿仁慈，一会儿凶狠。这样的孩子对于关怀和爱护特别依恋，一旦失去了就会陷入愤怒之中。

我出生后，我父亲为了庆祝我的出生，带着我母亲进行了一趟环球旅行，把我一个人留给了一位保姆照看。我非常爱我的父亲，我愿意做任何事情讨好他。他很活跃，很受欢迎，但总是不在我身边，即便在家也是和妈妈在一起。他经常出差，在他回来之前，我疯狂地想尽各种能让他留下来的办法，感觉就好像这是我惟一能够抓住他的机会。他每次回来都会给我带来礼物，还会给我讲故事，然后他又走了，或者更糟糕的，他和妈妈一起走了，我又成了一个人，只能为下次见他做准备。

在心理学中，有很多关于抑郁的理论都认为，抑郁来自童年的愤怒，这种愤怒最终会向自我的反面发展。浪漫者们也认为，是他们童年时的缺失感导致了成年后的抑郁情绪。

下面这段陈述来自一位男士，他花了 10 年时间周游世界，为了寻找完美的伴侣。在他的旅途中，他接触了各种不同类型的女人，这些女人都很有魅力，而且具有吸引他的不同特质。但是每次当他决定要与某人坠入爱河时，他又会开始想念其他人的特质。当他跟我们说这番话时，他已经是一位非常成功的进口商，资产达到了上百万美元，却依然在孜孜不倦地寻找他的伴侣。

我问过我母亲，我是不是母乳喂养大的，她说是的，她曾用母乳喂过我。我猜，当我还是婴儿时，我曾经有过一段很满意的时光，然后有一天，这种满意的生活消失了。现在我对她的感觉也是一样的：有的时候她在那里，有的时候又不在。这种感觉逐渐变成了一种生活态度："我曾经很快乐，那种快乐哪儿去了？"我一生都在寻找这种快乐——它到哪儿去了？

可是当人们问我，我的生活中到底遗失了什么，或者我认为自己在寻找什么时，我并不能给出一个具体的答案："就是那个东西，或者就是那个人，或者就是金钱带来的享受。"我在寻找它，但是我并不知道它是什么，我知道它是一种无法触及的美好，我感到自己和它是联系在一起的。

## 愤怒和抑郁

4 号性格者总是有一种被抛弃的愤怒感。他们对父母的忽视或者抛弃行为感到不满，因为他们得到的是痛苦，而别的孩子却能从父母那里获得更多关爱。

这种愤怒会变成尖锐的讽刺，因为他们想从言语上击败他人，让他们受伤的心能够平衡一点。通常，4号的愤怒找不到什么明显的外在原因，他们的愤怒更多的是一种发自内心的强烈自责，认为是自己做得还不够，所以无法得到应有的爱。

这种针对内心的自责让4号性格者感到非常无助，还会让他们长时间不知所措，似乎找不到追求幸福的理由。当他们失去了与他人最珍贵的基本联系时，他们就会因为悲伤而变得抑郁。这种抑郁就好像一个分手的恋人，渴望找回往日的温馨。

# 抑郁和忧郁

抑郁的感觉对于4号性格者来说，就好像被关进了黑暗的陷阱。他们返回到自己的内心世界中，躲在房间最静谧的角落里，和外间脱离联系。他们感到生活从来没有如此糟糕，而且相信这种情况不会改变。

如果这种抑郁继续加重，他们会拒绝他人的帮助，因为他们认为这种帮助毫无用处，但是他们自己又很无助，不知道该做什么。他们停止一切活动，最终彻底丧失希望，认为没人能够理解他们的内心。

但是浪漫者并不是惟一感到悲伤的人。我们所有人都会因为失败而痛苦，都会因为失去珍贵的东西而伤心。不同的是，他们的抑郁和这种失去东西的伤心是不一样的。伤心是可以接受的，是可以逐渐减退，并最终让注意力重新回到正常生活状态中的。但是在严重的抑郁状态下，生活中的一切都被深度悲伤所取代，很难恢复过来。

我至今也没有走出18年前的那场婚变。我总是觉得我犯下了一个无法改变的错误，这个错误完全改变了我的生活轨迹。这种感觉就好像你自己把惟一可以获得幸福的机会给毁了，而现在你拼命地想挽回一切。

*他们总是在哀悼生活中失去的东西。他们的整个思想都被这种悲伤情绪所笼罩，以致于他们很难去关注那些更积极的事情。*

所以你不断地回顾这场婚姻的每个细节，希望从你所经历的每个阶段中找出一些解决问题的蛛丝马迹。我就是这样生活在过去的错误中，这让我对眼前的爱情熟视无睹。

忧郁感同样来自童年的缺失，是一种不幸的抑郁。这种感觉让个人相信，他们始终处于苦乐参半的状态之中，他们所追求的，是他们所得不到的。4号性格者说，与普通人所说的快乐相比，他们更愿意接受这种强烈的忧郁。这种伤心的感觉能够唤起他们的想象力，让他们觉得和远方的某种事物建立了联系。对于感到被抛弃的4号来说，忧郁是一种情绪，这种情绪能够让他们的生活得到升华，让他感受到情感的细微变化。

就好像是故事中的某个角色，这个角色被放在不同的环境中。在这个世界里，我是一个旁观者，没有人知道我是谁，这让我感到与众不同，感到被他人误会。这种感觉还带来一种平静的绝望。没有人理解我，我是一个旁观者，所以我要忍受这种没有归属感的感觉，但是我的内心很强烈，因为我受到折磨。我生活在他人情感的边缘，我对自己保持神秘，我和任何人都是不一样的。

我们很容易就能分辨出抑郁的4号。他们总是在哀悼生活中失去的东西。他们的整个思想都被这种悲伤情绪所笼罩，以致于他们很难去关注那些更积极的事情。

忧郁，尽管也是基于对失去的怀念，但是它能在平常事物上映射出唯美的品质。怀念变成了一种寻找，忧伤变成了对自我的诗意欣赏。

忧郁让我感到年轻，就好像我扮演了一个角色，这个角色拥有一件可以隐身的斗篷。你从来不是自己在走，你是披着斗篷在走。你不是为了快乐在走；你走，是为了感受穿斗篷的感觉，是为了迎面碰上那个能够改变你一生的陌生人。

在家的时候，我觉得自己是个受害者。这种受到伤害的感觉让我希望从自己扮演的角色中找到平衡。她穿上了斗篷，就拥有了魔力，她不关心快乐和趣味，因为她追求的是超凡脱俗。

*艺术的追求和现实的痛苦常常交织在一起，因为痛苦能让他们感悟到*
*生命的本质，能调动他们内心的张力，而艺术创造则把这种感悟表现*
*出来，使之具有意义。*

忧郁是我的选择，它能让你的生活变得充满艺术气质，尽管它寻找的东西可能是遥不可及，但是真正的快乐恰恰来自于寻找的过程。

# 痛苦和创造

4号性格者的生活是艺术的，但同时也是痛苦的。他们的生活中，既有艺术的表达，又有为维持自身唯美形象而忍受的痛苦。他们在痛苦中创造，就好像一个艺术家宁可在阁楼里挨饿，也不愿靠出卖自己的作品来换取舒适的生活。艺术的追求和现实的痛苦常常交织在一起，因为痛苦能让他们感悟到生命的本质，能调动他们内心的张力，而艺术创造则把这种感悟表现出来，使之具有意义。

下面的陈述来自一位志向远大的年轻画家，她认为自己属于4号性格，她甚至无法参加自己画廊的开张典礼，因为她失恋了。

当抑郁的感觉出现时，它能赶走我正在进行的所有事情。生活就这样停止了。没有原因，没有目的，也没有希望。我所拥有的不过是流逝的时间。所有的事情都随着时间流逝而流逝，我所能做的，就是静静地等待这种感觉消失。

如果你曾经像我这样被悲伤所困扰，你就会觉得你的整个人已经不属于你自己，而属于那个令你伤心的人。你完全把自己交给了另一个人。如果你经历了这样的感觉，你就会觉得自己好像生了一场大病。你会开始欣赏那些细微的事物，比如天气，或者你喜欢的衣服颜色。你因为度过那样的痛苦而对生活充满感恩。悲剧让你与众不同，从某种意义上说，悲剧成就了你，因为你已经面对过死亡，而且存活了下来。

缺失让4号性格者从芸芸众生中脱离出来。它给4号带上了悲剧色彩，并让他们与众不同。痛苦产生灵感，深深影响了20世纪德国文学的德国著名诗人里尔克（Rainer Maria Rilke，1875－1926）就是生活在这种困境中的典型人物。他的作品充满了神秘的抒情和奇妙的幻想，而这都要归功于他的忧郁情绪。他虽然有严重的忧郁症表现，但是他不愿接受心理治疗。他相信一旦他内心的魔鬼被赶走了，他心中的天使也会受到惊吓。

4号性格者是"九型人格"中的艺术家。这句话有两层含义：首先，的确有很多艺术家都属于4号性格；其次，"艺术家"代表了4号性格者内心的情感取向。生活在渴望和绝望中的他们，能够感受到自身情感的跌宕起伏。这种强烈的变化，能够让时隐时现的忧郁情绪更加迷人。

# 情绪波动

悲情浪漫者的情感生活总是处于巅峰或低谷中。他们倾向于在极度的抑郁和极度的亢奋中生活。4号性格者形容自己的情感生活是跌宕起伏的，或者是在两个极端之间摇摆不定的。

有三种类型的4号性格者：基本抑郁型的、基本亢奋型的、在抑郁和亢奋之间的摇摆型。这三种类型的4号，都认为生命中有一些最珍贵的东西被人拿走了，他们都在努力寻找，但他们的寻找方式截然不同。

基本抑郁型的4号倾向于脱离外界，专注到自己的内心中去寻找意义。基本亢奋型的4号表面上没有丝毫抑郁症状。他们能穿梭于各种活动和暧昧关系中，他们希望从那些让他人感到快乐的外在事物中找到意义。情绪在两端之间摇摆不定的4号，他们的内心状态是最具代表性的。他们的情感大起大落，能把爱变成恨，把激情变成冷漠。他们被遥不可及或者具有杀伤力的爱人所吸引。他们的内在情绪会戏剧性地爆发，甚至可能出现自杀的幻想。

正常的4号性格者说，如果生活开始变得糟糕，自杀的念头就会作为一种"选择"出现在他们的思想中。4号倾向苦涩而具有讽刺意味的黑色幽默，这种幽默揭示了他们内在的愤怒。他们把自杀描绘成"一种当生活变得糟糕时，你还可以依赖的东西"。他们这样说，并不是真的想要自杀，而是想说，他们把逃避当成了一种选择，就好像2号性格者会把诱惑当成一种选择，8号性格者会把击败对手当作一种选择一样。

# 戏剧性的情感生活

4号性格者说，别人总认为他们的情感过于强烈，因此他们不得不收敛自己的情感。他们总是很敏感，一些小事就能让他们受伤。自己的生日被忘记，他们会沮丧不已；朋友无心的话语会让他们感到被疏远。

一个迟到的电话也能戏剧性地让人产生被抛弃的感觉，我对此的反应是有意疏远那个我最想见的人。就好像这种痛苦勾起了我以前的所有痛苦，愈演愈烈。就是这样，一个迟到的电话就会让我觉得被抛弃了，所以当朋友后来打电话来时，我还是会恨对方，因为我已经被深深伤害了。

对于4号而言，"强烈"指的是做出极端的情感反应。一个极端是痛苦，另一个极端就是幻想完全的成功。他们的经历中好像没有不温不火的感觉。

"我爱他吗？"这样的问题可以迅速变成完全陷入爱河中的感觉，根本没有时间去真正思考这个问题的答案。一个浪漫者可以完全陷入自己的空想中，满脑子都是"他伤害我会怎样"，或者"他爱我又会怎么样"，以至于她根本不知道此时此刻她对"他"的真实感觉。

4号并非惟一把自己的感情放大的人。我们都有这样的时刻，当我们在痛苦中时，我们都会想象最糟糕的情况。

在孕妇自然生产的过程中，或者针对病人的痛苦控制训练中，人们被要求把自己的注意力全部集中在他们当前的身体感觉上，而不是去想象疼痛的极限是什么样的，或者下一次疼痛会有多么严重。身体所能感受到的任何真实疼痛，一旦被敏感的记忆或想象所取代，就会变得不能忍受。

下面的陈述来自一位遭遇严重事故的男子，他描述了自己当时的心境。虽然他的反应并不能说明他就是4号性格者，但是许多4号在对待情感问题时，就和他一样脆弱。

我从十几岁开始，就是一位专业的滑雪运动员。我从来没有遇到什么严重的事故，直到有一天，在一个我非常熟悉的滑坡上，我滑倒了，摔断了一条腿。当我被送到医院里时，我已经发疯了，根本不知道发生了什么。我以为我能够忍受疼痛，但是当有人试着来触碰我的腿时，我痛得恨不得把他们全都打倒在地。

实际上，我真的打到了一位准备给我注射镇定剂的护士。我看到她手里的针头，就立刻想到了针头扎进我体内时的剧痛。当我的教练赶到时，我和急救室的医生已经陷入冷战状态。我的腿需要手术治疗，他们想要马上动手，但是我不让他们做。我的教练帮了我一个大忙，他走过了揪起我的头发，威胁说如果我不做手术，他就立刻把我揍扁。

我想大概是他的威胁让我突然找回了自己。虽然他举起了拳头，但他并没有真的打我，就像那个针头，并没有真正扎进我的身体，但是我却感到自己被打了，被针头扎了。实际上，我对这些虚幻的感觉太强烈，以至于我已经忘记了我腿上真正的疼痛。当我重新找回自己后，我感觉好像从一个浑身都疼痛难忍的困境中走了出来，我开始感受到真正的疼痛，这种疼痛仅仅集中在腿上而已。

4号性格者倾向于放大他们的情感，就像这位年轻的滑雪运动员夸大了自身的疼痛一样。这种无意识的夸张，让情绪变得强烈，反而让人失去了真实的感觉。4号无法接触到他们的真实感情，因为从兴奋情绪中产生的夸张感情阻碍了他们。

当4号变得情绪化时，他们就失去了与真实情感的联系，我们可以通过他们的面部表情观察到这种变化。如果有人问4号："你好吗?"他们的最初反应可能是最真实的，他们的表情反映出他们真实想法。但是很快，对记忆中各种不同感觉的想象取代了这种真实反应，这种习惯性的夸张会把他们的回答从"还可以"变成"唉，最近有点烦"。

# 亲密关系

4号性格者会把大量的注意力放在等待爱人出现的准备工作上。就好像眼前的一切仅仅是在为未来做准备。在未来的某个时刻，他们会被真爱唤醒。如果现实中的他们并没有陷入亲密的两性关系，那他们会把大量感觉投入到未来的约会中。如果他们已经陷入亲密的两性关系，他们会选择从这种关系中脱离出来，为了享受未来重逢的美好。下面的陈述来自纽约的一位教师：

我发展最好的两性关系都是异地恋情。我的恋人不在我身边，他们要么在波士顿，要么在旧金山，反正他们至少距离我有好几个小时的车程。最幸福的时光就是中间等待的时光，你过着自己的生活，但是又期待着和你的朋友见面，想象着当你们最终见面时的特别感觉。

等待约会的日子就好像在为你自己的婚礼做准备一样。在你接到对方的电话之前，你已经完全陷入到浪漫的幻想之中。然后你们终于见面了，获知了对方的消息，共享晚餐，一起度过美好时光。

最奇怪的是，虽然我一直梦想着我们的约会，但是当它真的发生时，我的思想却并不在那里。虽然我们在一起，但是我的心却跑到了别的地方，我希望重新找到幻想他的感觉；所以我可能和他睡在同一张床上，但是却拒绝承认我和他在一起。

没过多久，我就会感到疲劳。伴侣身上的一些细节开始让我讨厌。如果他没有关上梳妆台的抽屉，我会觉得他粗心大意。那个没有关上的抽屉会一直在我心里，变成一种象征，说明他可能在其他方面也不用心。我于是对自己说，我怎么能和一个漫不经心的人生活在一起？

但是只要我想象他已经离开，或者我们不久即将分开，我就又会重新爱上他。

因为4号性格者总是习惯性地注意现实的负面，他们的两性关系往往很受折磨。当他们关注眼前的情况时，那些不希望出现的负面因素总会特别显眼，但是当爱人位于遥远的地方时，他们身上那些不那么美丽的特征也就看不见了。

我和老婆结婚已经好多年了，她总是若即若离，不愿意做出承诺。和她在一起，就好像在欣赏美丽的日落，知道这样的美好很快就要结束，而我又会非常思念这种感觉。我感到她是我心灵的伴侣，她能给我带来一些生命中最本质的东西。但同时我也知道，如果她想靠近我，那些以前没有察觉到的细微特征就会显现出来。她说话的习惯开始让我讨厌，她的特征被重新组合，变得不那么吸引人了。所有的事情都失去了以前的意义。我有一种冲动，希望让所有事情都恢复正常，让感觉不被破坏。所以我们自然就会吵架，她选择离开，然后我又会痛苦地发现我是多么想念她，希望她回来。

4号相信在爱的过程中，他们将找到真我，内心的戏剧变化将逐渐消失，他们会变成一个简单而满足的人，能够感受到生命的完整，不再有其他奢求。但是为了获得这种完满的感觉，他们的注意力必须首先放在现实生活中。他们必须学会发现眼前的美好，然后知足地接受现实。

上周，有一个很有魅力的女推销员来到我们办公室。她来了好几次，我对她很有感觉，一见到她就会浮想联翩，就会精力旺盛。不过谢天谢地，我知道那不过是我的幻想而已，我并没有真正对她采取行动，把我的未来放在她身上。

如果是在10年前，我不会这么理智。我会相信我的直觉，相信我们之间有了感应，相信她就是我生命中注定的人选。她对产品的承诺在我看来具有了双重意义。这种感觉会让我发疯，直到我得到她。要么生，要么死，其他事情都无关紧要了。

现在，我能清楚预测我得到她之后的感觉。她的缺点会暴露出来，她的着装会变得不合体，她也不再聪慧迷人，我会发现自己犯了一个大错误。幻想随风飘散，然后我会想起其他女人身上的优点，那些因为我对这个女人做出了承诺而永远失去的东西。

现在我非常清楚，当我开始给一个爱人挑毛病时，我实际上是在害怕两样事情。我当然担心我爱的这个人并没有想象得那么好，我不想让她成为我生命中的惟一。我的另一个担心是，如果我们走得太近，她也会发现我身上的问题，可能先把我甩了。

于是我开始逃避，开始从这种关系中脱离出来。我破坏一切，然后她和我又有了距离，她看上去很美，我又想要她回来。我们的关系就好像系了一根橡皮筋，她越往后拉，我越往前跑。

这种橡皮筋的关系让浪漫者重现陷入被抛弃的境地，而且是反复被抛弃，但这种抛弃是在他们的控制之内。如果亲密让他们感到害怕，他们就会选择疏远，或者和对方吵一架，然后退回到熟悉的距离之中。在保持了一定距离后，对方的优点又会表现出来，4号又重新被双方的亲密关系所吸引。爱的可能总是与被抛弃的可能相连，有时候出于安全，他们宁可拒绝爱情，也不愿承担再次被抛弃的风险。

对于4号而言，让亲密关系保持在安全距离内是一门艺术。不要太远，也不要太近，要若即若离，要正好能够让他们看到对方的优点，并期望能够发现更多，要让他们保持对对方的关注，又不用为之做出承诺。

从积极的方面来说，4号性格者希望他们的爱情能保持激情。当感情出现危机时，他们能够与他人共渡难关，不会因为强烈的情感变化或者他人的伤悲而放弃。他们理解两性关系的美学。他们知道人是会随着时间而变化的，也愿意接受情感发展的不同阶段。他们愿意从头开始，也愿意把过去的不愉快全部忘掉。

从消极的方面来看，他们有很强的嫉妒心，喜欢拿自己的所得与他人的所得进行比较。他们相信自己伤心的原因是他人对自己的忽视。如果他们受到了伤害，他们会埋伏起来，伺机报复。

## 夫妻关系实例：4 号 vs. 3 号——悲情浪漫者 vs. 实干者

这两种类型的人都非常注重外在形象。他们在公共场合会表现得很好：4号是引人注目的，3号是成功显赫的。但是3号需要的往往是一个符合公众需要的形象，而并非刻意地要引人注目。如果3号过于墨守成规，4号的表现恐怕会让他们失望，因为4号不喜欢随大流，他们会有意让自己变得特立独行。

4号性格者希望成为配偶和孩子情感生活的中心。他们希望和家人讨论相关的情感问题，希望能成为家庭问题的顾问。3号配偶则会把更多精力放在工作上，他们希望以工作为中心，而不是被情感要求所束缚。

3号天生追求成功，他们工作狂的态度有可能让4号觉得自己被抛弃了，但也有可能在夫妻间产生一定的距离感，反而增加了4号对3号的兴趣。如果3号愿意不时地从工作中解脱出来，和4号分享一些亲密时光的话，双方在情感和工作方式上的差异就可以得到弥补。在这种情况下，3号可以好好工作，4号也可以享受亲密时光，而这种亲密的时间又不致于长到令4号厌烦。

如果3号对工作过于投入，或者对情感过于疏远，4号会有两种反应。他们要么选择维持关系，但是长时间处于抑郁状态，要么因为遭到冷落而大发雷霆。为了吸引3号的注意力，4号会在一些3号关注的方面努力做出成绩，尤其是一些3号最擅长的方面。如果3号想以工作为借口抛弃4号，4号会采取各种手段，来挽回对方的心。他们可能会做出一些戏剧性的事情，也可能威胁对方，甚至做出自杀的姿态。如果这些计谋都失败了，4号就会非常抑郁，并长期生活在悔恨中。3号则相反，他们会很快找到新的伴侣。

3号和4号夫妇的孩子会认为3号是一个积极能干、富有进取心的人，他们会为孩子的成绩而骄傲，但是很少有时间和家人在一起。如果4号的表现良好，孩子们也会很愿意和他们在一起。但是如果4号父母的情绪表现过于神经质，孩子们会厌烦4号的情感要求，甚至把4号当作竞争者，因为他们都想得到3号的关注。

# 权威关系

4号性格者倾向于忽视那些小权威，但却会相当尊敬那些大权威。

小权威——警察、商店里维持秩序的保安——他们是可以被忽视的，他们的命令是可以被违背的；但是大权威，比如国王和王后，或者那些声望很高的人，一定要受到尊敬。

4号相信那些普通的规章制度，并不适用于他们。他们不愿遵从，因为他们具有反叛性，但是他们这样做并不是有意要颠覆权威，而是完全忘记了要认真对待规章制度。如果违背权威将受到惩罚，4号会在破坏所有规矩后，想方设法溜之大吉，享受这种"侥幸逃脱"的感觉。

对于大权威，他们的态度十分尊敬，尤其是如果这种尊敬符合4号心中的独特性和精英形象的话。4号希望因为自己的独特能力而被选中，希望从最优秀的人那里获得教导和支持。他们会成为世界顶级心理学家的病人，还会与那些性格怪癖的天才成为知己。他们需要得到杰出人士的认同，需要从那些可信的人那里得到爱。

从积极的方面来看，4号性格者能够感觉到他人身上真正的天赋和感情。他们能一眼看穿模仿或虚假的表现。他们知道"最好"和"最知名"的区别。他们能把一个庸俗的展示变得美丽而独特，能够从普通的商机中看到与众不同的可能。他们努力与工作领域中最出色的人结为同盟。

从消极的方面来看，为了获得大权威的赏识，4号会和同事们竞争。如果没有被认可，他们会怀恨在心。他们不愿做毫无新意的工作，也不愿在没有创意的环境下工作，除非这样的工作能够帮他们实现真正的理想。

## 权威关系实例：4号 vs. 2号——悲情浪漫者 vs. 给予者

如果4号性格者是领导，他们会树立独特的个人风格，这种风格既表现在吸引人的外表上，也表现在独特的办公环境和态度上。这种形象会受到2号雇员的支持，他们能够很好地满足老板的形象需要。

2号会努力讨好老板，猜测他们的需要，并予以满足。从某方面来说，4号会感谢2号的支持，但从另一方面来说，当公司里的一切都变得井井有条时，他们反而可能会暗中搞些破坏来打破这种秩序。当4号老板的注意力不再关注生活上的成功，而开始寻找自己缺少的东西时，他们可能会陷入对工作毫不关心的状态，这时2号会留下来替他们管理公司，并让一切正常运转。

如果2号雇员很喜欢自己的4号老板，或者相信老板的计划，他们就会替老板出谋划策，成为幕后高手。只要2号个人还愿意为工作而付出，不管出于什么原因，4号老板都会被照顾和保护得很好。事实上，2号虽然不是老板，但他们在二把手的位置上往往会有更佳的表现。

如果2号雇员对4号老板失去了兴趣，或者老板开始责怪员工，2号会感到自己已经不受欢迎，激烈的权力斗争很可能就要上演了。2号可能自己出面夺权，也可能扶持另一个人成为企业中的新领导。不管是哪一种情况，4号都会觉得遭到了背叛。如果2号和4号中的一方能够从情感上承认自己伤害了对方，情况就要好得多。只要了解了对方进行反抗行为的情感动机，2号和4号都会敞开心扉。

如果4号是雇员，那么只要2号老板能够对他们给予特别关注或认可，他们的关系就会相处得很好。2号千万不要忽视4号的存在。悲情浪漫者不能容忍自己的工作是无关紧要的，也不愿意看到别人得到的好处比自己更多。如果他们发现了这样的对手，他们或者想办法通过竞争把他人"挤走"，或者让对方在公共场合出丑，或者拉拢能够影响局势的局外人。

如果2号和4号陷入敌对状态，只要双方中的任何一方能够认可对方的能力，他们就能平息冲突。尽管2号和4号的争论可能是因为近期的商业计划，但实际根源则往往是他们受到伤害的感情。双方都需要得到对方的尊敬。这两种人都希望成为他人生命中的重要人物。如果双方都能被给予特别的责任，获得特别的关注，他们就能互相支持。

*品味问题对4号来说生死攸关。如果你是一位4号性格者，恐怕你宁*
*愿自杀，也不会去穿一条粉红的化纤裤子。*

# 完美标准

　　4号性格者总是觉得，他们以前是被遗弃的孩子，因为他们没能表现得更好或更有价值。他们总觉得自己性格中有致命的缺点，让他们失去了生活中的一些美好。这种缺失感让他们觉得自己的价值不如那些拥有爱的人。

　　小时候，他们认为自己是家里没人关怀的外人；长大后，这种感觉让他们变成了神秘的局外人，总是与众不同，并养成了独特的性格。

　　为了平衡自己的自卑感，4号常常选择夸张的外表形象。他们的形象中有一种独特的优雅。他们通过外表装扮来说明自己的独特性，说明自己是走在潮流前面的人。

　　当我在一个朋友家做客时，我会在脑海里重新装饰整个屋子，重新给人们化妆，给他们选择更有特色的服装。如果我搬到一个新地方居住，那我会把头两个星期的时间都花在布置房间上。这个花瓶该放在这里，还是那里？让整个空间变得有模有样是一件非常重要的事情，因为我将在这里面对我的未来。我感觉自己好像把对未来的支持和情感都注入到了这个环境中。布置屋子的整个过程变成了对未来的一种准备，好像我一定会在这里与某人进行神秘的约会。灯光的亮度，沙发和椅子的位置……一切都必须完美。

　　高档时尚杂志上的内容很适合打扮时髦的4号。他们精致而优雅，佩戴着各种普通大众无法拥有的独特装饰物。尽管他们外表耀眼，但是他们的内心却因为得不到爱和被抛弃的过去而深深自卑，二者形成了鲜明的反差。

　　从情感上来说，4号性格者非常需要这种独特的外形，这让他们从被抛弃的局外人变成不受规则限制的名人。品味问题对4号来说生死攸关。如果你是一位4号性格者，恐怕你宁愿自杀，也不会去穿一条粉红的化纤裤子。如果你仅有一件绸缎衬衣，那么在你买得起另外一件之前，这件衬衣就成了你的标志。廉价的化学织物你是不会接受的，大促销的服装你永远不会穿。

> *他们喜欢打破道德传统，再加上他们坚持完美的追求，所以他们很可能会犯下一些高雅的罪行，比如在高档的商店里行窃，仅仅为了得到一件安哥拉山羊毛的白色毛衣。*

他们错误地认为独特的追求能体现他们精致的品位和唯美的敏感。当4号发现，那些他们看重的人在品味上明显不如他们时，他们的内心就平衡了许多。

过度追求唯美形象，发展到极端就可能出现神经性厌食症和其他心理疾病。在病态的思维中，个人强迫自己的身体达到完美的标准。

# 完美违规

我有一种摆脱平庸的天性。我生命的目标就是拒绝平庸，我从来没有做过令人厌倦的工作，再普通的工作我也会让它变得不一样。比方说，如果我的工作是卖书，那我会把我喜欢的书悄悄地收为己有。这样，我就不再只是书店里的普通店员了，我是一个盗书贼，这个角色要有意思得多。我私藏的大部分书都是艺术类书籍，这些书没有什么实用性，但却很值得我去冒险。当我离开这份工作的时候，我会很高兴地举办一个告别晚会，然后他们送给我一本我早就已经得到的书，那是我最得意的事情。

当4号性格者的自我形象从一个被拒绝的局外人转变成一个站在芸芸众生之上，与众不同的人时，他们就会有一种超越道德的意识。

他们喜欢打破道德传统，再加上他们坚持完美的追求，所以他们很可能会犯下一些高雅的罪行，比如在高档的商店里行窃，仅仅为了得到一件安哥拉山羊毛的白色毛衣。

4号喜欢那种侥幸逃脱的快感。他们喜欢秘密罪行的惊险，喜欢玩火的感觉。他们会因为惹祸而兴奋，因为这样他们就与众不同了，就会得到特别对待。

与世俗作对也反映了他们从小得不到爱而产生的受虐倾向。这种认为自身没有价值的感觉让他们十分气愤，渴望通过某种行为来平衡他们他们自己与那些生而优越的人之间的差距。这种愤怒和受虐倾向能够让一个人的形象变得十分矛盾。一个外表贤惠的家庭主妇可能会在餐桌上说出一些令他人无法接受的主张。

# 嫉妒

嫉妒产生的原因，是因为 4 号想不明白，为什么别人能在幸福的海洋中漫游，而自己却只能眼巴巴地看着呢？没有察觉这种情绪的 4 号性格者，会下意识地选择一些办法来平息自己的情绪，比如改变居住环境，增加装饰物品，或者让自己被可爱的事物包围。4 号还希望得到某些特殊人物的关注。如果他们能够让他人感到快乐，他们会觉得自己更有价值。

你时常会感到有些东西遗失了。"这就是一切吗？"开始的问题总会是这样："要是我能得到那样的爱人，或者那样的房子，或者那样的艺术品……"然后，你开始花大量时间，追逐这些东西，一旦你得到了，你又会开始新的追逐。

当你年纪大了以后，你发现现实中有太多的缺失。但是到底缺的是什么？为什么其他人可以手牵手，还相互微笑？"他们有些什么是我没有的吗？"你开始不停寻找，好像要寻找到一个圣杯。你希望找到那些让你朋友得到满足，但是你自己却没有的东西。我能感到其他人相互之间的好感，他们这种好感让我觉得自己好像无足轻重。

如果我失去了寻找的希望，那我就跌入了抑郁的谷底。对我来说，放弃追逐的欲望，对自己说"已经足够了"，是一件相当困难的事情。

嫉妒同样也是一个强有力的鼓动者。4 号性格者形容说，当他们失去了那些代表快乐希望的事物而陷入绝望之中时，他们感觉受到了两股力量的夹击：一种是"我得不到"，另一种是"我必须得到"。由此而产生的嫉妒能够让他们的绝望变成行动的力量，让他们可以不惜一切地追求幸福。在他们的成功实现之前，他们总是精力充沛。但矛盾的是，当结果开始显现时，他们的注意力又开始寻找新的兴趣点。

> *悲情浪漫者对于苦难有一种与生俱来的熟悉感，他们特别适合与那些处于危难或悲伤中的人一起工作。他们有一种独特的毅力，愿意帮助他人走出激烈的情感创伤，而且愿意长时间地陪伴在朋友身边，帮助朋友疗伤。*

我在一个乐队工作，这几年我们的乐队已经很成功。最初，在我们制作第一张唱片之前，我总是能听到其他乐队的音乐在收音机里播放，然后感到特别生气，因为我们的音乐别人听不到。我想尽一切办法去出版我们的第一张唱片。但是当我们开始录音后，音乐却变得不重要了。我开始对音乐失去了兴趣，我和过去的爱人旧情复燃。我们分分合合闹了好多次，直到乐队已经濒临解散的时候，我才又从新投入到音乐中，制作了另一张唱片。感觉好像我总是找不到自己的重心。当乐队在一起的时候，我想要得到那个男人；当我和那个男人在一起时，我又开始担心自己的选择是错的。

# 4 号性格的闪光点

悲情浪漫者对于苦难有一种与生俱来的熟悉感，他们特别适合与那些处于危难或悲伤中的人一起工作。他们有一种独特的毅力，愿意帮助他人走出激烈的情感创伤，而且愿意长时间地陪伴在朋友身边，帮助朋友疗伤。

4 号性格者说，当他们的注意力在别人的需求上时，他们就不会注意到自己的欲望。

悲痛和抛弃是我生活中的主旋律，但是我并不会因为这些而感到抑郁。我对这些黑暗的情绪很感兴趣，这也让我能够体会到他人内心中的阴影。只要我周围的人遇到了什么戏剧性的、危险的或者十分烦扰的事情，我都会立刻出现在他们身旁。

我的丈夫有一个助理，已经为他工作好几年了，我对这个女孩很好，但是从来没有想要去了解她。突然有一天，我听说她离婚的时候已经有了 5 个月的身孕。就因为这个消息，她突然成了我关注的重点。我的烦恼往往是生活平淡无奇，而不是真的遇到什么烦恼的事情。

对深层意义的追求常常会让 4 号错误地认为，轻松快乐不过是过眼烟云，是无足轻重，不值得考虑的。他们更愿意去关注那些身处人生巨变中的人，他们觉得只有这种生死感悟才能让他们拥有更真实的感觉。下面的陈述来自一位自杀帮助热线的组织者：

快乐是偶尔的。飞蛾会因为火焰而感到快乐吗？我自己就是一个心理顾问。我觉得我只存在于我最深层的情感之中。身为心理顾问，我很愿意去帮助那些危机中的人。我开办了一条心理热线，当那些陌生人打来电话，告诉我他们正握着一把左轮手枪或者一瓶安眠药时，我立刻就能与他们产生心理上的共鸣。

## 适合的环境

4号性格者一般会有两种工作："养家糊口的工作和艺术家的真正工作"。他们喜欢那些需要经过一定身体训练才能完成的工作，比如舞蹈演员、民谣女歌手、杂志模特。他们还可以成为画室的主人、室内装潢设计师、古董收集者和高品质二手商品的老板。

4号性格者精通玄学，能够成为思想深邃的哲学家，他们寻找内心的高层境界。他们因此可以成为悲伤心理顾问、女权主义者和动物权利保护者。他们总是对宗教、仪式和艺术充满兴趣。

## 不适合的环境

不适合的环境包括普通环境下的世俗工作。"我在办公室里工作，但那不是我。"他们不适合和比他们更富有的人一起工作，也不适合服务性工作、默默无闻的工作，或者无法表现他们才华的工作。

马莎·格雷厄姆
（*Martha Graham*）

# 著名的 4 号性格者

美国舞蹈家马莎·格雷厄姆（Martha Graham, 1894 –
1991），现代舞蹈运动中最著名的名字，就是典型的 4 号性格
者。她的舞蹈致力于研究虚幻主题和人类潜意识的表达。她创
建了一个新的舞蹈派别，通过肢体语言来表达人的内心世界。

## 其他著名的 4 号性格者还包括：

济慈
*John Keats*

★ 济慈（John Keats）：1795 –
1821，英国著名诗人。

雪莱
*Percy Bysshe Shelley*

★ 雪莱（Percy Bysshe Shelley）：
1792 – 1822，英国著名浪漫诗人。

★ 艾伦·沃茨（Alan Watts）：
1915 – 1973，上世纪美国研究东
方哲学的大师。

艾伦·沃茨
*Alan Watts*

★ 乔尼·米歇尔（Joni Mitchell）：加拿大的著名民谣女歌手。

乔尼·米歇尔
*Joni Mitchell*

★ 奥森·威尔斯（Orson Welles）：1915－1985，美国电影制片人和演员。他自导自演了著名影片《公民凯恩》。

奥森·威尔斯
*Orson Welles*

★ 贝蒂·戴维斯（Bette Davis）：1908－1989，美国女演员，两获奥斯卡奖。

贝蒂·戴维斯
*Bette Davis*

★ 琼·贝茨（Joan Baez）：美国民歌歌手和政治活动家。

琼·贝茨
*Joan Baez*

★ 马龙·白兰度（Marlon Brando）：1924–2004，美国著名男演员，主演影片包括《欲望号街车》、《教父》。

马龙·白兰度
*Marlon Brando*

# 4号性格者的注意力

4号性格者很少生活在当下。他们的注意力总是在远方，可能是过去，也可能是未来，但都是难以得到的。他们关注的总是那些遗失的事物，比如聚餐中没有出席的朋友。对缺失物品的关注让他们总是能够注意到遗失的美好。

"如果约翰能来，这个晚上就完美无缺了。"

当约翰处于一定距离之外时，他的优点会变得格外突出，并把4号的注意力从现实中吸引过来。如果约翰在场，他身上那不那么有趣的方面就会逐渐显露出来，4号的注意力就会转移到其他缺失的事物上。

浪漫者说，他们总是感觉与不在身边的朋友有一种密切的联系，距离感反而让对方的优点变得更加突出。在他们的亲密关系中，总是小别胜新婚，两个人一定不能长期粘在一起。

如果4号被强迫把目光转到一件正在发生的事情上，他们会很失望，因为他们看到的都是不好的。就好像被一记重拳打中了脸部，到处都令人失望。原本亲密的爱人会突然失去了光彩，只剩下一堆搭配不当的特征。

4号总是运用自己的想象力去关注遗失的美好和眼前的缺陷，这让他们对眼前的一切毫无兴趣，却拼命追求那些遥远的东西。这种注意力的变化可以通过我们照镜子时对自己的感觉来体会到。同样的一张脸，如果关注点不同，就会看到不同的面容。一张普通的脸可以变得光彩四溢，如果我们的想象力能让眼睛的颜色变深，让皮肤的质地更加柔软。如果我们的注意力都集中在脸部的缺陷上，再经过想象力的加工，一张普通的脸就会变得面目狰狞。

那些觉得自己有神经性厌食症倾向的 4 号也为我们提供了负面特征被放大的例子。令人吃惊的是，有相当多的 4 号性格者都表示自己有厌食倾向。尽管他们已经很瘦，但是不论何时何地，他们只要一照镜子，就会觉得自己的身体毫无体形。有些 4 号说他们讨厌看自己的身体，就好像自身所有具有吸引力的特征都被大脑拒绝了。

这种在潜意识中转移注意力，通过想象来改变身体特征的做法也能导致情感上的反应。比如对远方朋友的思念能够立刻让人联想到美好的感觉，但是在想象力的作用下，这种美好会被夸大，并取代真实的感觉。同理，同一个朋友身上的瑕疵也可以被想象力放大，导致强烈的拒绝或憎恨，因为真实的反应已经被夸大的情感所取代。

为了让真实的感觉呈现出来，4 号性格者必须把自己的注意力稳定在一个中立的方向，学会感受眼前的真实感。

# 直觉类型

关注遥远对象，渴望与其建立情感联系的习惯也能给 4 号带来一些令人吃惊的附带作用。4 号说，尽管某人位于远方，他们也能真切体会到对方的感觉，就好像身处同一屋内。他们还相信自己的情绪能够根据远方对象的感受而改变。

4 号说他们能够体会他人的情感，并通过这种方式与他人保持联系。很多 4 号都有这样的回忆，他们希望能和不在身边的父亲或母亲在一起，于是开始学着感知对方的感受，虽然对方并不在身边。当他们建立了这种内在情感联系后，他们就不会再担心会失去他们深爱的人，不会再害怕被他人所抛弃，也不会再憎恨他人对自己的忽视。

这种从小培养起来的感知能力，让他们能够体会那些重要人物的感觉，能够与对方保持联系，而不至于被抛弃。那些觉得自己能够感知他人情感的 4 号，需要学会区分哪些是真实的情感联系，哪些是因为害怕抛弃而产生的情感假设。

具有这种直觉能力的 4 号性格者有时也会觉得感知他人是一种负担。他们说，他们总是轻而易举地被他人的痛苦和感伤击中。他们可能因此抑郁一整天，却不知道自己表现出的情感原来并非自己真实的情感。一旦他们与他人建立了情感联系，他们很难区分产生这种情感的根源到底是在他人身上，还是在自己身上。

这种直觉的关注，从积极的方面来说能够让 4 号准确把握客户、家人和朋友的情感。这不是去猜测或想象朋友的感觉，而是在自己的身体内清楚感觉到对方的情感波动。具有高度感知能力的 4 号，能够知道什么时候是可以和对方讲道理的，什么时候是可以对对方提出批评的。下面的陈述就来自一位把直觉能力用于心理练习的 4 号：

我总是被他人的情绪所吸引。当别人被感动的时候，当别人遭到打击的时候，当别人感到绝望的时候，我会产生同样的情绪。虽然最初我无法接受这种直觉，但是后来我学会了运用它。我发现我的情感信号有时不过是想象的投影而并非真实的感知。当我的直觉发挥作用时，我对他人的情感感觉往往都是真的。但是还有些时候，我会把假定的感觉强加给他人，这时的感觉就是完全错误的。

## 高层心境：本原联系

对每一种类型的人来说，其主导的性格特征都是寻找本体的重要线索。从纯粹心理学的角度来看，让一个抑郁的人回归其本体，就需要彻底抛弃悲伤，回归幸福生活。根据"九型人格"这样的心理/精神分析体系，4 号性格者对本体的回归，是一种完全不同于情感满足的境界。

4 号在童年时期形成的缺失感会一直伴随着他们，当他们成人后，这种缺失变成了一种潜意识，认为自己失去了获得幸福的重要元素。就好像原来美味的牛奶已经找不到了，取而代之的不过是奶粉冲泡的饮料。来自物质生活的奖励并不能帮 4 号重新建立起与本体的联系。浪漫者可以拥有一切，但依然感到缺失。

*4 号总是顽固地把守着情感的黑暗面。他们宁愿保持自己的独特性，哪怕是痛苦的，也不愿成为一个快乐的普通人。他们这种坚持自我的态度，也提醒了我们其他人要去寻找与高层意识的联系。*

因为现实生活无法带来满足感，4 号的眼中往往会产生两个世界：一个是现实的世界，另一个是现实背后的世界。

4 号总觉得，还有另一个潜在的世界与现实世界并存。当情感生活特别和谐的时候，当悲剧激发了他们潜在感觉的时候，当他们被爱包围或被爱抛弃的时候，他们就能感受到这个世界的存在。4 号说，在这样的时刻，他们就能与自己失去的东西建立起联系，就能感觉到一股外在力量的支持。

4 号总是顽固地把守着情感的黑暗面。他们宁愿保持自己的独特性，哪怕是痛苦的，也不愿成为一个快乐的普通人。他们这种坚持自我的态度，也提醒了我们其他人要去寻找与高层意识的联系。

当一个长期若有所失的人突然找到了与本体的联系时，他们的第一感觉可能是一种完全的归属感，就好像一个人安全地依偎在母亲的臂弯里，或者陶醉在永恒的爱情中。4 号性格者把这种归属感称为"我的真我"。

# 高层德行：泰然（平衡）

嫉妒来自对那些得不到的事物的强烈吸引力。4 号性格者可以花大量时间和精力去追寻某一诱人的事物，到手后却发现感觉完全是错误的。对于有些 4 号来说，占有欲和拒绝欲可以同时出现。他们说，他们会被某个得不到的人所吸引，但是马上会明白这个人并不适合他们。于是他们开始跳起了恰恰舞。"你退一步，我进一步。你要是进一步，我就退一步。"

平衡是帮助他们消除嫉妒、解决矛盾的办法。平衡可以化解他们对得不到的东西的占有欲，对现实的厌烦感。平衡就是认识到自己所真正拥有的一切。和所有高层的触动一样，平衡更多的是一种表达，而不是一种思维，或者一种仅仅存在于内心的想法。平衡需要把注意力放在眼前，从拥有的一切中感受到满足。

要修成泰然的德行，个人需要加强自己的自我观察能力，需要感受到注意力的变化。如果 4 号性格者能够在注意力变得虚无缥缈时，及时发现，重新回到现实之中，并感受到眼前的满足，他们就体会到了泰然的境界。

# 基本性格分支

## 一对一关系：竞争

4 号性格者需要知道自己在喜欢的人眼中是有价值的，因此他们总是处于竞争状态，要把自己的对手赶走。在恋爱关系中，这种竞争总是表现在两个女人争夺一个男人，或者两个男人追求同一个女人。在非恋爱关系中，竞争表现为"努力争取得到某人的尊敬"。

在我的事业有所起色之前，我已经担任了 6 年的出庭辩护律师。有一天，我无意中在法庭上听到了一句话。有一个家伙在背地里说，我不过是个很普通的辩护人。这句话深深激怒了我，我决定做得更出色。以前辩护是我的工作，现在辩护成了对我能力的考验。我在法庭上等了好几个月，终于又碰到了那个家伙，并让他对我刮目相看。

## 社会关系：羞愧

4 号性格者会因为不符合群体的标准而感到羞愧。

当你走进房间里的时候，感觉所有的眼睛都看着你。那些目光可不是友善的。不是因为你做错了什么，而是他们能够看出你从骨子里就是不对的。

## 自我保护：无畏（不计后果）

4 号性格者的行动往往不计后果，他们愿意接受失败的可能，喜欢冒险的感觉。

我跟着我的丈夫在房地产业干了好几年。我的做法是把所有能抵押的财产都抵押出去，然后尽可能扩大我们的事业。他的做法比较谨慎，当他考虑安全因素的时候，我总是希望把那些文件扔到一边，不去考虑他的想法，因为我觉得大好机会正在从我们眼皮底下溜走，即便冒险失败了，也是值得的，更何况车到山前必有路。

# 对 4 号有利的做法

4 号性格者会接受心理治疗或冥想练习，以便从抑郁中走出来，或者让自己起伏不定的情绪能够稳定下来。当自己的注意力开始关注无法得到的事物或者开始在已经拥有的事物上寻找缺点时，悲情浪漫者需要注意到这种变化，及时调整自己的心态。4 号性格者可以通过下列方式帮助自己：

★ 承认自己早期的缺失是真的；在悲伤之后，要把它放到一边。

★ 注意到当强烈的情感变化发生时，自己会完全投入于其中。把注意力转移到其他事物上，让自己从这种专注中解脱出来。

★ 养成善始善终的习惯。把被破坏或者被遗弃的工作当成未完成的工作做完。

★ 发现自己身上那些令他人羡慕的特质。

★ 与其刻意追求快乐，不如坦然接受伤感。要知道这样的情绪总会过去。

★ 让他人知道，过度亲近会遭到你的攻击，请他们不要误会。告诉他人在你生气的时候不要离去，这样你就会确信，即便他们受到攻击，也不会抛弃你。

★ 为自己能够感知他人的痛苦感到骄傲，但是要学会自如运用你的注意力。

★ 把注意力放在眼前。当注意力转移时，提醒自己。不要仅仅关注眼前的负面因素。

★ 培养多样的兴趣，结交各种朋友，把自己的注意力从抑郁的情绪中转移出来。

★ 通过身体的运动练习来调节心情。

★ 当真实的感觉被强烈的情感掩盖时，要注意到这一点，尤其是当你感到"一切又会变得很糟糕"时。

*要表现出对现有情感关系的满意，就意味着要放弃与理想中那个初始爱人的关系。*

# 4号需要注意的做法

对于4号来说，通往幸福的道路可能是漫长的。要表现出对现有情感关系的满意，就意味着要放弃与理想中那个初始爱人的关系。4号性格者应该学会对现有生活感到满意，并注意到自己真实感情和强烈情绪的区别。当他们的习惯改变时，他们可能会发现自己出现了下列反应：

★ 对摆在眼前的问题想尽各种解决方法，尝试各种解决途径，但就是不愿意采取实质行动，推动事情发展。

★ 不喜欢被分类，不喜欢别人把自己的问题看成普通问题。认为他人没有理解情况的独特性和严重性。

★ 希望得到解决问题的灵丹妙药。在冥想的过程中，希望"被带到其他地方"。

★ 厌烦平淡的普通情感。希望通过遗失、幻想或艺术来重新巩固自己的情感。

★ 总是带着遗憾。"现在改变已经太晚了"或者"要是我选择了不同的做法，那该多好呀"。

★ 有自杀的想法或举动。渴望得到帮助。"要是他们能够理解我的感受"或者"我走了，他们就知道我受的苦了"，这样的想法需要特别注意。

★ 渴望奢华的生活。"洗衣服可不是我该干的。"

★ 把自己和他人比较，嫉妒他人的优点。"她比我漂亮。""他的衣服比我好。"

★ 诱惑和拒绝。在对方拒绝你之前，先找到对方的缺点。

★ 强烈的自我批评。对自己的形象产生错误的判断，觉得毫无优点。总是觉得自己太胖，常常出现厌食或易饿的症状。

★ 言语尖锐，讽刺他人。觉得是他人的错误导致了你的痛苦。

★ 寻求他人的建议，然后拒绝采用。不愿放弃受害者的形象。

# 第十章  5 号性格——观察者

## *The Observer*

### 思考型

| 性格特征 | | 本体特征 |
|---|---|---|
| **大脑** | 主要特征：吝啬 | 高层思想：全知 |
| **心脏** | 主要情绪：贪婪 | 高层德行：无执 |
| **基本性格分支** | | |
| 情爱关系：分享隐私（私密） | | |
| 社会关系：图腾 | | |
| 自我保护：堡垒（家） | | |

## 困境

他们是非常私密的人。

他们喜欢呆在家里，把电话线拔掉。

他们喜欢与世隔绝，不受情感问题的困扰。

当他人积极投入时，他们却像旁观者一样，无动于衷。

5 号性格者的内心就如同一座壁垒森严的城堡，只有顶部开了几扇很小的窗户。城堡的主人很少离开，总是躲在壁垒森严的高墙后面，偷偷审视那些前来敲门的人。

5 号性格者觉得自己小时候受到了侵犯；城堡的墙上出现了裂缝，他们的私密被偷走了。他们的防御策略是撤退，尽量减少接触，把自己的需要最简化，尽量保护自己的私人空间。

5 号性格者说他们发明了很多方式，在自己与他人之间维持一个安全的距离，因为一旦他人靠得太近，他们就会丧失自己最主要的防护能力。外面的世界充满了危险和侵犯性，他们不愿到外面去，宁愿呆在自己的城堡里，哪怕一无所获。

观察者可以成为隐士。他们过着隐居的精神生活，把自己关在一间狭小的屋子里，除了图书馆和海边，哪儿也不去。他们当然也可以和社会打交道，但往往是站在远处遥控。他们让他人去完成与社会的正面接触，然后通过电话向他们汇报。当 5 号性格者出现在公共场所时，他们会把真正的自己隐藏起来，让自己的感情最小化。

5 号总是避免与社会产生联系，他们喜欢不干涉、不参与、不涉及的状态。金融交易在他们看来是危险的。责任是具有强迫性的。生气和竞争是需要控制的。情感关系则是一种拖累。

5 号还会因为他人的积极期待而感到压力。对他们来说，安全距离就意味着"不被包括在内"，除非他们获得的亲密关系能够保证他们的独立，否则他们就会想办法逃避，或者把这种亲密接触从生活中隔离出来。

5 号性格者对于那些让他们置身于众目睽睽之下的接触特别敏感。向他人推荐自己，与他人竞争，或者向他人表示爱意或仇恨，都让他们觉得自己被他人所控制。5 号总是远离那些要受到他人评判的活动。他们会给予自己习惯性的自我保护，为自己营造一种优越感，认为自己比那些追求认可和成功的人更优越。他们相信欲望和强烈的情感代表着自我控制力的减弱。当他们看到自己能够轻松拒绝那些主宰了他人生活的需求时，他们会有一种成就感。

一点儿没错，他们就是这样的人。他们非常独立。他们能够一个人幸福生活。他们的需求很少，他们能从自己的精神生活中找到巨大乐趣，不会为琐事浪费时间和精力。他们之所以如此独立，是因为他们能够把自己的注意力从情感和本能中抽离出来，并强迫自己生活在自己的思想里。

当5号变得孤立、无法接触时，他们喜欢的私密变成了孤独。当内心对接触的渴望被唤醒后，5号会发现自己很难和他人接近，他们常常会站在那里，看着自己的生命一点点流逝。

他们生活在不足的状态中，因为他们认为"独立"比满意更重要。他们总是提醒自己，自身的欲望可能让他们与他人发生接触。他们内心空荡，无所求，他们依赖于自己已经拥有的事物——填补空间的纪念品和一些填补心灵的珍贵想法。

"当我有了渴望时，就好像面对一桌盛宴却依然饥肠辘辘，我渴望得到他人拥有的感情。但是我的手伸出去，却拿不到食物，我又不能再把手收回来。我就那样凝固在那里。"脱离了情感又渴望获得联系的5号性格者会花上大量的时间和精力，希望与他们的本性建立起精神联系。他们会通过特殊知识来寻找这种联系。

观察者对那些深奥的科学，尤其是能够解释人类行为的系统知识特别感兴趣。通过掌握一门系统的学问，比如数学、心理分析学，或者"九型人格"，他们就能从思想上理解事物的相互作用，就能在系统中找到自己的位置。

他们很少去关心财富和物质享受。在他们看来，金钱的惟一好处就是能够让自己不受干扰，能够购买私密生活，能够让自己有更多时间去学习和追求他们感兴趣的方面。5号不会把自己有限的精力花在追求世俗物品上。如果他们继承了一大笔财富，他们会把钱储存起来，继续过独立而节俭的生活。如果生来就没有什么钱，他们也不会为了挣钱去给他人打工。5号会把时间和精力全部投入到精神学习和追求中。

5号性格者说，在没人的时候，他们的感情会更丰富。如果屋子里有其他人，他们很难表现出自己的真我。孤独是他们获得丰富个人生活的基础。他们说，他们在一天的大部分时间里都和自己的感觉脱离，他们需要一个独处的时间去"把事情整理清楚，找到自己真正的感觉"。当他们独处时，他们反而能感受到与他人更强的联系，他们会记起他人说的话，而在真实的谈话中，他们

> *5 号性格者不需要言语，就能感觉到与他人的紧密联系。在两性关系中，他们仅需要很少的接触，就能把关系维持下去。*

却可能什么都不记得。在他们一个人的时候，他们能够自由地回顾一天中没有被察觉的感觉，这能让他们感到生活的快乐。

一个简单的聚会对于 5 号来说可能意味着很多，因为他们会在独处的时候，好好享受当时的感觉。5 号有很多不同类型的朋友，他们和这些朋友之间分享某种特别的兴趣或感觉。尽管 5 号会珍惜这种双方之间的特殊信任，但是这些朋友可能永远也不会被 5 号介绍给对方，也不会知道 5 号生活中的其他事情。

5 号性格者不需要言语，就能感觉到与他人的紧密联系。在两性关系中，他们仅需要很少的接触，就能把关系维持下去。5 号十分重视朋友之间的礼仪，如果是聪明的朋友，他们就不应该期待 5 号当着他们的面流露真情，或者在双方关系中表现得主动，他们应该把 5 号当作身边的观察者和建议者。

## 5 号性格者的主要特征包括：

★ 私密。

★ 保持不被涉及的状态；感到威胁时，第一道防线是撤退或者系紧安全带。

★ 害怕用心去感觉。

★ 过度强调自我控制。把注意力从感觉上挪开。"戏剧是给那些普通人看的。"

★ 情感延迟。在他人面前控制感觉，等到自己一个人的时候，才表露情感。

★ 把生活划分成不同的区域。把不同的事情放在不同的盒子里，给每个盒子一个时间限制。

★ 希望能够预测到将要发生的事情。

★ 对那些解释人类行为的特殊知识和分析系统感兴趣。希望找到一张解释情感的地图。

★ 分不清精神上的不依赖和拒绝痛苦的情感封闭，是没有悟道的佛。

---

★ 喜欢从一个旁观者的角度来关注自己和自己的生活，这将导致：

  ● 与自己生活中的事件和情感隔离。

  ● 能让自己的观点不受情感偏见的影响。

# 家庭背景

有两种家庭类型可能造成孩子退缩的心理。第一种家庭里的孩子觉得自己被完全抛弃了，这样的孩子只能接受自己的命运，但是他们为了生存，学会了与自己的情感分离。第二种类型，也是调查中出现最多的情况，是不断受到来自家庭的心理干扰，这样的孩子为了逃避而封闭自己的情感。

下面的陈述者是一位典型的 5 号性格者。他是一位专家，他收入不菲，但却喜欢住在旧金山一个破败的小区里，因为这里的房租很便宜，而且那家为他提供一日三餐的中国餐馆离他家很近。

我对儿时的回忆总是寂静的，我喜欢那种独处的感觉。家里有 5 个人，但都在不同的房间中，在各自的轨道上运转。我们没有什么交谈，更没有身体上的接触。我的父母都是天生的聋人，和所有的聋人一样，他们也无法控制自己的声音。当你和他们在公共场所时，他们奇怪的声音总是会吸引周围人的目光，让你恨不得找个地缝钻下去。

当时我最主要的感觉就是希望不被别人注意，所以当我和父母出去时，我总是尽量分散自己的注意力，试着把自己隐藏在路旁的棕榈树里，或者融入到墙上的一幅画中，让自己的内心消失。

下面的陈述者来自典型的第二类家庭，他是一位电脑程序员，他喜欢工作到很晚，因为那时，办公室里除了偶尔出现的清洁人员，就不会有别人存在，只有上百台安静的机器。

我小时候家里有 3 间房，我们一共住了 7 口人。你没有地方可以独处，除非你到外面去，或者躲在洗手间里。所以我发明了一个独处的办法，就是爬到树上去。我喜欢爬到那上面去读书，然后注视着下面的每个人。

　　每次当我的兄弟们发现了我后，我就不得不换到其他的树上。我特别喜欢一个人呆着，因为那是我惟一能做我自己的时间，不用让他人来指挥我去做那些对他们有益的事情。

　　后来我长大了，我很害怕参加聚会，或者任何与他人打交道的活动。我讨厌打扮自己。我不愿意去准时奔赴一个约会，去和他人闲聊，说一些无关紧要的话。最糟糕的事情莫过于被夹在谈话中无法自拔，尤其是对方还想从你身上得到什么。

# 情感距离

　　那些躲避他人的孩子会为自己找到疏远他人的方法。其中一种方法就是呆在自己的房间里，关上房门；另一种方法，是在心中搭建一道情感距离的围墙，让自己远离自己的情感。当你搭建起了情感距离的围墙，你即便是直接站在那些企图窥探你生活的人面前，你也可以面对他们的注视而无动于衷。就像一个5号性格者说的："他们可以尝试控制我的所作所为，但是他们不可能影响到我。"

　　我们在一家餐馆里，我的母亲开始大声地给我们念菜单："他们有青豆牛肉、鱼香茄子……"她总是这样，让我们难堪。我的点菜的方式和她不一样。我喜欢拿着菜单，感受我对每一道菜的心理反应和感觉，但是她的方式完全破坏了我的方式，让我根本没时间反应。

　　我觉得在点菜的时候，内心注意力必须相当集中，才能感受到自己的决定。但是现在，这种感觉被她破坏了，而我却无能为力。后来我们又去了动物园和玫瑰园。母亲的描述破坏了所有的气氛。"快看那边，哦，太美了！看，那一株叫'约瑟夫的彩衣'，那就是'粉和平'。"她不停地指来指去，我根本无法自己去感觉这些玫瑰的美丽。

　　我有意走到她前面或落在她后面，努力和她保持距离，但我还是找不到自

*我花了好几年的时间，才学会了让自己的感觉在现场释放出来，把自己的注意力放在此时此刻，而不是去关注墙上的一个污点，让自己的注意力消失于其中。*

己的感觉，因为我在关注她的反应，而且习惯了等着她来干扰我。我的做法她注意到了吗？她会不会认为这是对她的不尊敬呢？我的思想总是围绕着她在转，根本不在玫瑰园里，感觉只有我自己一个人去，才会欣赏到美丽的玫瑰。

要想在强迫的压力下获得自由，最好的办法就是切断自己与外界的联系。5号性格者控制局势的办法，不是去控制问题，也不是去控制他人，而是停止对局势做出反应。控制个人的反应一般意味着，当个人与他人发生互动作用时，有意延迟了自己的反应和情感，等到一个人的时候再把情感释放出来。

我小的时候非常不合群，当我不得不和他人在一起时，我会努力模仿他人的表情和举动，让自己融入到他们中间。我喜欢一个人的感觉，我从来不想要人陪伴。我发现了一套和别人相处的办法，就是观察他们的一举一动，把自己变得和他们一样。当我看到有人在街头亲热时，我会觉得自己很孤单。

后来，我开始讨厌孤独的感觉。我想找人分享我一个人时拥有的感觉，但我总是无法即时感受到与别人相处时的快乐，这种快乐总要等到我回家一个人的时候才会表现出来。就好像回忆相聚的时光比相聚本身更令人兴奋。

我花了好几年的时间，才学会了让自己的感觉在现场释放出来，把自己的注意力放在此时此刻，而不是去关注墙上的一个污点，让自己的注意力消失于其中。

5号性格者常说他们会有一种知觉上的转移，把他人隔离在一定距离之外。他们会觉得自己在监控他人，就好像自己与他人之间有很大的空间距离，或者觉得在与他人交谈时，中间好像放了一面巨大的单面镜（一种可以透视的镜子。在镜子的一侧，看上去跟正常的镜子一样，但在另一侧却可以透视）。5号觉得自己就站在镜子后面，别人看不见他们，所以他们可以表现得毫无感情，不必强迫自己对他人的谈话做出恰当反应。5号性格者有时还说，当他们被迫与他人交谈时，对方不仅感觉很遥远，而且看起来"十分滑稽，就像外星人一样"。

我总是不愿意被别人看见。如果我不能让自己消失，又无法把自己的注意

**我的观点是，永远不要拿起足够的牌，让自己陷入到牌局中。**

力投入到咖啡桌上的艺术杂志里，我就会在房间里找一堵墙，让自己和墙融为一体，不被人发现。我的隐藏技术非常好，哪怕是最好的朋友从我身边走过，也发现不了。如果手上有一杯饮料或者一块饼干，这种融合的气氛会更好。这样做的主要目的就是把你的注意力从你自己身上挪开，直到你觉得自己不再被人注意。

从这样一个隐身的角度来看事情，一切变得更有趣了。你会看到屋子里到处都是三三两两的怪物，感觉就好像《星球大战》里的情景一样，眼前都是些外星人。

对于 5 号来说，有得必有失。想要得到某物，就要做好失去其他东西的准备；如果疯狂地想要得到某物，就要忍受和他人在一起，甚至依赖于他人的痛苦。

过去，我的自我保护办法是在我的情感控制我之前摆脱它们。我总是可以自己决定，为什么要等到出现嫉妒或背叛时才发现呢？我的观点是，永远不要拿起足够的牌，让自己陷入到牌局中。

我和我的妻子曾经谈了将近 10 年的恋爱。我们每周固定见面 3 次。然后 4 年前的一天，她突然对我说，她的生物钟已经坏了，她要离开我，除非我答应与她结婚，组建家庭。

她走后，我开始想她，尤其是在一个人的时候。我不能和她结婚，但又不想让她离开。于是，我最终还是同意了她的要求，因为感觉不论怎样做我都会失去一些东西。在她怀孕的那几个月，我十分恐慌。我不知道自己是否将这样不断地被打扰，不断接受别人的要求。

孩子出生一个月后，我发现我变了。婴儿哭的时候，我会过去哄他，而不会和我的内心做斗争，想把孩子丢出去。但我的感觉并没有被赶走，我决定随时随地接受我的感觉，而不是等到以后一个人的时候再释放出来。

*他们希望提前知道任何会让他们感到尴尬的时刻。任何意料之外的事情，任何来自他人的强烈要求，都会让5号慌乱不堪。*

# 预测情感和回顾情感

5号性格者习惯在事情发生前掌握尽可能多的相关信息，这样他们就能预测将要发生什么，并做好准备。他们希望提前知道任何会让他们感到尴尬的时刻。任何意料之外的事情，任何来自他人的强烈要求，都会让5号慌乱不堪。

这种预测的习惯，让5号无法感受自己当下的感觉。他们会在事情发生之前就把一切安排好，想象出最好的表达方式。等事情真正发生的时候，他们感受的不是自己当下的感觉，而是一种"我曾经来过"的感觉。眼前发生的一切早就在他们的脑海中排练过了，他们的感觉总是和现实脱离。等到事情结束，他们一个人的时候，5号才会把整个事件和自己的感觉拿出来放在一起，一一对照，勾画出整个情感状态。

没有准备是可怕的。如果我要参加一个晚宴，我会让自己了解所有细节，包括谁要参加。我会研究自己要做的事情，研究菜单的内容，研究其他被邀请者的背景。我把一切都准备好，以至于在真正的晚宴上，我感觉自己根本不在那里。

我在地方大学里教授古代语言。开始的时候又兴奋，又害怕，但是当我熟悉了教材和班级后，我发现我的精神开始脱离，我的注意力总是在比自己高一点或低一点的地方，注视着我自己讲课。

除非有什么突发情况，比如一个学生突然大喊"着火了！"我的注意力才会回来，我才会意识到有20个人正看着我给他们讲课。当我的知觉游离在身体之外时，感觉我真正的自己正站在外面，看着那个专业的自己进行排练过的各种表演。

这种预测一切的习惯也让人恼怒，有时候会希望别人识破自己，或者希望有一个特别聪明的人，能够问我一个没有准备的问题，打断那个作为旁观者的自我对事情的控制。

当观察者与他人打交道时，如果他们对过程安排十分清楚，他们的感情会更加投入。比如，如果他们知道会议的安排，知道几点结束，他们就可以提前准备好，他们会在规定时间里更自由地表达自己。如果发生了意外，他们会脱身而出，变成旁观者。比如当安排的会议已经结束，大家开始闲聊时，他们就想回家了。

许多 5 号性格者都说，当他们外出旅行时，他们会变得更加外向，更容易与他人打交道。旅行的环境非常适合他们与外界接触，因为在这样的环境中他们觉得自己是不同文化的观察者，他们可以控制自己停留的时间。正因为如此，5 号在独特的环境中往往能完全投入其中，他们喜欢在短时间内有尽可能多的体验，然后把这些美好的记忆积累起来等到以后回味。

我是一个植物学家，以前一直在从事教学工作。有一天，我决定辞职，然后从此开始到处旅行。我心里有一种冲动，希望把自己变成微不足道的分子，然后完全投入到一个陌生的环境中，依靠仅有的 20 美元和简单的语言存活下去。我这样做了一次又一次，强迫命运给予我一些东西。为了存活下去，我不得不与他人打交道。

但是一旦我形成了自己的朋友圈，有了自己的爱人，有了稳定的生活支持，我就会开始计划离开。我在一段时间内享受到了大量的亲密时光，然后我又离开了。因为只要我明确了我和他人的关系，我就会知道他们期望从我这里得到什么，我不喜欢这种感觉。一旦我离开，所有关系都消失了，我会怀念发生的一切，所有事情都将永远留存在我的心底。

# 划分隔离区

为了保持自己与外界的距离，5 号性格者的第一道安全防护线是从外界脱离出来，比如拔掉电话线，让自己与外界失去联系。除此之外，他们还有一种更加内在的防护方式，这种方式就是把不同经历划分在不同的区域中，互不联系。

**5 号性格者的生活被划分成不同的区域。每个区域里的朋友都不同，**
**这些朋友不会被介绍给对方，也不会从 5 号那里听到别人的事情。**

5 号性格者的生活被划分成不同的区域。每个区域里的朋友都不同，这些朋友不会被介绍给对方，也不会从 5 号那里听到别人的事情。5 号能够在某个具体时间和地点里产生一种强烈的兴趣，但是一旦离开了特定条件，他们的这种兴趣就被放到了一边，直到那个"特殊时刻"再次到来。这种把生活划分成多个隔离区的做法，在 5 号看来是私人空间的需要，而不是讨厌被他人知道。就好像一旦他们被置身于公开的交谈或冲突之中，他们失去了保护伞，所以保护自己的最好办法就是不要引起他人注意。低调，一定要低调！

我感觉如果某人走进了我的房门，他们就会拿走我的衣服。我保护自己的方式就像失去了利爪的小猫一样，只能逃走，把门关上，因为你没有可以防御自己的武器。所以一旦出现冲突，我会选择离开，而不是斗争，这当然也意味着他们将获得一切，而我将又一次面临一无所有的生活。

还有一个问题是这可能是我惟一的一件衣服，但与其和他人争论衣服的主人到底是谁，我宁愿把衣服脱下来。

还有一种制造安全距离的办法就是把记忆划分成不同区域，这样你今天上午做的事情似乎和今天下午做的事情毫无联系。毫无联系的记忆并不意味着你真的忘记了自己上午说了什么，而是说你没有去感觉它们之间的联系。你生活中的所有事情都发生在不同的时间段落里，你没有用自己的感觉把它们贯穿起来。

我的壁炉上摆满了各式各样的纪念品，我收藏这些小纪念品的原因就是因为它们是大量记忆的浓缩，能让我想起过去的很多时光。我在一个小盒子里装了一些线头，这些都来自一件我在研究生阶段穿了 4 年的毛线衫。我还收藏了我的两个儿子出生时剪断的脐带。还有一些纪念品是我从旅途中带回来了，这些物品都让我回忆起美好的时光。

我还会记录一些过去的事情。有许多毫无联系的事实，说明我曾经做过什么。它们像一粒粒零散的珍珠，我总是渴望发现更多，但我却无法找到一根线把它们串在一起。

*当5号独处的时候，他们充满幻想，他们会去思考那些他们感兴趣的事物。5号性格者喜欢与自己的心灵做伴，除非这种独处发展成了与世隔绝的孤独感，否则他们很少会在独处的时候感到沮丧或者无所事事。*

# 独处的乐趣

5号性格者的活力来自独处。他们常常需要从人群中逃离，找一个私密的地方给自己"充电"，把自己被压抑的情感释放出来。当5号独处的时候，他们充满幻想，他们会去思考那些他们感兴趣的事物。5号性格者喜欢与自己的心灵做伴，除非这种独处发展成了与世隔绝的孤独感，否则他们很少会在独处的时候感到沮丧或者无所事事。

尽管观察者给人的感觉很孤单，而且他们的思想也与世俗的观点格格不入，但是5号自己并不这样觉得，他们很喜欢这种独处的感觉。实际上，他们相当独立。他们不用寻求他人的认可，他们喜欢经济上的自给自足，他们坚持按照自己的喜好生活，他们要求在情感关系上保持自由。因为他们不需要他人的认可，他们可以一个人在家里独立生活，他们可以在自己的幻想中快乐地做自己的事情。下面的陈述来自一位年轻的电影人，他是从摄影师开始干起的，因为他喜欢在镜头背后观察世界的自在感觉。

人们一直觉得我很外向，是个群居动物，这与我内心的真正感觉是完全不一样的。当我拍电影的时候，我表现得很外向，因为我钟爱于我的剧本，我非常清楚我想要什么样的镜头，也知道为了得到这样的镜头该让每个人做些什么。正是因为有剧本的存在，所有事情都是预先考虑好的，我们的工作在按部就班地进行。这时候，演员一点细微的即兴表演，或者拍摄过程中任何一点剧本之外的惊喜发现，对我来说都是很难得的。我最幸福的时刻就是当我一个人坐在剪辑室里的时刻，我看着我自己的想象变成了现实。

# 在公共场所隐身的办法

那些喜欢独处但是又不得不在公共场所出现的人，会通过一些独特的方法来分散他人的注意力。一个最明显的招数就是让交谈的话题转向一个大家都感

*5 号可以通过学习心理分析学或者占星术来深入理解他人，了解他人
的情感变化。通过研究人们的情感，5 号可以轻而易举地说出他人的
情感模式，而不用让自己深陷其中。*

兴趣的内容，或者把公众的关注点转移到他人的故事上。

5 号性格者分散注意力的另一种方法就是把现实变成理论，把人类行为的
复杂性转化成综合的思想体系。5 号可以通过学习心理分析学或者占星术来深
入理解他人，了解他人的情感变化。通过研究人们的情感，5 号可以轻而易举
地说出他人的情感模式，而不用让自己深陷其中。在旁观者看来，5 号这种系
统分析是在掩藏个人的联系，因为他们用理论上的感情来取代真实的感情。

5 号性格者还非常擅长另一种形式的隐身：通过合适的形象让自己消失。
他们也会像变色龙一样，摆出与环境相适应的颜色和姿态，让自己融入到环境
中去。比如，一个 5 号性格的摇滚歌手在与著名的交响乐团合作时，也会表现
得中规中矩，按照彩排要求进行表演。如果他出席一个鸡尾酒会，他也会穿上
正式的礼服，手里端着一杯饮料，选择一个合适的坐姿。他希望用符合大众要
求的外在形象来躲避他人的关注，让自己的内心得到放松。

# 亲密关系

5 号性格者的中心问题在于害怕感觉。他们的基本防御心理就是不要把注
意力集中到情感上，因此亲密感会给他们制造紧张。陷入爱情的 5 号既会被强
烈的爱情所感动，也会习惯性地抵制这种感情。

5 号性格者常常受到这样的困扰，就是当他们独处的时候，他们往往对他
人更有感情。他们会在内心重新勾画与他人相见的情景，这种感情往往比他人
真正在场时更加强烈。当 5 号与他人在一起时，他们的思想好像被封冻住了，
只有在独处的时候，才能找回自己的感觉。

这种现象在 5 号摆脱了亲密接触，返回不受干扰的安全状态时，尤为明
显。观察者很容易就会对频繁的接触感到厌烦，他们会选择退出，来弄清楚自
己到底是怎么想的。因为 5 号很少会和别人谈到这种情况，所以朋友们并不知
道在 5 号独处的时候，他们反而会对他人投入更多关注。他们会花大量时间反
复回顾或预演双方见面的场景。5 号会在心中与他人建立强烈的精神联系，但

他人可能并不知道他们在 5 号的内心世界中是多么重要。

当一段情感关系被精神化后，5 号可以通过抽象的方式来慢慢享受自己的感觉。但是他们这种让注意力远离强烈情感，把自己的爱情精神化的做法，伴侣是很难理解的。在他人眼中，5 号总是处于退缩状态，而且感情冷淡。

从好的方面来看，在亲密关系中，5 号性格者确实能够从许多抽象层面的联系来欣赏他人。他们的承诺首先是精神上的，然后才是情感上的。一旦他们做出了承诺，这个承诺就是经得起时间考验的，尽管他们表现得并不是那么积极。

从不好的方面来看，在亲密关系中，5 号对感情的渴望与对脱离的渴望同样强烈。他们会尽量避免那些能够让感情自然产生的情景和接触。最终，他们的伴侣会发现自己必须事事主动，因为 5 号是不会自己向他们靠拢的。

## 夫妻关系实例：5 号 vs. 9 号——观察者 vs. 调停者

观察者和调停者都注重非言语的交流。他们会一起在家中度过很多夜晚。虽然双方都默默无语，但互相都有一种安全感，也能感到对方的理解。双方都会给对方留下足够的私人空间，让对方去思考问题，制定决策，感觉真实的感情。

对于这对夫妇来说，亲密行为是另一种非常重要的非言语交流形式，而 9 号会不知不觉地接受 5 号的亲密方式。为了满足 5 号的愿望，9 号会主动向 5 号靠拢，这也让 5 号未说出口的愿望成了双方关注的焦点。双方的日常生活也往往是在非言语的交流中进行的，他们都认为每天在厨房和餐桌上的相处是最熟悉、最安全的时光。

在这样的夫妇中，基本上不会出现一方干涉另一方的兴趣爱好的情况。如果 9 号希望把自己的精力分散到多个活动中，他们不会去费力向 5 号说明，除非他们的做法会打乱家庭的日常生活。同样，如果 5 号希望把自己的活动与家庭生活分隔开，9 号也是可以接受的，除非 5 号变得过于神秘，完全脱离了家庭。只要夫妻间没有刻意隐瞒自己的生活状态，他们就能够给对方最大的自由空间和最小的干扰。但是，这两种类型的人都倾向于把掌握信息作为一种自我保护的方法，而且他们都可能拥有很强的嫉妒心。如果其中一方向另一方刻意隐瞒了自己的性行为或者其他私人信息，他们之间就会产生距离感，关系就会变得困难。

如果9号把大量精力投入到个人活动中，5号会很愿意站在一旁扮演顾问的角色，而且5号会把9号的活动作为自己与外界联系的有趣途径。需要注意的是，一旦9号过于依赖5号的支持，或者企图把5号也拉下水的话，他们的关系就可能产生严重的裂痕。5号会受不了9号的依赖，而9号则觉得5号脱离了自己。

9号性格者喜欢得到认可，喜欢看到爱的表示，而5号性格者则顽固地认为，没有必要整天把"爱"字挂在嘴边，对方应该知道自己的感觉，他们会限制与伴侣在一起亲热的时间。如果伴侣既没有什么爱的表示，又对亲密接触有所排斥，9号就会感到双倍的抛弃感。9号的解决办法就是把注意力转移到外在的兴趣上，希望能让双方的关系重新恢复活力。对于观察者而言，一旦对方的注意力从他们身上移开，他们就获得了更多的私人空间，这反而会让他们重新关注夫妻的共同利益。

对于这样的夫妇来说，他们需要共同克服的另一个问题是无聊。双方都想从对方身上找到乐趣，但是双方又都是那种缺乏乐趣的人。无聊带来的就是批评：9号会批评5号，因为他们虽然让自己去迎合5号的愿望，却在那里找不到乐趣；5号也会变得挑剔，因为家里的安全感让他们的负面情绪找到了发泄途径，他们很容易生气。5号性格者在生气的时候，通常会板着脸，噘着嘴，然后闷不做声，这会让9号感到很不自在。

如果双方中有一方威胁要解除夫妻关系，或者发展了婚外情，另一方会产生强烈的嫉妒感。如果是5号依恋于9号，尽管他们可能会在思想上否认，但是失去对方还是会让他们感觉如同失去了自己的生命。同样，如果是9号失去了5号，他们也会觉得自己的一部分自我将永远不存在了。还有一个有趣的现象，就是双方的争吵和嫉妒心往往会消除平静时的无聊感，让双方都意识到对方的重要性。

对于 5 号或 9 号来说，要做出真正的承诺可能都是一件痛苦的事情。但是一旦 9 号决心做出承诺，或者 5 号开始对某人投入长期情感时，他们应该知道，一些从细微之处流露出来的爱意往往能够让他们的关系更加牢固。要记住，9 号需要情感与肉体的融合，而 5 号需要在情感出现时感到安全。

# 权威关系

5 号性格者讨厌把自己的时间和精力花在处理他人的问题上。他们总觉得自己的精力有限，他人的打扰往往让他们感到疲惫。如果他们不知道别人对自己的期望到底是什么，或者他们的工作需要随时做出改变，他们会感到格外疲劳。

因为不愿让他人使用自己有限的精力，观察者的反抗办法就是脱离权威的控制。他们喜欢尽量少的控制和监督，尤其不喜欢一个总爱突然出现的老板，或者一个喜欢掌控一切的老板。

与他人的接触是一种干扰，除非 5 号能够提前知道要讨论的话题是什么。他们总是把职位和薪水看作老板诱惑员工付出时间和精力的工具。如果这是他们工作的必须条件，5 号宁愿不要这样的奖励和认可。

如果 5 号能够自由安排时间，自由选择与他人接触的方式，他们也会愿意在受人管理的体系中努力工作。如果能够提前知道别人对他们的期望，他们也会变得友好和外向。比如，在出席聚会前，5 号性格者通常愿意提前知道要出席的人，以及可能讨论到的话题，这样他们就能做好准备。

小型的权威同样会被看作控制力的外延，让 5 号不愿接受。他们担心这些小权威的势力会侵犯他们的私人空间。这种担心可以表现在精神上的不情愿，比如不接电话；也可能是一种刻意的行为，比如避免与邻居、房东或者与其他公共机构的接触。

5 号性格者避免接触的内在原因是他们对于面对面的接触没有防卫措施。

*他们往往是幕后策划者，在他人疲惫不堪的时候依然保持冷静的头脑。他们对于那些需要宏观认识的长远项目和独立规划往往独具慧眼，他们愿意去从事那些抽象而重要的工作。*

一旦他们收到了来自权威的信件，或者直接被要求与权威见面时，5号就会觉得他们会被强迫接受权威提出的任何要求。他们选择的防卫措施就是远离被权威控制的领域，放弃那些需要与社会权威系统进行接触才能拥有的享受，比如贷款消费。

从好的方面来说，5号性格者往往能够专注于棘手的决定，他们能够让自己不受害怕和欲望的干扰。他们往往是幕后策划者，在他人疲惫不堪的时候依然保持冷静的头脑。他们对于那些需要宏观认识的长远项目和独立规划往往独具慧眼，他们愿意去从事那些抽象而重要的工作，即便得不到社会的认可，他们也毫无怨言。如果能够让他们免于外界的干扰，他们的工作效率会更高。

从不好的方面来说，当感情过于强烈时，他们会选择逃脱，会突然无影无踪。比如，当一个项目刚刚开始时，他们却可能突然宣布休假。

## 权威关系实例：5号 vs. 4号——观察者 vs. 悲情浪漫者

如果5号是老板，他或她喜欢在一个舒服的私人空间内工作，把所有的个人接触都限定在具体的时间内。规定50分钟的会议，他们肯定不会多开一分钟。4号雇员的任务就是把所有不必要的接触都过滤掉，尽可能地代替5号去与客户打交道。只要雇员能够在规定时间内完成任务，能够成为老板与外界接触的有效中间人，5号老板就不会有监管一切的愿望。只要4号愿意承担责任，只在必要的问题上与5号商量，他们的合作将非常顺利。老板也很愿意看到员工能发挥重要作用，只要双方之间没有冲突。

如果工作出现了麻烦，而且老板已经注意到了这个麻烦，5依然倾向于离开而不是去面对。4号可能误解为5号对此不够关心，尤其是如果老板喜欢通过备忘录或其他间接方式来管理员工，而不是直接出面解决问题的话。如果5号的离开让4号感到被忽视了，情况就更加严重了，4号员工或者情绪抑郁，工作疏忽大意，或者为了迫使老板做出反应故意制造麻烦。老板可能选择解雇员工，而不是去与对方谈判，4号则会因为不公正的待遇而坚持斗争。

只要双方中的任何一方表现出对对方的关心，这种对立的僵局状态就可以得到缓解。4 号需要得到来自特殊人物的认可，而 5 号希望成为一切工作的幕后大脑，不喜欢事事亲临。如果老板能够关注双方冲突的原因，4 号将变得更加合作。如果员工能够提供无需老板出面，就能解决问题的有效建议，5 号会非常感激。在双方的关系中，员工需要从情感的立场上向理性的立场上发展，而老板则需要从自己的精神世界中走出来，关心员工的工作感受。

如果 5 号是员工，他们遇到的困难往往不是来自工作上，而是如何与其他同事快乐相处。对于有些 5 号性格者来说，在一间没有具体划分的工作室里，与其他同事共用同一张工作桌是很困难的事情。对所有的 5 号性格者来说，在公开场合表达自己的情感都是一件困难的事情。许多 5 号都说，他们把自己打扮成一个合适的员工，但是内心却与自己的情感分离了。与老板建立直接交流的渠道对他们很重要，这样他们获得的指示就不会受到外界的干扰。

在与外界接触时，5 号性格者会让自己表现出合适的姿态，这使他们既可以从事前台秘书的工作，也可以从事娱乐界的工作。让 5 号保持良好工作姿态的关键在于，他们可以对自己的工作进行演练，能够在公共场合获得安全掩护。只有当 5 号可以预测他人的反应时，他们才是安全的。那些需要真正接触公众的工作——比如销售人员或者政治家——需要根据现场状况做出反应的工作对 5 号没有吸引力。5 号只愿意摆出准备好的姿势，安全地面对新环境。

如果 4 号老板对于 5 号的能力有信心，他们应该与 5 号建立一种私人关系，让 5 号成为他们的顾问。5 号喜欢与他们尊重的人建立私人关系，并且愿意贡献自己的智慧，只要对方关注的是工作项目，而不是 5 号自己。身为浪漫者的老板，如果聪明的话，就应该把与公众接触的任务自己承担下来，让 5 号去负责策略方面的事情。如果能够免于直接干扰，5 号员工能够在工作项目遇到困难时，运用自己清晰的思考来帮助 4 号老板，后者往往会因为不同的工作状况而情绪起伏，时而抑郁，时而兴奋，无法做到冷静思考。

# 5 号性格者的注意力

5 号性格者的隔离，并非完全撤退到自己的私人空间，或者在自己身边树立起情感的围墙。他们更多的时候是把自己的感情排斥在外，站在自身之外的某个位置来观察一切。这种注意力的支配习惯在面临压力、亲密关系，或者毫无准备的情况时表现得尤为明显。5号可以把自己的注意力全部集中在身体之外的某个点上，通过这种方式让自己消失。

我20多岁时，大部分时光都是在隐居中度过。没有电话，很少的朋友，住在离城镇很远的地方。我记得当我决定到学校去学习摄影时，我甚至无法和人正常地交谈。我进学校的第一年就接受了心理治疗。他们建议我进行身体练习。在做呼吸练习的时候，我把自己完全封闭起来，好像根本感觉不到自己的身体。

还有一次，在进行身体动作练习时，我发现我完全脱离了我的身体，能够看着自己做出每一个动作，但是没有任何身体的感觉。此后，我经常会有这种从自身抽离出来的感觉。这种感觉当我"表演"的时候尤为明显。尽管我曾经排练过，我还是会突然感到自己和身体分开了。我好像是在看着自己的身体做出那些我预先排练过的动作。

这种从自身感觉中抽离出来的习惯，不仅能在自我和强烈的情感体验之间树立一道障碍，还能带来另一种奇妙的体验，这种体验被那些练习冥想的人称为"注意目标和内在观察者的分离"。

有时候我觉得自己就像我的许多玩偶一样，身上搭配着漂亮的服饰，但是人们看到的也只有这些漂亮的服饰和一张表情不变的娃娃脸。当我与人谈话的时候，我觉得自己就好像站在自己背后，如同谈话的第三方一样，看着对方的脸和我自己的脸。

当我17岁的时候，我有了第一次性经验，当时我的心好像脱离我的身体，站在一旁看着我自己。做爱的体会最能反映我在面对压力时注意力的去向。基本上，我会尽量避免压力，但是当不得不面对压力时，我会发现自己和自身情感脱离了。我面对的困难越大，我越沉迷于对自己的观察。我不断地想象自己接下来会做什么。后来，我结婚了，因为我想看看我会有什么反应。我甚至会让危险靠近自己，因为我想看到自己是如何摆脱危险的。

# 注意力练习

通过注意力练习，不是 5 号性格的人也可以感受到这种与内心关注点分离，让自己成为旁观者的感觉。5 号性格者这种注意力的处置方法来自童年，为的是让自己在遇到危险时感到安全。

5 号性格者习惯把注意力与对他们产生威胁的目标分开，通过无视危险，来消除内心的恐惧感，这与冥想者有意把观察的自我与自己沉思的目标分开是不一样的。这其中一个最大的区别在于，5 号是被固定在一个远离自我的地方，他们被强迫去以一个旁观者的身份来看待令他们害怕的事情，让自己不去注意到眼前的事物给他们带来的真实感觉。如果观察者无法摆脱那些让他们恐惧的事物，他们就失去了让心智和情感分离的防御能力，他们就会变得异常脆弱，很容易受到他人和自身欲望的影响。

冥想者则与固定在一旁观看，避免情感接触的 5 号性格者不同，他们能够从内在去观察，能够与自己关注的对象融为一体。

想象你自己站在某人面前，此人正企图侵入你的生活。这个人可以是你的母亲，她趁你不在家的时候检查你的抽屉；也可以是你的兄弟，他趁你不在的时候偷看你的日记，而你却过了好几个月才发现。你会是什么感觉？你觉得自己被侵犯了，但是又无法控制一切，如果你要每天和这些人生活在一起，那会是什么样子？

现在，寻找一种方式，让你自己从他人对你的影响中脱离出来。这个练习的重点就是要保护自己，而保护的方式是让自己远离被侵犯的感觉。忘记这种感觉，而不是紧紧抓住这种感觉不放。5 号性格者报告说，当他们能够远离那些影响他们的外在干扰时，他们会有一种控制感，甚至有一种愉悦的感觉。

在面对侵犯的时候，有些 5 号说，他们会进入内心深处，找一个没有感情的地方；还有些 5 号说，他们会在自己与入侵者之间树立一道墙，或者一面单

*正因为他们渴望的是这种永恒的精神脱离，5 号性格者也被称作"尚未悟道的佛"。*

面镜，或者让自己的注意力转移到安全的地方。通过选择有利地形，他们能够观察到发生的一切，但又不至于受到情绪的干扰。

# 直觉类型

当 5 号性格者被冥想所吸引时，他们往往会选择分离性的练习。内观（vipassana，印度最古老的自我观察技巧之一，通过观察自身来净化身心）和禅宗都是这样的练习。它们强调的都是通过把心腾空，释放思想和其他干扰，来培养内心的观察力。

不幸的是，对于 5 号来说，这些练习之所以吸引他们，是因为他们不希望介入任何事情，不想让自己感受到来自现实生活的欲望和担忧。他们想通过这种方式来保护自己，而不是净化自己。正因为他们渴望的是这种永恒的精神脱离，5 号性格者也被称作"尚未悟道的佛"。

没有掌握分离奥妙的 5 号把冥想看作一种能够让他们对所有情感产生免疫的方法，而真正成熟的 5 号则会通过这种分离的心境来了解自己的感情。

我一直是一个喜欢跑步的人，而且以前我把跑步当作一种逃离方式，让双脚尽可能地带我远离家庭。不管家里发生了什么，只要我跑到了离家半英里之外的地方，我都可以忘掉。我的思想被抛到了脑后，我自由地面对一切，我的身体好像在自发地向前移动。距离是我需要的。每年来一次 50 英里的长跑，这是我生活中最高兴的事情。

我现在通过跑步来了解我自己的感情。我通过跑步来清除那些堵塞情感的障碍，当我逐渐变得清醒时，我就会关注我的问题，让情感自由地表达出来。我把这一过程称作：带着问题跑步。我通过这种方式对自己了解得更多了。

有好几次，在我跑步的过程中，我突然对我思考的问题产生了直觉。比如，有一次我感到自己从峡谷中飞奔而下，冲向我在公司里的潜在合作者，同时把另外两个竞争对手甩在了后面，尽管当时在峡谷中，只有我一个人。还有一次，我觉得我的膝盖受伤了，但是我相信会有人出来把我背回家。后来在我

*他们在困难面前往往会选择撤退，把个人的需求减少到最低，尽量不去依赖他人。他们对于独立的精神解释是：我不需要那些东西，我完全可以自己生活。*

负责的一次谈判中，果然出现向我伸出救援之手的人。

这位跑步者学会了在自己处于与心境分离的状态时，让自己的感受和情感表达显现出来，他并没有陷入被情感所"控制"的危险。对于 5 号性格者来说，最不寻常的特质就是，如果他们能够让自己感觉，他们往往能提前做出正确反应。

当 5 号跑步时，他的注意力与内心的观察者融为一体。他愿意去面对那些问题，而不是去有意逃避，所以在跑步过程中，他所关注的还是自己的问题。

# 贪婪

如果碰到困难，观察者宁愿自己去设法解决，也不愿冒险去求助于别人。他们在困难面前往往会选择撤退，把个人的需求减少到最低，尽量不去依赖他人。他们对于独立的精神解释是：我不需要那些东西，我完全可以自己生活。

与其收集一大堆毫无用处的垃圾，不如让自己的物质生活尽量简单化，后者更让人快乐。我的随身财产包括一张折叠床、一只猫、几本重要的书、几套换洗的衣服。早餐总是一样的：一根格兰诺拉燕麦卷（granola bar，一种著名的早餐食品）和一杯茶。虽然吃得不多，但我非常享受，我为自己拥有足够的空气、足够的食物和足够的时间做我自己而感到欣喜。

我不会因为物质上的贫乏而沮丧，因为我不必去面对那些你死我活的竞争，这些竞争让我的朋友疲惫不堪。赚更多的钱就意味着要交更多的税，住一所大房子就意味着你要变成房子的奴隶。对我而言，奢侈就如同饭后的甜点。如果每餐都吃甜点，我就会觉得自己是在为甜点而生活，我宁愿放弃甜点，选择绝食。

那些富有的 5 号也喜欢选择远离尘世的生活。他们总是觉得自己的精力被用尽了，觉得自己内心空虚，觉得这个世界上没有什么是必需的，一切皆可抛。

*他们说，当他们觉得自己接近了宇宙运行的奥妙，或者人类行为的规律性知识后，他们内在的孤立感就得到了缓解。就好像他们已经超脱了世俗的爱恨情仇，而实际上他们不过是在回避现实。*

富有的 5 号会和贫穷的 5 号一样，对生活保持节俭的态度，并同样感到内心的贫瘠。但是和仅仅拥有一只猫和几本书的 5 号相比，富有的 5 号并不会强烈反对物质财富。在让别人支配自己的能量，以及努力挣更多钱这两件事情上，他们的反对立场并不像贫穷的 5 号那样坚决。

美国著名的电影制片人、飞行员和亿万富翁霍华德·休斯（Howard Hughes，1905 – 1976），就是一个富有的 5 号性格者。他创建了休斯飞机公司，曾创造了环球飞行的时间纪录。他生活非常简单，并最终选择了脱离大部分的社会联系，过起了隐居的生活。他是一个典型的拥有病态精神分裂症状的 5 号性格者。他通过中间人和电话来遥控管理他的王国。他设法避免与他人的接触和冲突，他不愿享受自己获得的豪华生活。他有个习惯，就是坐在餐桌边，但又不伸手去拿食物。

既然 5 号性格者只拥有最低限度的物质需要，既然他们对那些追求物质财富的人嗤之以鼻，他们又怎么会与贪婪联系在一起呢？答案很简单，5 号性格者的这种与物质生活的脱离，其实并不是他们的真实选择，而是一种强迫性的选择。他们之所以会这样，是因为他们害怕会失去手中已经拥有的那一点点东西，害怕要牺牲自己的独立性去依附于那些掌握着资源的人，害怕像过去一样，遭到他人侵犯。

5 号性格者对独立的认识就是：我可以不需要它。但是如果 5 号被一个他们必须得到的东西所吸引，这种独立就变得不可能了。一旦出现了某种他们认为有价值的事物，可以是一个人，也可以是一件事情，而且这种事物本身的价值已经超过了拥有私人空间的价值，占有欲就会侵入到他们的内心。

因为 5 号的自我保护在很大程度上依赖于预知将要发生的一切，但是他们又不愿意求助于他人，所以他们最常求助的对象就是知识而不是某个人或某件事。他们说，当他们觉得自己接近了宇宙运行的奥妙，或者人类行为的规律性知识后，他们内在的孤立感就得到了缓解。就好像他们已经超脱了世俗的爱恨情仇，而实际上他们不过是在回避现实。

我 20 多岁的时候，一直跟随一位宗教老师学习，而且沉迷于瑜伽练习。

> 5 号性格者的"舍"是一种错误的"舍",他们是讨厌让自己感觉到欲望,而表现得无欲无求,他们的"舍"并不是因为内心的满足感。真正的"舍",也就是无执,它需要你能感觉到自己所有的感情,需要你能够接受所有表现出来的现象,然后才放手,脱离一切。

那种苦行僧一样的生活曾经对我充满吸引力。我每天早上 4 点起床,坚持吃素,定期斋戒,而且过了 7 年的独身生活。我记得我在静修处(印度教高僧修行的地方)修行的那几年,总共就看过一场电影。我喜欢这样的生活安排,而且觉得自己身上有一种能量让我过这种与世隔绝的快乐生活。

然后我的老师让我离开,重新回到社会中。他至少说了两年,我一直不愿意走。后来,我带着 500 美元离开静修处,找到一份工作,开始独立的生活。现在我必须承认,我的老师说得很对,我之所以会沉迷于瑜伽,是因为琐碎的生活、没完没了的账单和不停的工作面试让我的内心感到厌烦,所以我只是在逃离现实。

# 高层德行:无执

依赖来自于落空的欲望,而无执(nonattachment)就是无所求、无所依,它与依赖是相反的。当我们获得了我们需要的东西时,我们就可以放手,因为我们知道,如果需要的话,我们还能够重新获得它。5 号性格者的"舍"是一种错误的"舍",他们是讨厌让自己感觉到欲望,而表现得无欲无求,他们的"舍"并不是因为内心的满足感。当然,他们也能找到正确的理由来教训我们,因为我们大多数人都渴望得到比足够更多的东西,都花费了大量精力来追求地位和物质财富。我们陷入了自己的渴望和欲望之中。

这种强迫性的不参与、不联系和不受控制往往会让 5 号性格者相信自己高人一等,以为自己可以无欲无求,但实际上他们并没有因为他们已经拥有的而感到满足。真正的"舍",也就是无执,并不是这样的,它需要你能感觉到自己所有的感情,需要你能够接受所有表现出来的现象,然后才放手,脱离一切。

佛主释迦牟尼本人在坐下来思禅之前,也曾经历了各种不同的生活,然后他才认识到心空的自然境界。在佛主开始向人们传授"舍"的修炼时,他已经体验了满腹的欢乐与痛苦,已经实现了自己许多美妙的欲望。

全知并不是说要了解一个给定事物的所有知识，或者是建构一个完美的体系来安排所有事情。全知更像是让内心的观察者发挥作用，让自我的意识与过去、现在和未来的所有可能联系在一起。

# 高层心境：全知

什么东西才能安抚一个害怕去感觉的人，让他不再害怕呢？什么东西才能满足一个人的预知感，让其能够保护自己免遭潜在的侵犯呢？对于那些习惯从身体退缩到内心的性格类型者来说，他们最好的防范就是知识。

和"九型人格"体系中所有其他高层能力一样，全知（omniscience）的能力也是通过非思考状态下的心境得到的。全知并不是说要了解一个给定事物的所有知识，或者是建构一个完美的体系来安排所有事情。全知更像是让内心的观察者发挥作用，让自我的意识与过去、现在和未来的所有可能联系在一起。

# 5 号性格的闪光点

观察者能够去做自己感兴趣的事情，不管有没有人支持。他们尽量减少与情感的联系，这让他们能够在他人面临压力时，给予帮助。同样是这种脱离情感的能力，也让他们能够成为出色的决策制定者，因为他们能够在重压之下保持冷静的头脑和清晰的思维。5 号能够与他人成为终身的朋友，只要这种友谊没有干扰到他们的独立，并且保证他们有随时退出的自由。他们能够通过非言语的表达来展示大量的情感，而且也非常关注与他人产生的大量抽象的、非言语层面的联系。

# 适合的环境

5 号性格者会成为出色的学者，他们研究的领域往往是晦涩难懂，但却非常重要的。他们会成为这些领域的佼佼者，比如为心理学家提供心理服务的心理学家、萨满教（shaman，亚洲北部流行的一种原始宗教——译者注）学徒的导师等。他们的著作可能只是薄薄的一本，但往往却浓缩了毕生研究的精华。

他们会是那些古老语言的活字典，常常学富五车。他们也可以成为那些喜欢在夜间工作的电脑程序员，或者是那些在股票交易所幕后控制股票市场的人。

## 不适合的环境

任何需要公开竞争或者直接接触的工作都是 5 号所不喜欢的，比如销售人员、公共政策讨论者、要时刻面带微笑的政党候选人。

## 著名的 5 号性格者

美国石油大亨、地产大亨和金融家让·保罗·格蒂（J. Paul Getty，1892 – 1976）就是著名的 5 号性格者。他的知名度来自于他不断扩张的财富，而不是他享受财富的本领。身为亿万富翁，格蒂的家中安装的是投币式公用电话，他为了搭别人的便车，宁愿干等一个小时，也不愿去花钱坐出租车。还有人说，每次他用完餐后，都会把双手放在口袋里，直到有人付账后，才重新把手拿出来。

让·保罗·格蒂
（J. Paul Getty）

### 其他著名的 5 号性格者包括：

★ 埃米莉·迪金森（Emily Dickinson）：1830 – 1886，美国女诗人，一直隐居在马萨诸塞州的家中，几乎从不出门。

埃米莉·迪金森
Emily Dickinson

杰里米·艾恩斯
*Jeremy Irons*

★ 杰里米·艾恩斯（Jeremy I-rons）：英国著名演员，曾获奥斯卡最佳男主角。

★ 佛陀（The Buddha）：佛教创始人释迦牟尼。

梅里尔·斯特里普
*Meryl Streep*

★ 梅里尔·斯特里普（Meryl Streep）：美国著名女演员，曾获奥斯卡最佳女主角和女配角。

弗朗兹·卡夫卡
*Franz Kafka*

★ 弗朗兹·卡夫卡（Franz Kafka）：1883－1924，奥地利作家，其短篇小说《变形记》，长篇小说《判决》和《城堡》，都涉及到荒诞离奇的异化世界里忧心忡忡的个人。

# 基本性格分支

性格分支描述的是 5 号为了保护自己的个人私密不受外界干扰而形成的一些特质。

## 一对一关系：私密

在一对一的关系中，5 号性格者通过与对方交换隐私来获得一种私密的联系。他们更喜欢非言语的亲密性接触，这会让他们感觉到一种秘密的联系。

*性生活是我生活中感觉最自由的一部分。你不需要说话，也不会有其他人知道。你们之间会立刻产生一种亲密感。*

## 社会关系：图腾

5号性格者希望与具有共同特征的人保持联系，这种共同特征就像一个部落中共同信奉图腾一样，他们希望为这个圈子里的人提供建议，也希望从中获得建议。这种对图腾的信奉也可以发展成对特定知识的探寻，比如对科学公式或其他深奥理论的研究。

*我在一所工程学校当数学老师，我其实早就可以不干了，但是这份工作能够支持我真正的兴趣，就是编辑一本学术期刊。我们的期刊在全球拥有不到100个读者，所有人都是理论数学家。我们中的大多数人都没有见过面，但是因为我们共同的爱好，我愿意为他们服务。*

## 自我保护：城堡（家）

5号性格者把家当作安全的庇护所，让他们躲避来自外界的侵犯。正因为如此，他们对于这个空间的一切总是异常敏感，总是希望能够控制这个私有的个人空间。

*如果房间里有朋友，我就无法做回我自己。我非常在意他们在做什么，哪怕他们只是在安静地阅读，我也会觉得嘈杂得好像一支乐队在演奏波尔卡舞曲。我让自己集中精力的惟一办法就是让他们离开，或者让我自己离开，找一个没有人认识我的咖啡屋，这样我就不会被打扰。*

# 对5号有利的做法

5号性格者接受心理治疗或者冥想训练的原因往往是他们感到孤独。他们的典型症状包括：对社会关系感到困难，因为失去了某个他们依赖的人或物而感到痛苦，或者害怕自由受到限制。5号性格者需要学会容忍自己的感情，而不是逃避自己的感情，他们可以通过下列方式帮助自己：

★ 注意到当他人在期待回应时，自己却有刻意保留的欲望。"我什么时候想做就会做，而不是你让我做我就做。"

★ 不要让情感被理性分析所取代，不要让精神建构替代了真实经验。

★ 认识到接触情感并不等于受到伤害。

★ 认识到自己渴望得到认可，又不想花费力气。

★ 认识到自己总是离不开三个 S 的陪伴：秘密（secrecy）、优越（superiority）和分离（separateness）。

★ 学会接受突发情况。学会去冒险，去求助，去让私下的梦想变成现实。

★ 与他人在一起时，自己能感受到什么，把这种感受与自己独处时的感受进行对比，找到两种感受的差异。

★ 学会坚持完成重要的项目，并且把他们公之于众。让自己的成果被他人看见。

★ 对最简单的物质生活提出质疑。

★ 学会从自己的特殊研究中受益。

★ 学会容忍他人的需要和情感。

★ 愿意当场表现自己的情感，可以通过格式塔心理学、身体练习或者艺术工作来表现。但是同时要注意，不要在不成熟的情况下，让自己的情感一泻千里。允许延迟的情感反应与直觉发生联系。

# 5号需要注意的做法

5号性格者在改变的过程中需要格外注意避免下列行为：

★ 让自己离开身体，退缩到内心。

★ 希望储藏时间和精力。总是在节省，而不是在付出。

★ 难以展现自我。把暴露自我的话从对话中过滤掉。保留信息。

★ 不愿给予；感觉被他人的需求所利用。

★ 过于自负，不愿依赖他人。"没你我也可以。"

★ 对承诺感到疲惫。不愿与他人分享太多。

★ 用思想取代现实体验。不断巩固孤独者的立场。幻想不切实际的生活，而不是面对现实。

★ 幻想天上掉馅饼，可以不费力气就得到认可。"如果上帝想要我，他就会来找我。"

★ 把自己隐藏在一个表面的姿态里。让自己的表现适应周围环境，以避免被他人注意。

★ 相信自己高人一等，不受感情控制。"生气是愚蠢者的行为。""他们为什么不能控制自己?"

★ 害怕欲望而麻痹自己。让自己无法走出去，也无法退回来。

★ 脱离情感生活。喜欢私密，没有人知道。

★ 无法分清楚什么是精神上的舍弃，什么是对情感痛苦的逃避。

# 第十一章 6号性格——怀疑论者

## *The Devil's Advocate*

### 忠实型

| 性格特征 | | 本体特征 |
|---|---|---|
| 大脑 | 主要特征：胆小 | 高层心境：信念 |
| 心脏 | 主要情绪：害怕/猜疑 | 高层德行：勇气 |
| 基本性格分支 | | |
| 情爱关系：力量/美丽 | | |
| 社会关系：责任感 | | |
| 自我保护：温暖/关爱 | | |

## 困境

他们从小就失去了对权威的信任。

他们记得那些掌握权力的人有多可怕。

他们记得自己如何在强权的压迫下违背了自己真实的愿望。

长大后，这些记忆依然伴随着他们，让他们对他人的动机感到怀疑。

为了消除这种不安全的感觉，6号性格者可能会选择一个强有力的保护者，也可能站在怀疑论者的立场上，对权威提出批判。一方面，他们希望能够找到一个领导者，把自己的忠诚奉献给一个能够保护他们的组织，比如教堂、公司或者学校；另一方面，他们又对权威的等级层次相当不信任。对权威的怀疑，让他们既表现出顺从的姿态，同时又带有怀疑的眼光。

因为6号性格者害怕代表他们自己去行动，他们做事情总是很难善始善终。开始可能是一个很好的想法，但是在付诸行动的过程中，他们的思想就会慢慢取代行动，因为注意力从开始的好想法转移到了对这个想法的质疑上。他们会担心有些人不同意这个想法，并站在反对者的角度来提出质疑。这种强烈的怀疑感产生于童年，主要动因就是为了躲避那些有权力的大人对自己的干涉。

怀疑导致推延行动。因为6号在思想上对于自己的想法总是抱着一种"是的，但是……"的态度，他们迈向成功的步伐也总是断断续续的。他们往往会经历很多工作变更，在他们身后总是会留下一些没有完成的项目。

当既定目标被物化时，他们的焦虑也随之增加。也就是说，当怀疑论者走向光明和成功时，他们心中的自我疑惑和犹豫感也在加强。他们犹豫不决，并不是因为他们对于自己的工作有任何困惑，而是因为他们怀疑自己的能力，而且相信他们的成功会让那些充满敌意的权威注意到他们，从而设法阻止他们的努力。

这种反对权威的立场让6号性格者逐渐表现出受压迫者的反抗特征。当他们遇到困难时，他们会冲在最前面；当他们的朋友需要帮助时，他们会英勇地牺牲自己的利益。他们对于那种"我们反对他们"（us – against – them）的立场特别忠诚，因为一旦坚定了立场，权威的意图就会变得相当明显，他们就可以采取清楚的行动。

怀疑论者相信他们能够看穿那些华而不实和虚伪错误的表象。害怕在竞争中处于不利地位的他们，总是保持着谨慎的态度，防止自己被他人的花言巧语和阿谀奉承所欺骗。他们曾经在放松警惕的时候受过伤害，所以"一朝被蛇咬，十年怕井绳"，即便他们得到的是关爱，他们也会提高警惕。

他们的注意力就像一台红外线的扫描仪，总是在环境的各个角落里搜索那些可能对他们产生危害的迹象，总是想检查他人的内心，看看他们的真实想法

**内心越是痛苦，他们就越是喜欢往外看，结果常常让他们找错了让他们感到警惕的原因。**

到底是什么。表面现象的背后隐藏了什么样的事实，微笑面孔的背后又有什么样的企图，6号性格者总是想弄清楚这些问题。他们总是能在争论中击中他人的弱点，发现隐藏在背后的力量。

当6号性格者接到警报，或者感觉到内心受到威胁的时候，他们对外界的关注反而会变得更加强烈。内心越是痛苦，他们就越是喜欢往外看，结果常常让他们找错了让他们感到警惕的原因。总有些事情让他们感到害怕，而6号总认为让他们不舒服的原因正是他人的恶意。带着这种先入为主的偏见，他们往往会觉得他人是"话里有话"，不管人家怎么说，他们都会觉得对方不怀好意。

下面的这段陈述，来自一位极端害怕的6号性格者，她给我们描述了自己的注意力是如何不受控制，让心中的怀疑越来越突出的。

我很难和我不认识的人在一起工作。我从高中开始就在餐馆当服务员，我现在依然记得那种难受的感觉，总是觉得有人在背后盯着你，让你脊梁发凉。感觉最糟糕的就是当我在吧台给客人倒啤酒的时候，客人一个个从我面前经过，我很想知道他们到底是怎样看我的。

如果我抬起头看他们的脸，我的思绪就完全跑了。他们每个人好像都在想些什么，好像都有什么话要说又没有说。我不得不告诉自己，这没什么，这些人并没有对我怎么样，他们对我也没有什么讨厌的想法。但是我还是会被我看见的这些人所吸引，以至于我忘记了自己手头的工作。结果，不是啤酒从酒杯里溢出，就是我忘记了把杯子放在杯垫上面。

这个女招待显然把自己注意力不集中的原因都归罪在了她的客人身上，这恐怕是不对的。其实，她自己关心的并不是餐馆中的现实状况，也不是客人与她的对话，以及她给客人倒的啤酒。她关注的是人们的想法和内心的企图，而且她相信自己能够通过客人的脸部表情看出他们内心的真实想法。她的这种害怕心理，很可能会让她误解他人的意图。

6号往往对一些微小的信息特别敏感，通过一些微不足道的表现来支持自己的神经关注点。这位 6 号女招待一辈子都在寻找他人身上隐藏的负面企图，如果她足够理性，她也许能区分出他人的表面形象和他们内在的真实想法有什么不同。但遗憾的是，她可能过于专注于寻找这种细微差异，以至于这种差异可能完全控制了她的想法，就好像这样的差异已经成为确凿的事实一样。

## 恐惧症和反恐惧症类型

有两种类型的 6 号性格者，或者说是两种妄想狂的思考方式：一种是恐惧症型，另一种是反恐惧症型。

患有恐惧症的 6 号，他们看上去总是鬼鬼祟祟的，对生活充满了恐惧。他们做事犹豫不决，喜欢用分析来代替行动，思想中充满了矛盾和自我怀疑。前面的那位女招待就是典型的恐惧症型 6 号，因为她总是站在一边，而不是去正视自己的恐惧。如果她属于反恐惧症类型的 6 号，她可能会更多地与客人们接触，与他们交谈，了解他们的想法，通过让对方喜欢自己，来消除自己的焦虑。

一个反恐惧症型的 6 号可能也会通过直接指出客人的真正意图，来让对方感到难堪。人们在获得大量怀疑性的关注时，他们会觉得自己被误解了，如果他们因此而恼火，6 号就会"知道"这些人是根本不值得相信的。

当那位女招待把注意力分散到自己的工作和自己的恐惧上时，她就会经常犯错误。作为恐惧症型的 6 号，她可能会继续猜想客人们对她的想法，而不敢去寻找问题的答案。如果是反恐惧症型的 6 号，同样也会感到害怕，但是他们会去挑战自己的恐惧，比如为了克服自己的恐高症，而努力让自己成为高台跳水的冠军。不管是恐惧症型还是反恐惧症型，他们心理问题的根源都是一样的。

## 6 号性格者的主要特征包括：

★ 推延行动。用思想代替行动。

★ 工作无法善始善终。

★ 忘记对成功和快乐的追求。

★ 对权威的极端态度：要么顺从，要么反抗。

★ 怀疑他人的动机，尤其是权威人士的动机。

★ 认同被压迫者的反抗事业。

★ 对于被压迫者或者强大的领导者表现出忠诚和责任。

★ 害怕直接发火。把自己的怒气归罪于别人。

★ 疑心很重。

★ 在环境中搜索能够解释内在恐惧感的线索。

★ 通过强大的想象力和专一的注意力来获得直觉，这两种能力都来自于内心的恐惧。

# 家庭背景

6 号性格者常说他们是被那些不值得信任的权威养大的。父母对孩子的惩罚或羞辱是导致这种信任缺失的主要原因，尤其是如果父母对待孩子的态度反复无常的话。偶尔，也有 6 号性格者说，他们的家庭中藏着不可告人的秘密，大家都必须保持沉默。幼小的 6 号必须学会预测父母的态度，因为这些成年人很可能在没有明显征兆的情况下突然对孩子大发雷霆。

那些具有高度警惕性的 6 号说，父母常常因为自己遇到的麻烦而把他们当作出气筒，不管他们是否做错了什么。这些 6 号说，因为他们总是遭受突如其来的惩罚，他们必须小心观察大人们的脸色，以便提前预知危险的存在。

6 号因此学会了犹豫，学会了检查危险信号，学会了在权威行动之前就察觉他们的动向。因为害怕受到伤害或陷入难堪，年幼的 6 号在选择自己的立场之前，必须知道他人的企图。这种外向的注意力趋势，伴随着儿童无法保护自己的无助感，最终导致了 6 号性格者怀疑论者的性格模式。

我的父亲是那种难以捉摸的人，在他面前你不知道是该笑，还是该赶快躲起来。如果你在应该躲起来的时候笑了，那你就倒霉了。我很小的时候就学会了对他察言观色。我总是一只眼看着自己手头的作业，另一只眼关注着门外面他的表情。

如果他的情绪很糟糕，那我就得赶快找个安全通道逃走。我会顺着窗户外的消防通道爬到屋顶上，然后在屋顶上完成我的作业，猜测在我回家之前，他是不是已经睡着了。

6 号性格者的家庭背景往往都有这样一个共同的主题：一个感觉无法保护自己的孩子，找不到安全的藏身之地。这种家庭背景导致他们成年后，依然觉得自己属于受害者，找不到一个强大力量来保护自己。

我的父母都酗酒，他们的生活十分失败。他们喝酒总是鬼鬼祟祟的，把酒瓶到处藏，还为此说谎。他们知道这是个坏习惯，所以不愿让人知道。酗酒是他们的包袱，但是他们又无法摆脱。

我们住在边境地区，我们总是搬家，因此我总是社区中的新孩子。我在外面常常受到欺负，不是买牛奶的钱被抢了，就是有些大个子把我的午饭抢走了，只要我一离开家，我就会四处张望，看看有没有人躲在角落里准备袭击我。不论是在街上，还是在学校里，我都无法放松，因为我总是要对周围的人保持高度警惕。

6 号性格者失去了对权威形象的信任。导致这种现象的原因有两种：

★ 一种是他们曾经过于依赖于权威："保护我吧，因为我很弱小，很害怕"；

★ 另一种则出于对权威的反抗："看谁敢利用我的弱点欺负我。"

我有 3 个姐姐，我是家里第一个男孩。我父母都是那种十分要强的人，他们对我寄予了厚望。我母亲非常喜欢我，当然对我的要求也就最多。只要任何人做了任何令她不满意的事情，她都会把脾气发在我身上。后来我进入了常春藤盟校（Ivy League，由美国东北部 7 所著名大学和一所学院组成的名校联盟），我发现美国政府和我父母一样，都具有爱惩罚人的特征。我开始挑战这个禁锢的社会。

---

*他们会产生一种异常准确的注意力，了解到"最糟糕的情况"。这种*
*精确的感知常常会被运用到两个相反的方面：一方面去发现权威人士*
*的负面品质；另一方面在那些被压迫者身上寻找可取之处。*

　　我的家庭非常保守，就和大多数第二代犹太移民家庭一样。所以，当我母亲得知我在大学里参加的第一个社团居然是性解放社团时，她吓坏了。如果那时候有人跟我说，我这样做只是为了让父母紧张，我当然不会同意，但是在我的思想逐渐成熟后，我发现确实有这方面的因素。

　　最近，我又回到学校去攻读经济学的研究生课程，我必须承认，我的很多观点依然十分激进，但是我希望其中属于"膝跳反应"的反抗成分已经没有了。

# 权威关系

　　因为6号性格者在童年时总是感到无助，在他们长大后，他们也难以自己采取行动。对于那些能够采取行动，并从中受益的人，他们往往给予过高的估计。这种高估可能会让他们去寻找一个强有力的领导者，也可能会让他们对处于领导地位的人产生怀疑。

　　6号性格者非常清楚滥用权力的危害，他们会去观察领导者的秘密意图，时刻注意对方有没有操控自己的计划。他们会产生一种异常准确的注意力，了解到"最糟糕的情况"。这种精确的感知常常会被运用到两个相反的方面：一方面去发现权威人士的负面品质；另一方面在那些被压迫者身上寻找可取之处。换言之，那些有权有势的人受到了6号的严密监视；那些无助的穷人，则会得到6号的关爱，因为6号觉得自己也是这些人的一分子，都曾遭遇生活的打击。

　　怀疑自己的行动能力，6号会把他们自身的能力投射到领导者身上。在6号眼中，任何扮演权威角色的人，都是具有强大势力、独断专行的。他们尤其害怕领导者公开发怒。他们会把那些容易发脾气的人想象得比实际更可怕。

　　这种对权力的过分归因而产生的偏差往往会导致：

　　1）把保护者的形象理想化，愿意紧随其后：我的领袖、我的导师、我的元首。

2）加入与自己目标相近的组织：我们反对他们。

3）反抗：质疑权威。

在第一种情况下，6号追随的领导者必须能够发挥保护伞的作用，而且还必须处事公正，目标正确。如果这个领导者开始在权力的宝座上摇摆不定，6号门徒就会重新产生对领导的不信任，他们甚至会转向反权威的立场。

在第二种情况下，加入与自己目标相似的团体，能够让6号消除偏执所造成的心理压力。在这样的团体中，6号清楚其他人的立场，他们之间没有竞争关系，这样的朋友能够帮助6号消除精神上的怀疑情绪。

在第三种情况下，反抗的立场无疑来自于受压迫的感觉。如果这种立场变得无法控制，6号会习惯性地从外界寻找让自己产生畏惧的原因，这只会加强他们的无助感。但是也有很多6号说，他们通过反对世俗、反对体制、反对权威，来获得一种个人力量。

对于6号来说，把他们推到墙角反而会让他们产生力量，因为情况迫使他们做出反应。正因为如此，很多6号都被那些具有高度危险性和竞争性的体育项目所吸引，因为在这些活动中，他们要被迫迅速做出反应，用行动取代思考。他们喜欢上演"绝地反击"，他们对于那些需要扭亏为盈的商业很感兴趣，因为在这些环境中，他们对压力的反抗能够得到自然流露，并带来良好的结果。

我以前很害怕我的父亲，为了减少我对他的畏惧感，我会故意激怒他，让他发脾气，这样等他发完脾气，我就安全了。

在我的记忆中，我好像从来没有和权威站在同样的立场上。我对上学的记忆都是逃课，自己填写成绩单，以及找一个秘密的地方过自己喜欢的生活。我从来不认为这个体制是公平的，所以在我20多岁和30多岁的时候，我没有一点与他人竞争的愿望，社会地位在我看来是渺小的，根本不值得尊敬。

我没有找正式工作，相反我把赛车当作谋生的职业。我从小就喜欢赛车，实际上是爱上了赛车。这个世界上没有什么比6辆车并排在一条笔直的赛道以每小时170英里的速度飞奔更过瘾的事情了。你可能马上就会送命。挑战生命

**他们对于处于压力和困境中的组织特别忠诚，甚至愿意做出英雄般的牺牲。一旦危机过去，与对手斗争的紧张感被消除后，他们反而失去了动力，又开始怀疑起身边的人来。**

的极限，这种感觉很棒，我的生命在我自己手中；当你在死亡的边缘时，你会感到无限的活力。我在赛车的时候一点都不害怕。当事情变得安静时，我反而会害怕。

虽然是反抗权威的人，但是6号性格者往往会被法律的正反两面所吸引。下面的陈述来自一位从事警察工作的6号，他是一位职业侦探，他从小在芝加哥长大，他所居住的地方到处都是流氓黑帮，他自己也曾被迫加入了芝加哥著名的黑帮组织"黑石帮"。长大后，他的反抗思想，让他决定选择警探作为自己的职业，让那些暴徒恶棍受到法律的惩罚。还有很多6号，因为同样的反抗性质，而成为法律的违背者。

我一直十分憎恶那些滥用权力的人。我曾经和那些无视法律的人打过交道，因此我知道人类有多么残酷。在我逮捕某人或者出庭作证的时候，我总是会害怕遭到报复。即便被告没有报复我，我还是会感到不自在，因为我要作为警方的代表出庭，我会接受双方律师的提问，而恶毒的律师总是想方设法败坏我的名誉。

在出庭之前我总是很害怕，就好像是我自己要站在被告席上，但是当我在法庭上宣誓的那一刻，我的意识突然变得异常清晰，所有的畏惧感都消失了，我又可以履行我的职责了。

6号性格者在面对一系列非常清楚的指示时，他们会工作得非常出色。他们被赋予的义务和责任将减少他们内心的疑虑。他们会忠实于反抗者的立场，并成为优秀的领导者，但是如果他们的努力得到了多数权威者的支持，他们反而可能采取自我破坏的行为。他们对于处于压力和困境中的组织特别忠诚，甚至愿意做出英雄般的牺牲。一旦危机过去，与对手斗争的紧张感被消除后，他们反而失去了动力，又开始怀疑起身边的人来。

我们真的很难称赞6号。他们付出大量努力让自己反抗者的地位得到承认，但是在他们成功后，他们又很难接受这一切。正面的关注反而会让他们产生疑虑：

"这是设计好吗?"

"他们还想从我这里得到什么?"

他们对于领导者不称职的表现或者高压措施非常敏感,而且他们相信,如果自己被安置在那种曝光率极高的地位上,也会被别人指指点点,处境尴尬。

从好的方面来看,6 号性格中的多疑、犹豫、寻找潜在动机的习惯也可以变成有用的工具。对权威的怀疑能够变成具有建设性的批评;犹豫不决能够让他们用更多的时间去思考和评估自己的想法,发现其中的漏洞;想象最糟糕的情况可以让他们有备无患。

从不好的方面来看,6 号性格者可能过度谨慎,即便是在胜券在握的情况下,他们可能也会延缓行动,并刻意去寻找他人的潜在动机。另外,他们对待一项工作很难善始善终。当他们赢得胜利和公众的认可时,他们反而感到备受威胁,并更加怀疑他人。

## 权威关系实例: 6 号 vs. 1 号——怀疑论者 vs. 完美主义者

如果 1 号性格者是老板,只要指导方针明确,错误风险不高,他们就能掌控一切。6 号员工会感到很安全,因为他们十分熟悉工作流程,他们尊重 1 号老板的公平对待。但是如果老板的要求过多,他们就会秘密反抗,开始偷工减料,违规操作,并号召其他人也效仿他们。

如果 1 号老板面临一个风险很大的决策,他们往往会觉得自己责任重大,并认为他人会批评他们的管理能力。完美主义者会把注意力转移到那些不太重要的任务上,把自己的怒火发泄在与员工的争论中,而这种争论往往与当前决策毫无关系。由于 1 号有意推延决策制定的时间,并把大量时间花费在无关紧要的细枝末节上,最后的行动时间往往所剩无几。

最糟糕的情况是,怀疑论者以为完美主义者的脾气都冲着他们来的,而且在不了解真相的情况下,就断定自己将面临更糟糕的结果。这时,6 号往往会拉拢周围的人,建立一个联合体来抵制 1 号所谓的强权。为了揭穿 1 号的秘密企图,6 号可能有意在工作中出错,这将更加激怒 1 号,而 6 号会把 1 号的怒火看作自己怀疑的证据。

在这种互不信任的糟糕状态下，心理学的现实检验（reality testing）对于双方都将有很大帮助。这种心理学的治疗方法让人们到现实中去检验自己的主观判断，看看个人的主观思想与客观现实是否吻合。现实检验能够让完美主义者知道自己也是会犯错误的；同样，怀疑论者则需要接受可能并没有什么敌对企图存在的事实。

如果6号是老板，在工作中同样也会出现延误决策的问题，但产生问题的原因则有所不同。当面临困难抉择时，6号会放慢行动步伐，陷入到细节之中。1号员工会认为6号是不称职的领导，他们不会代替6号采取行动，而会选择消极怠工。他们之所以敢这样做，是因为缺少系统的监督管理体系来约束他们。

1号会抱着冷眼旁观的态度在一旁评判6号的表现，甚至觉得自己比这个在失败中挣扎的老板更加高明。当6号察觉到了这种判断后，他们的注意力会从手头的工作中转移到1号带来的威胁上。如果6号表现成熟的话，他们就应该去进行现实检验，然后诚恳聆听1号的看法，而不是让1号的判断变成自己多疑症的关键原因，把1号想象成推翻老板的阴谋策划者。

不论是1号还是6号，都喜欢怀疑他人的好意：1号害怕被批评，6号害怕被扫地出局，或者受到伤害。只要潜在的批评没有了，1号就能敞开心扉；只要害怕被攻击的心理消失了，6号就能坦诚相对。

如果6号愿意承认自己犯的错误，双方也可以展开积极合作。6号往往碍于面子，而不愿承认自己的错误。一旦他们承认了错误，1号也会卸下防御心理，承认自己的不足。

如果1号能够承认自己的焦虑和困惑，就能更好地帮助6号开展工作和完成工作。6号最擅长的就是帮助受压迫者，如果有人在工作中遇到了困难，他们就能发挥自己的优势。与其领导一项非常成功的任务，他们更擅长为面临困难的任务提供帮助。一旦工作进入了正轨，1号就能为工作的完成提供出色保证，他们会制定计划，推动6号一起完成工作。

> *6 号性格者拥有丰富的想象力，但是这种想象力对他们来说，既是福，*
> *又是祸。想象力导致了他们多疑的世界观。*

## 想象最糟糕情况

6 号性格者拥有丰富的想象力，但是这种想象力对他们来说，既是福，又是祸。想象力导致了他们多疑的世界观，因为在童年时代，他们需要预测他人的行为，想象可能发生的结果，以避免让自己受到伤害。6 号对于可能产生的糟糕结果特别敏感，他们习惯想象最糟糕的情况，而很少去考虑最好的情况。他们会自觉地寻找环境中对他们有威胁的线索，而把那种对最好情况的想象视作一种天真的幻想。

恐惧症型的 6 号对于可怕想象的反应，要比反恐惧症型的 6 号更容易理解。恐惧症型的 6 号一旦想象了危险的情况，或者认为危险就在身边时，就会敏感地逃跑。反恐惧症型的 6 号会去主动寻找危险。他们这种寻找危险的思想与 8 号性格者（保护者）十分相像，当他们面临背水一战的情况时，他们反而能表现出强烈的进攻性。反恐惧症型的 6 号说，他们必须接近自己的恐惧感，然后消除恐惧，否则他们会反复受到这种恐惧感的折磨。

这种注意力的关注方式验证了英语的一句老话："懦夫要死一千次"（A coward dies a thousand deaths）。比如，当大街上突然出现一头凶险的老虎时，恐惧症型的 6 号一定吓得拔腿就跑，然后爬到树上躲起来。反恐惧症型的 6 号则恰恰相反，与其躲在树上，一晚上都遭受可怕的精神折磨，他们宁愿冲过去掐住老虎的喉咙，和老虎干一架。

我记得在越南打仗时，在参加了一个月的激烈战斗后，我写信给家里的爱人。我告诉她，最让我害怕的事情，就是在漆黑的夜晚，他们派我出去执行任务。我特别害怕黑暗，我宁愿有人跳出来对着我扫射，也不愿一个人在漆黑的夜里行走。我的想象力让我发疯。我可以看见野兽，看见根本不存在的人。我越是看不到他们，我就越是去寻找他们。最后，我往往是向周围一通乱射，然后蜷缩在枪炮的硝烟中，根本不知道周围发生了什么。

这个战士在黑暗中挣扎，他是恐惧症型的 6 号。但他也是少数有自我认知能力的 6 号，能够观察到自己的心境在压力下的变化。他可以向黑暗射击，因为黑暗威胁到了他。他需要想象最糟糕的情况来保护自己，这个习惯让他不断想象黑暗中可能出现的情况，他脑海中的形象变得如此强烈，以至于脑海中的画面开始覆盖了现实中的情景。

战争让我的多疑症暴露无遗。在我参军之前，我并不确定自己是个胆小的人。虽然我在枪林弹雨中并没有因为害怕而当逃兵，但是我想每个人或多或少都和我有过一样的恐惧感。在我退役后，我反而备受焦虑的折磨，我甚至连洗澡的时候，都要随身携带一把匕首。

因为淋浴的水声让我无法听到屋子里的动静，而我又处于毫无防备的状态。我会幻想有人偷偷走进了淋浴房，这时，我会突然拉开浴帘，一看究竟。我甚至曾经满身肥皂地跑出淋浴房，打开大门，看看到底有没有情况。

我害怕的并不是什么具体的事物，我没有什么真正的敌人，我的屋门也总是锁得很好，但是我还是需要一把匕首来保护我自己。

这位退伍老兵一直都在想象最糟糕的情况，这已经成了他的世界观中不可分割的一部分。所以当他洗澡的时候，他发现自己的注意力转移到了热水和肥皂上面，他为了保护自己而监控外界环境的习惯被暂时打断了，这会让他迅速返回到原状态，想象在他疏忽大意时可能发生的最糟糕情况。

他恐怕不会注意到自己已经形成了习惯，总是喜欢想象最糟糕的情况，或者说，他很少去想象最好的情况。如果有人指出他这种充满偏见的想象，他恐怕会说，那些对于美好情况的想象不过是用一种过于乐观的假设取代现实而已。

6 号往往会沦陷到自己想象的糟糕情况中不能自拔。他们热衷于想象可能的结果，因为他们觉得能够从中获得正确的信息。想象是 6 号性格者通过注意力保护自己的方式，如果让他们放弃想象，就好像让他们放下手中的武器，毫无防备地面对生活。

从好的方面来看，6 号性格者这种在正常状况中寻找潜藏危险的习惯能够

> *6 号以为他们是为了保护自己而对周围环境进行扫描，而实际上他们不过是为了证实自己的观点；他们不是在寻找潜在危险，而是在寻找支持某个观点的证据。这种表现就是所谓的"投影作用"。*

让他们提出有用的反对意见，成为出色的故障诊断和排除专家。

# 投影作用

6 号性格者注意力的盲点就在于他们必须首先心里想到，才能行动。他们总是根据自己的想法在现实中寻找依据和线索。6 号以为他们是为了保护自己而对周围环境进行扫描，而实际上他们不过是为了证实自己的观点；他们不是在寻找潜在危险，而是在寻找支持某个观点的证据。这种表现就是所谓的"投影作用"（projection）。

举例而言，如果一位 6 号相信约翰喜欢她，她就会从约翰的表现中寻找可以证实这一判断的依据。约翰会觉得自己好像被笼罩在别人的想法中，或者说，6 号把自己的想法投影到了对方身上。6 号总是用自己的想法来判断他人，她会对约翰说，很感激他的爱慕，而实际上，约翰可能根本没有这种感觉。6 号也可能说约翰生气了，而实际上约翰感觉很好。

我结婚已经超过 10 年了，有时候我会觉得我的丈夫在刻意隐瞒什么事情，而且他已经找好了离开的借口。我会被这种想法说服，对他大肆责备，结果却发现根本什么事情都没有。我深信不疑的想法最后被证明是错的，这简直让我要疯掉了。

后来，我自己反而被另一个人吸引了。我知道我会喜欢上另一个人，是因为我非常害怕丈夫会离开我，但是我又在脑海中编造了一个完整的故事告诉自己他离开对我们大家都好。现在我已经结婚 15 年了，而且我非常清楚，如果我觉得自己被抛弃了，实际情况很可能是我自己有了移情别恋的想法。

下面是另一个关于投影作用的陈述。这位商业人士承认自己喜欢把未经证实、无法接受的怒火发泄在他人头上。

我的母亲虐待儿童。她打了我 4 年，几乎天天都是拳脚相加，现在我依然无法忘记这些恐怖的回忆。所以当我上大学离开家的时候，我对妇女充满了仇恨，虽然我自己并不知道，但实际表现却很明显。我上了著名的伯克利，那时正值70年代早期，妇女解放运动盛行。我几乎天天都在生气。妇女们在到处谈论她们受到的压迫，而我却感到自己被她们所压迫。

我带着这种思想在大学里过集体生活，不可避免地要和女生们产生矛盾。开始是一个人，然后是所有女性，她们都不喜欢我，称我是大男子主义，我觉得自己又受到了伤害，这也让我为自己的愤怒找到了合法的理由。那几年一直都是这样的，但是我自己并没有觉察到。我害怕感觉到自己的愤怒，所以把它转移到他人身上，为了让自己的假设成立，我会有意去做一些让女生们气得发疯的事情，比如同时脚踏好几条船。这个方法十分奏效。

# 6号性格者的注意力

如果你不是6号性格者，这种练习可以帮助你理解6号性格者无意识的注意力转移方式。这种注意力关注方式奠定了他们的世界观。要完成这个练习，你需要找到一本书，然后坐下来，把书合上，放在膝盖上。

现在回忆一个在你童年时让你感到害怕的人。想象这个人就站在你的面前，想象对方的脸部表情、身体姿态、衣服、尤其是他或她看着你让你感到畏惧的眼神。

现在让自己相信你已经和这个人每天在一起生活了很长一段时间，而且是在一个很小的房间里。你的威胁者控制了房间里的一切，而且随时会出现在你的面前。

现在打开书，开始阅读，同时警惕房间里的这个人。把你的注意力分散，一方面阅读文字，另一方面检查潜在侵犯者的一举一动。这时你的注意力可能是在同时关注这两项任务，也可能是在这两项任务之间轮换。不管是哪种情况，你都已经体会到了一个害怕者的心境。

接下来的一个练习需要你面对一个朋友，当你练习注意力转移时，这个朋友要大方地让你盯着他或她的脸。

现在，在脑海里想一件事情，是这个朋友可能想过但却从来没有表达过的。这个想法可以是正面的，也可以是负面的，但是你必须相信你的朋友很可能会有这种想法，而你将去寻找证明这种想法存在的证据。

然后和朋友展开大声的对话，同时注意对方的脸部表情，寻找被隐藏想法的蛛丝马迹。所有多疑症的特征都在这里表现出来：内在的假设（在这里是虚构的）、分散的注意力（即要注意谈话，又要注意寻找隐藏的证据）。对于真正的多疑症患者来说，内在的假设实际上是一种确信。他们知道这种令自己感到痛苦的观点是存在的，他们在对方的举止和表情中寻找相关证据。

# 推延行动

6 号总是迟迟不愿采取实际行动，因为在他们看来，失败的恐惧往往比成功的期望要大得多。

"出错了该怎么办"的疑虑在脑海里已经根深蒂固，而"成功了我们有多骄傲"的思想反而让他们担心成功后会曝光太多，并因此遭人妒嫉。这种谨慎的心理在恐惧症型的 6 号身上表现得更为明显，他们外在的行动总是会受到内心的质疑。

"我怀疑那样做是否有用。"

"是的，但是……"

"听起来很危险；我们要再等等，看清楚情况再说。"

……

这些都是恐惧症型的 6 号最常对自己说的话。

即便是那些看起来非常激进的反恐惧症型 6 号，也会想象最糟糕的情况。他们说，自己也会延迟行动，直到他们再也无法忍受这种多疑的心态，决定去面对自己的恐惧，不管是什么情况，也要消除自己心中的障碍。

行动上的犹豫不决在很多情况下是一种隐藏的习惯，主要来自内心的质疑。本来有一个很好的想法，也产生了把想法付诸实践的冲动，但是注意力很快发生了转移，开始怀疑行动的正确性。6号总是希望自己的行动干净漂亮。他们不愿让自己遭受他人，尤其是来自权威人士的攻击。

他们常常会中途而退，留下一个没有完成的工作。6号在把想法付诸实践时常常会感到困难，但是在他们看来，这不是延误工作，而是进行必要的准备。

我花了10年的时间才完成我的论文。我总是断断续续，中途还改了好几次题目。每一个论文题目看上去都是一个没有答案的问题，我总是可以站在反方的立场上驳倒我自己的论点。

最严重的一个晚上，我自己坐在打字机前，开始阐述我的论点，但我总是能找到几十个角度来质疑它。然后我又不得不从头再来，因为我相信那些权威人士一定也会这样驳倒我的论点。我简直快疯掉了。

对于这位6号来说，这种有意的注意力转移就好像是合理的信息收集。他必须弄清楚每一位权威的想法，了解所有潜在的反对理由，然后才能开始动手写自己的论文。也就是说，这位6号实际上是在质疑他自己的立场，而不是在维护自己的立场，这当然会导致他进展缓慢。隐藏在这种疑虑背后的动机还是因为6号希望能排除潜在的困难，以避免受到伤害。

令人感到矛盾的是，如果这篇论文突然被宣布将肯定获得成功，所有反对意见都彻底消失的话，那么它的作者所感受到的焦虑恐怕比遭到怀疑时更多。成功和曝光让6号担心会遭受无端的攻击；当他们带着怀疑的忧虑缓慢行动时，这种恐惧感反而会减轻。

在他人眼中，6号在行动上的犹豫不决，既可能被视为懒惰的表现，也可能被理解成没有能力的表现，尤其是在决策已经制定的工作中。不仅如此，他人的这种看法还会增加6号的焦虑和愤怒，而这原本正是他们在尽量避免的。

如果责任分工很明确，或者6号的工作就是充当质疑者的角色，他们会表现得很好，尤其是如果有一个很有价值的建议摆在那里等着他们去反对的话。只要出现了真正的对手，6号心中假想的最糟糕情况就会立刻消失。胆小的人

*"逆流而上"这个词最能描述这种性格。当你和社会认可的形象和行为都相距甚远时,你就有了一种身份,你的任务就是回击强大的反对势力,让你的声音被听见。*

在处于逆境中,面对完全不平等的情况时,反而能够清晰地思考,表现出自己的勇气,这看似矛盾,实际上是因为当他们处于被压迫状态时,他们的注意力被完全集中到了他们的目标上。

在 6 号看来,为生存而战的感觉与为赢得胜利而工作的感觉是完全不一样的。他们往往会在压力面前表现得异常出色,在理想的条件下反而失去了斗志。

# 害怕成功

我父母期望我能成为一名科学家,就像我父亲一样,所以我的志向是成为一名化学家。我选择加入环境保护组织,因为这是一件有意义的工作,而且我还能对那些大企业和政府破坏环境的举动提出批评和抗议。

我的第一次成功是我撰写了一本非常畅销的书,让我受到公众的瞩目。我的人生好像突然就结束了。我实现了我的雄心壮志,我认为自己已经非常成功,我似乎已经找不到太多让我反对的目标。

我的反抗性和我的工作是并联在一起的,当我处于成功巅峰时,我很高兴,但同时我也感到似乎失去了自我。我找不到前进的动力了。人们追逐着我,关注我的言行,而我根本不关心他们说的事情。所以后来我抛弃了已经获得的成功,搬到了另一个国家。我认为自己完成了一件壮举。我告诉我的朋友,看,这就是我对待名誉的方式,远离它。他们没有人能做到这一点。

最后,我后悔了。我不是因为离开而后悔,因为离开后我又找到新的生活目标,并恢复了活力。我后悔的是,我永远无法知道留下来我会面临什么样的机会。

"逆流而上"这个词最能描述这种性格。当你和社会认可的形象和行为都相距甚远时,你就有了一种身份,你的任务就是回击强大的反对势力,让你的声音被听见。如果你处于被压迫的状态,你成功的道路上布满荆棘。你要站出挑战一个有价值的权威,这能解放你自身的能量,推动你去争取胜利。

---

*6 号就是这么奇怪，当别人都在努力获得成功时，他们却在想方设法地避免成功。*

当胜利变得触手可及时，那种强大的反抗力反而消失了。真正的困扰和疑虑出现了。

"我现在成功了，我该相信谁呢？"

"危险会藏在哪些地方呢？"

那些反对权威的 6 号总是认为，只要他们登上了舞台，他们就成了众矢之的，其他人会把他们当作难以忍受的对象，并怀疑他们的好意。当令人愉快的目标变得清晰可见时，他们也会开始怀疑他人的好意。当欲望被唤醒时，他们推延行动和自我怀疑的老习惯又开始出现了。

我教过很多不同的课程：舞蹈、英语、心理学等等，最近我在国外的一所大学教授英语。我的习惯总是首先在我工作的体系中达到一定的水平，然后就开始质疑这个工作体系的政治结构，或者开始怀疑我自己是不是想在这里工作。我几乎很快就能找到新的兴趣点，我开始对新的兴趣充满热情，然后放弃现有的工作，转而投入到新的工作中。

但是成功的感觉并不会随着工作的转移而延续，这是很痛苦的。每到一个新的工作环境，我就忘记了过去的成功。你的成绩都作废了，好像又是第一次走上讲台。我很容易就忘记了自己前一天还表现得很好，学生的一点动静都会让我紧张，害怕他们已经对我感到厌倦，我几乎忘了自己要说什么。

6 号就是这么奇怪，当别人都在努力获得成功时，他们却在想方设法地避免成功。他们最常见的表现是，突然失去了兴趣，把成功的机会抛给那些更需要它的人，他们可能会突然发现工作中的一个致命错误，或者突然病倒，或者突然又对以前放弃的某项工作产生了兴趣。他们总是能找到各种方法来推迟成功所带来的困扰，包括站在反对者的角度提意见，这样即便他们成功了，他们的感觉却是失败的。

6 号性格者所面临的一项最困难的心理任务就是首先去争取一定程度的成功，然后学会安全面对自己的成就。

我是一位替嫌疑犯辩护的律师，并担任了好几年维护公共利益的工作。我很喜欢那种为了我的保护对象与整个体系对抗的感觉，我对这种工作感到很兴奋，直到我面临财政困难，让我不得不转行，开始做起经济案件的律师工作。

我身上穿的衣服、我要打交道的人、我工作的环境，以及我必须拒绝那些贫困客户的现实，都让我十分厌恶。我想他人肯定也十分讨厌我，而我无法忍受这一切，我觉得自己看上去像个叛徒，觉得肯定有人想把我干掉。最后，这种焦虑通过疾病的方式击倒了我，我得了胃溃疡。为了挽救我自己，我进入了一家治疗中心，医生建议我找一些我真正重视的朋友去做一个现实检测，看看他们到底是怎样看我的。事实是，他们要么根本没有注意到我的想法，要么非常肯定我做出的选择。

6号性格者采用的最后一种避免感觉成功的方式是对自己提出超出常人的要求。通过对自己的苛刻要求，他们的成功变成了不可能完成的任务。他们要求自己做出能够改变历史的贡献，这让他们无法通过一个合理的方式来衡量自己的能力。妄自尊大的6号希望自己有开创性的贡献，他们用表面上的力量来掩盖内心的脆弱。要求自己做出重大贡献的愿望让他们很难注意到自己实际的成就。

# 亲密关系

6号性格者往往拥有长期的婚姻，因为他们愿意面对"婚姻中的问题"，而且觉得有责任去"解决问题"。他们通过不断的承诺来表现自己的忠诚："我会留下来，直到我的丈夫/妻子完成学业。"或者"我会留下来等孩子长大。"

6号性格者会担心如果自己表现得过于亲近或过于依赖对方，会让他们在婚姻中处于不利地位，但是他们的承诺会消除这种疑虑。尽管如此，要建立真正的信任依然是一个漫长的过程，因为6号是那么容易产生疑心。哪怕是一个很小的问题，都可能让双方的关系陷入危机。6号会一遍又一遍地对最初的承诺提出质疑。没有什么是永恒的。我信任我的伴侣吗？这样的问题总是在他们心头缠绕。

如果夫妻双方需要携手面对外来的危险，6 号往往更容易感到幸福和快乐。当夫妻需要一致对外时，6 号会与对方患难与共，会变成忠诚的伙伴。

6 号喜欢去设计一个幸福的未来，在他们看来，幸福的未来意味着家庭的责任都履行了，该偿还的房贷都还清了。但是当这样的时刻真正来临时，他们却不太容易感到快乐和轻松。

信任是一个关键因素。6 号性格者往往更喜欢扮演给予者的角色，这能让他们感到更多的爱。为了稳定双方的关系，6 号会选择一种方式来帮助对方实现他或她的目标。这时他们的伴侣是值得信任的，因为 6 号知道该如何帮助对方，知道该怎样让对方快乐。6 号的付出并没有什么刻意的企图，他们不是为了得到回报才付出的。他们讨好伴侣的目的就是为了让自己感到安全，他们甚至能够容忍对方的一些极端行为。

一旦他们知道了自己也会受到对方的影响时，他们就会产生另一种反应。如果 6 号知道了自己也会被伴侣伤害，知道了伴侣所做的事情可能很糟糕，知道了伴侣可以控制自己的欲望时，他们就会很生气。他们会产生一种冲动去拒绝这种快乐，去断绝这段关系，或者把自己分割到不同的关系中。

培养 6 号的信任感需要很长的时间。他们一般都很清楚伴侣的性格弱点，这些弱点妨碍了双方天长地久的承诺，让 6 号对那些恭维的好话充满怀疑。他们担心对方是言不由衷，表里不一。这种内心的怀疑很容易被投影到伴侣身上，让 6 号相信伴侣也在怀疑他们。下面就是一个例子：

恭维是很难的。你很难完全相信这些话，因为你同样很在意那些没有说出来的负面信息。这是一种非常奇异的感觉，一个看上去完美无缺的脸，突然变得愚蠢了，就因为对方刚刚说了一句你根本不相信的恭维话。如果要我相信我确实做得不错，就需要让我听到"聪明的小意见"。也就是说，不要完全是溢美之词，要在夸奖的同时带上一些有用的建议，这样我就会相信对方的真诚。

要让 6 号朝着快乐的目标奋斗需要让他们付出极大的勇气，因为当他们开

*6 号性格者通常都认为自己能够发现他人内在的企图，如果他们看见了某个别人没有发现的盲点，他们必须把这个问题说出来才会感到安全，否则对方的任何行动都会笼罩在这个缺陷的阴影中。*

始相信时，疑虑和恐惧也在随之增加。当他们陷入爱河时，他们很容易就对伴侣的承诺产生怀疑，认为对方的承诺并非真心诚意，怀疑对方另有企图。他们可能会去猜测对方的内心，在毫无事实根据的情况下，得出一套结论。一旦这样的假设出现了，6 号就会把它当作事实，双方就会陷入混战之中。6 号会根据现实中的蛛丝马迹对伴侣横加指责，让对方陷入无妄之灾中，而这一切实际上都是 6 号对亲密关系的潜在恐惧感在作祟。

如果对方能够及时重申对 6 号的忠诚和爱情，只要重复他们曾经对 6 号做出的那个简单而根本的承诺，双方的关系可能就会大有改善。如果可能的话，伴侣也可以尝试告诉 6 号哪些是被 6 号忽视的事实，哪些纯粹是 6 号毫无根据的猜测。当然，这种做法是有一定危险的，必须要找到一种回旋、委婉的表达方式。6 号的思想很抽象，他们很可能无视对方真诚的表达，如果他们觉得对方"没有发自内心"。

对于那些成功和快乐的记忆，6 号总是十分健忘；对于承诺和计划，他们总是不愿相信。他人的意图总是令人怀疑的。

"我相信他吗？"

"她到底想要什么？"

"他真爱我吗？"

……

这些问题总是找不到答案。他们必须用不断的期待和承诺来说服自己。"我们看看孩子离开家后，情况会怎样。"

6 号性格者通常都认为自己能够发现他人内在的企图，如果他们看见了某个别人没有发现的盲点，他们必须把这个问题说出来才会感到安全，否则对方的任何行动都会笼罩在这个缺陷的阴影中。

从好的方面来看，6 号性格者的感情有很多面，他们很容易被打动。他们的心理很复杂，总是在寻找内心的答案。他们不会有意去操纵对方，也不会想要去利用对方。在困难时刻，他们会表现得特别忠诚。他们能够把他人的利益放在首位，能够把他人的成功看作自己的成功。

从不好的方面来看，6号喜欢把自己的感觉归结在伴侣身上。如果他们爱对方，他们就相信对方也爱他们。如果他们生气了或者被另外的人所吸引，他们可能会去指责自己的伴侣无缘无故地发脾气或者有了外遇。

## 夫妻关系实例：6号 vs. 8号——怀疑论者 vs. 保护者

6号和8号都是反对权威的典型，他们很容易就会因为共同的事业而走到一起。最初的关系中，6号往往是被压迫者，而8号则是保护者。6号依靠8号的领导，但6号真正的意思是：因为我害怕所以让你来做。如果两人的观点不一致，6号很可能会站出来反对8号。

如果6号可以公开表示自己的不满，并且能够经受多次攻击，8号会对6号的立场产生敬意，并十分愿意去请教6号的意见。如果6号没有公开表达自己的不满，8号反而会觉得自己遭到了背叛，并很可能离开。

在夫妻关系中，双方都面临信任的问题。6号担心对方会反对他们，而8号则担心遭到背叛。如果6号对反对意见过于紧张，他们可能会站出来"管理"局面，避免与8号发生冲突。但是这样的行为反而会激怒8号，他们宁愿接受面对面的争吵，也不愿被别人"管理"，因为他们认为任何避免生气的企图都是对信任的狡猾背叛。

对于这对夫妻来说，很重要的一点就是，6号可以试着掌管全局，但一定要把真实情况告知8号，哪怕这会引发8号暂时的怒火。如果6号有勇气说出所有的真相，并坚持自己的立场，8号会感受到6号的坦率，从而更加信任6号。如果保护者能够心平气和地去聆听怀疑论者的观点，而不是带着偏见的眼光去反对，6号也会对8号产生信任感。

还有一点6号需要注意到，就是8号伴侣的思维是相对简单的。6号总是希望了解对方内心深处的思想，以避免受到潜在的伤害；但是8号基本上没有什么复杂的思想，他们喜欢简单的快乐。

当双方产生亲密关系时，6号总是喜欢去猜测伴侣的真实意图，并在自己心中构建一个复杂的假象。6号可能会压抑自己的感觉直到他们把整个关系弄清楚了为止，而 8 号则希望能够自然发展，而不想去讨论什么深层的心理问题。8 号一般不会去编造或杜撰自己的真实意图。这往往让 6 号难以相信，他们不相信 8 号的想法是如此简单。

6 号和 8 号对于精心打扮的公众形象都没有什么感觉，也就是说，他们私下里的相处方式与公众场合的相处方式基本上是一样的。8 号追求性生活的快乐，他们往往很难一心一意，这让 6 号感到威胁，因为 6 号总喜欢延迟快乐，他们更容易接受一夫一妻的生活。如果 6 号受到了来自第三方的威胁，他们一般不会公开与对方竞争，他们会选择离开，或者私下里让 8 号得到更多的满足，来挽回对方的心。

舒服的日常生活和枯燥的日常生活往往就在一线之间。当 8 号制定了一切的规矩，而 6 号又在遵照这些规矩行事时，双方的关系可能就将面临严峻问题，因为 8 号接下来就想要打破所有规矩。

如果 8 号感到了厌倦，或者有多余的能量无法释放出来，他们就会制造麻烦，要么就是破坏规矩，挑起争端，要么就是想要控制一切，或者干涉朋友的生活。6 号很害怕不友好的人，他们会反对 8 号去挑衅朋友。如果 6 号发现了 8 号的无聊举措，并且相信 8 号是在有意挑起事端，6 号就会觉得遭到侮辱，他们会因为害怕 8 号的报复行为而选择离开。分手的要求往往都是 6 号提出来的，他们会有意无意地做出一些让 8 号感到气愤的事情。这种情况会因为 6 号不了解真实情况而变得更加严重。事实上，感到无聊的 8 号会对任何事情发脾气，并不是专门针对 6 号。

8 号这种因为无聊而产生的怒火可以通过夫妻双方的共同努力来化解。双方可以共同投入到一种新的兴趣爱好之中，或者共同推动一项需要大家一起出谋划策、相互支持的新计划。8 号性格者总是很难找到自己的目标，他们不断斗争，就是希望能够保持自己的兴趣，但是一旦有一个外界力量为他们提供目标，他们将很高兴接受控制，去实现这些目标。

6 号和 8 号伴侣合作的一种最佳方式就是由 6 号来制定具有创造性的策略，由 8 号来施加压力并让这些策略付诸实施。

*怀疑论者认同的是那些被压迫者的事业，他们愿意为了一个理想而付出忠诚、不求回报的努力。为了履行自己对他人的责任和义务，他们愿意做出大量的自我牺牲。*

# 6 号性格的闪光点

怀疑论者认同的是那些被压迫者的事业，他们愿意为了一个理想而付出忠诚、不求回报的努力。为了履行自己对他人的责任和义务，他们愿意做出大量的自我牺牲。他们不追求即刻的成功，因此 6 号能够从事那些不需要社会认可的工作。他们可以为了一个有价值的冒险去挑战权威，去面对打击，尤其是在拥有同伴支持的时候。

6 号性格者能够洞察深层的心理反应。他们愿意为了内心的追求去冒险、去牺牲、去忍受痛苦。

## 适合的环境

6 号性格者喜欢等级分明的环境，权力、责任和问题都一清二楚。他们可以从事警务工作，也可以到大学攻读研究生课程。一个处于权威地位的 6 号，要么会完全按照规章制度办事，要么则站在反权威的立场上组织大家反对现有的规章制度。他们还喜欢自己给自己干活，这样就不必受到领导或老板的控制。

恐惧症型的 6 号喜欢没有竞争压力的工作，愿意躲在一个强大的领导后面工作。反恐惧症型的 6 号则喜欢从事具有身体危险或者为被压迫者服务的工作。他们可以是桥梁的维修员，也可以是出色的商场战略家，帮助公司扭亏为盈。

## 不适合的环境

6 号不喜欢的工作包括那些具有强大压力，需要在毫无准备的情况下，现场制定决策的工作。他们也不喜欢那些需要和他人竞争、背后勾心斗角的工作。

# 著名的 6 号性格者

美国著名导演伍迪·艾伦（Woody Allen），他把自己扮演成典型的恐惧症型 6 号，是一个非常著名的怀疑论者。"水门事件"（美国历史上最不光彩的政治丑闻之一，最终导致总统尼克松于 1974 年被迫辞职。）中的一个重要人物——戈登·利迪（Gordon Liddy）是典型的反恐惧症型 6 号。这位曾担任美国联邦调查局探员的 6 号性格者自己透露说，他曾经强迫自己吃掉一只老鼠，为了克服自己对老鼠的恐惧感。

伍迪·艾伦
（*Woody Allen*）

戈登·利迪
（*Gordon Liddy*）

## 其他著名的 6 号性格者包括：

★ 克里希那穆提（Krishnamurti）：1895 – 1986，印度著名哲学家。在西方有着广泛而深远的影响。他主张真理纯属个人了悟，一定要用自己的光来照亮自己。

克里希那穆提
*Krishnamurti*

★ 简·方达（Jane Fonda）：美国著名女演员。

简·方达
*Jane Fonda*

★ 吉姆·琼斯（Rev. Jim Jones）：1931－1978，邪教人民圣殿教（The People's Temple）创立人，宣称世界将要毁灭。

★ 福尔摩斯（Sherlock Holmes）：侦探小说中的虚构主人公，一位理性又博学的英国绅士，一位具有高度科学头脑的私家侦探，精通侦探业务所需的多种专长。

福尔摩斯
*Sherlock Holmes*

★ 希特勒（Adolph Hitler）：典型的反恐惧症型6号。1889－1945，纳粹德国独裁者。

希特勒
*Adolph Hitler*

★ 哈姆雷特（Hamlet）：恐惧症型的6号。莎士比亚悲剧中的主人公，后专指优柔寡断的人。

哈姆雷特
*Hamlet*

## 直觉类型

　　胆小害怕的孩子会想办法摆脱情感上的恐惧。他们生存的一个重要策略就是发现那些潜在的威胁。6号性格者总是对他人没有表达出来的意图特别敏感，他们说自己会因为他人不承认的感觉而害怕，并相信自己看到的一切都是真的。

具有自我意识的 6 号知道他们常常会把自己的敌意归罪于他人。他们知道要辨别直觉的准确性需要学会区分哪些是他们自己内心的投影，哪些是客观准确的表达。

下面的陈述来自一位长期从事工会工作的积极分子。他学会了在决策制定的过程中去判断自己的直觉。

我对他人的恶意十分敏感。我遇到过许多老板，有些人一看就觉得不可信，让人觉得狡猾奸诈。这些特质可能他们自己并不知道，但我能从他们身上感受到。通常在我的组织工作中，当我要和这些老板打交道时，我就会产生一种愤怒感和恐惧感。虽然这些感觉可能和他们正在做的事情毫无关系，但我还是能清楚地感到他们不怀好意。

还有一些权威也会让我产生这样的感觉。于是我开始问自己，当我做出反应的时候，这种反应是真实的吗？这是否是我内心的某种偏见，还是说其他人会和我有一样的感觉？

这个人已经有了很好的自我观察能力。如果他没有注意去区分内心投影和其他直觉表达，他可能会和很多人一样，到心理医生那里去抱怨那些苛刻的老板和权威人士。这种偏执多疑的观点通常都会有一点事实基础，尽管 6 号对于老板的某些负面特质可能感觉是对的，但是他们往往把这种负面特质极度夸大了。然后他们开始保卫自己，开始与老板的恶意进行斗争，这会让老板感到恼火，而 6 号反而觉得自己的判断得到了证实。

6 号性格者还有一种直觉表现，这种表现往往是因为在童年时代，他们需要选择一个观察的位置去监控那些成人，预测他们将要采取的行动。这是一个害怕的小孩所选择的一种奇妙的生存技巧，它会一直延续到成年生活中，成为 6 号性格者注意力表达的一种潜在方式。一位临床心理学家是这样描写她儿时的情景的：

我的专长就是发现他人的感受，并据此来判断他人的行动。上学的时候，我经常会去研究班上的某个同学，我密切关注对方的一举一动，包括和别人说话时的面部表情。我会发现当某人在班上走动时，我的观察对象眼中会闪光，或者出现了不同的表情，尽管对方的脸上可能根本没有变化。我想如果我有足够的时间去观察某个同学的脸，我就能知道他对于班上其他人的想法是怎样的。

如果我想知道他们在想什么，我就会看着他们的脸，然后想象这些脸在某种特定情况下会是什么样子。如果我说我喜欢他们，这些脸的表情是会变得僵硬，还是松弛呢？如果我要竞选班长，他们是会微笑还是生气呢？

我相信自己的判断是十分准确的，因为我在这方面有研究，我根据自己判断出来的脸部表情来采取行动。不过小时候我并没有刻意去验证我的判断，只是偶尔会和要好的朋友了解情况。

现在，在我指导他人进行的心理练习中，我会看到人们内在的表情，这些表情告诉我他们的真实情感，然后我会想象他们与他人相互作用的方式。

这位医生很好地运用了自己的能力，她能让自己的注意力从病人的思想转移到自己对他们内在心理的想象上。她也非常清楚，自己有时候会把自己内心的投影错误地看作病人的特质，但是她能够通过自己的病人来检查自己的准确性。

如果这位医生对病人的感觉完全基于自己无意识的心理投影，那就不能叫直觉了。她的直觉就是让她能够区分哪些是基于现实的洞察，哪些是来自内心的投影。

要区别这两种不同的感觉，6 号性格者需要发展自己的内心观察能力，让自己能够注意到内心注意力的转移。这种能力能够给他们带来两大重要影响：

★ 首先，他们能够从错误的内心暗示中解脱出来；

★ 其次，他们能够具备更准确的判断能力。

*所谓勇气，是让身体能够在不思考的状态下自如活动，让行为出现在思维之前，让自身的行动不受自身性格的影响。*

# 高层德行：勇气

和所有人一样，6 号性格者往往也忽视了那些控制他们生命的核心问题。

一个 6 号性格者可能不会觉得自己比别人更害怕，而且也不会意识到，个人的思考方式和情绪表达会导致长期的惯性思维。就像那些长期生活在战争中的人往往是在获得和平后才感到战争的可怕一样，怀疑论者往往是在自己的恐惧感消失后，才意识到自己曾经多么畏惧。

如果 6 号能够接受心理治疗或者冥想练习，并结合一些身体练习，他们能够更加快捷地达到内心的高层境界。许多 6 号都会接受精神方面的练习，帮助培养对自身直觉的信任，比如密宗瑜伽（Tantric Yoga，一种瑜伽的修炼方法，着重于开发生命能量来超越凡人的境界，透过一种修持的方式，达到个体小我和宇宙大我的融合）或者一些武术练习。

所谓勇气，是让身体能够在不思考的状态下自如活动，让行为出现在思维之前，让自身的行动不受自身性格的影响。

一年前，我开始练习每天跑步。我非常享受那种大脑放松的状态。如果有一个同伴的话，效果就更好了。我们可以边跑边聊天；如果是我一个人，感觉也很好，只要我在跑步的时候还能继续思考。我们跑步的途中有一座小山，我喜欢在爬山的过程中看看我超过的都是些什么人，只要我还有足够的气息，感觉就会很好。

快到山顶的时候，路会变得很陡，如果我还有足够的气息，我要么继续关注周围的路人，看看谁在山上，要么就继续跑下去。我发现如果没有同伴的话，我每次都会在山顶停下来，喘喘气，这样在后面的路程中，我还能一边跑，一边注意周围的人。

对于一个一直喜欢在行动之前就思考的 6 号来说，哪怕是在大街上跑步，如果不去看看她到底超过了哪些人，也会让她感到痛苦。上面的这位 6 号不会让自己变得勇敢，因为她不会让自己产生勇敢的想法，也不会强迫自己去不顾一切地跑步。如果她能够把注意力从自己的大脑转移到身体上，而且能够区别出什么时候是她的思想在指挥她跑步，什么时候是她完全信任了自己的身体，在不受思想控制的情况下跑步，她就会受益匪浅。

前面的这位 6 号跑步者是在通过观察周围的环境来保护自己，看看下面这位纽约的地铁乘客与她有什么不同。

我在曼哈顿（Manhattan）上大学，一般是坐地铁到学校。白天坐地铁的时候我从来不紧张，因为周围都是人，我可以坐在那里看自己的作业，一直看到我到达目的地为止。如果晚上有课，等我回去的时候地铁站已经空无一人了，这时我就会有一种不安全感，我会让我的男朋友到我要下车的那一站接我，然后我们一起走回家。

有一天晚上，车厢里上来了一个可怕的人。他在那里做着可怕的表情，还不断把拳头捏得咯咯响，你可以听到他在那里边走边骂。车上人很少，谁也不敢直视他的脸。

他走到了我身后的座位上，对我后面的乘客骂着难听的话，然后开始打他们，然后我发现自己站了起来堵住了他的路。我发现我的身体自动站了起来，我听见我的声音在说话，而我的大脑根本不知道自己要说什么。我现在也不记得我到底说了什么，但是我记得当我看到他从衣服里掏出一支枪时，我一点也不害怕。

感觉就好像在经历一个动作的分解过程，而且这个过程已经发生过了。当我看到有两只手从后面抱住这个男人时，我一点也不惊讶；当我把那支举起来面对我的枪打到地上时，我也没有任何感觉。我在出站口碰到我的男友，我告诉他刚刚发生了什么，我述说的时候毫无感情，他简直不相信这个故事是真的。

*在学术研究领域，健康的怀疑往往能够让科学更精准，让程序更可行，让关系更清晰。但是那些过于坚持怀疑主义的人，往往忽视了他们内心的真实感受。*

# 高层心境：信念

6号性格者把决策制定的大半时间都花在了怀疑上。他们想出一个主意，然后开始想"很好，但是……"。他们总是努力让自己的想法变得更加完美，把那些错误或风险都排除掉。他们首先提出一个想法，然后以同样认真的态度去反对这个想法。

在学术研究领域，健康的怀疑往往能够让科学更精准，让程序更可行，让关系更清晰。但是那些过于坚持怀疑主义的人，往往忽视了他们内心的真实感受。

耶稣的12个门徒之一托马斯（Thomas），就是一个典型的怀疑论者。托马斯只要能看到耶稣本人，他就会相信一切。当耶稣死后，托马斯失去了信仰，他甚至怀疑自己是否真的和耶稣相处过。

在耶稣被定死在十字架上后，耶稣又复活了，并出现在自己的一些追随者面前。他出现在怀疑的托马斯面前，发现托马斯正在饱受失去信仰的折磨。耶稣为了让托马斯相信自己已经复活，甚至让托马斯亲自触摸了自己手上的钉痕。在耶稣的12个门徒中，托马斯与耶稣的接触是最直接的，但他的心却不愿接受自己的感觉。

对于6号性格者而言，怀疑的攻击会动摇他们的整个信仰结构。工作中的一个小挫折、夫妻生活中的一点争吵，都能够把长期累积的信任一扫而光。这就如同本来已经搭建好的房屋，只因为屋顶出现了一点倾斜，就断定整个根基都有问题，必须全部拆除重建一样。

"我真爱他吗？"

"是的，我想是的。"

他们总需要不断地说服自己。

"等我拿到学位。"

"等孩子们长大。"

*信念不是固执己见，也不是去相信错误的期望。信念就是一种能力，*
*它让你的注意力稳固在那些正确的、积极的感受上，不会陷入偏见的*
*思维中，让质疑取代真实。*

他们总是在为自己寻找一个继续下去的理由。

没有什么是永恒的，怀疑和猜测总是会在他们心中生根发芽。

佛教里把这种现象叫做"疑心"。从某种程度上来说，所有的冥想者在修行的初期都会面临这种考验，他们会猜想自己是否已经实现了一些业绩。如果"很好，但是……"的思想过于强烈，那么在注意力发生转移，让他们更接近无思的意识时，一种具有高度诱惑性的疑虑也会同时产生，把他们重新拉入思考的境界。

对于已经习惯了怀疑的 6 号来说，成功的希望总是很容易就被不必要的担忧消灭了。他们需要拥有强大的信念才能继续自己的修行、自己的爱情和自己的工作。从注意力练习的角度来看，信念不是固执己见，也不是去相信错误的期望。信念是不需要通过毅力来维持的。简单地说，信念就是一种能力，它让你的注意力稳固在那些正确的、积极的感受上，不会陷入偏见的思维中，让质疑取代真实。

# 基本性格分支

下面这些天性是在孩童时期发展起来的，是 6 号性格者为躲避不值得信任的权威，而形成的一种维护自身安全的生存方式。

## 一对一关系：力量/美丽

对力量的渴望是因为个人在情感上是害怕的，所以需要发展自己的力量来保护自己。这种天性会让反恐惧症型的 6 号男士盲目地去追求一身发达的肌肉，或者让反恐惧症型的 6 号女性喜欢利用自己的外形将男人玩弄于股掌之间。

对美丽的追求让他们变得唯美，尤其注重物质环境和个人形象。关注美丽的形象能够缓解他们在环境中搜索危险信号的紧张。不论是 6 号性格的男性还是女性，都十分注重美丽。

人与人之间总是不能互相信任。当你与某人关系过近时，你就会害怕你的伴侣对你可能有所图谋。一方面，你害怕被抛弃；另一方面，当你的伴侣靠近时，你又会变得非常挑剔。实际上，你是在通过让自己变得"强大"和冷淡来保护自己。

## 社会关系：责任

对于6号来说，在社会行为中遵守相关规则和义务是表现忠诚的一种方式。

在我读大学的时候，我在政治上对犹太复国主义青年团很感兴趣。我们热衷学习和研究以色列的集体农场。后来我才惊讶地发现，我曾经是那么投入于这些思想，我似乎只是在履行一种义务，我根本不清楚自己是否了解那些和我共处了3年多的人。

## 自我保护：关爱

维持他人对自己的好感，是驱赶潜在敌意的一种方法。如果人们喜欢你，你就没有必要对他们感到害怕。

当我从事心理治疗时，总有种力量吸引着我，让我靠近我的病人，感受他们的处境。就好像我和我的病人结成了同盟，去反对一个共同的敌人。这种关系会一直保持下去，直到我发现了他们思想上的盲点，也就是他们心理问题的根源。当我开始对症下药时，我依然要对他们关爱备至，警惕他们对我的疏远，不让他们出现一丝一毫企图逃避的倾向。

# 对6号有帮助的做法

6号性格者往往因为长期一事无成而去寻求心理治疗或者开始冥想练习。他们在行动上的延迟有很多种表现形式，但最集中的表现就是无法让事情善始

*怀疑论者需要一步一步脚踏实地地接近自己的目标，而不是采取错误鲁莽的行为来掩饰内心的害怕。他们还需要注意，不要让过去的负面经历影响了自己。*

善终。典型的表现包括：不停变换工作，总是怀疑自己的领导和同事，在任务即将成功之际给自己寻找摆脱的借口。

6号之所以会寻求帮助是因为他们感到害怕，还因为他们的爱情也经常出现问题。他们把这些问题归结为自己害怕掌握权力。

6号要求他人和自己一样去严肃对待他们主观上的畏惧感，哪怕所有的担心不过是在传达错误的信号。他们无法分辨哪些畏惧是自己的想象，哪些是有事实依据的，因此哪怕稍稍检验一下这些畏惧的真实性，对他们也是非常有价值的。

如果他们能站在中立的立场上去分析问题，大量的疑虑都会消失。怀疑论者需要他人的帮助，让他们把注意力集中在积极正面的目标上，而不要被怀疑包围。让6号性格者坚持一项工作，就和让3号性格者停止一项工作一样困难。

怀疑论者需要一步一步脚踏实地地接近自己的目标，而不是采取错误鲁莽的行为来掩饰内心的害怕。他们还需要注意，不要让过去的负面经历影响了自己。6号性格者可以通过下列方式帮助自己：

★ 学会通过现实来检验自己的畏惧感。检查所有的事实。把内心的害怕告诉一个值得信任的朋友，听听对方的反应，用事实结果来检验自己的思维判断。

★ 注意自己有从他人的行为中寻找潜在企图的习惯。当他人表现出敌意时，首先检查自己是否率先表现出了进攻的倾向。

★ 不要让怀疑为自己关上帮助的大门。在感情关系中，自己的怀疑破坏了双方信任的基础。他们真的值得信任吗？你总是在大脑中突出对方的弱点。

★ 不要总是与他人划清界限。不要总是询问他人的立场。注意到自己总是希望就指导方针与他人达成一致。

★ 打断自己对他人的观察，不要总是强调他人是否言行一致。

★ 注意到什么时候自己的思维取代了感觉和冲动。

★ 不要总是把别人都看作是没有能力或者不值得信任的人，好像其他人都是行动的阻碍。

★ 学会保持联系。不要因为害怕而退出，并认为是对方抛弃了自己。

★ 注意到自己喜欢怀疑他人的好意和恭维，尤其是在自己放松警惕的时候。"在我毫无准备的时候就会被击中。"

★ 承认自己胆量不够。总是需要得到权威的许可才敢行动。

★ 注意自己喜欢质疑权威，而不是去寻找双方的共同点。

★ 认识到自己往往只会想起糟糕的事情而不是快乐的经历。提醒自己去回忆那些快乐的记忆。6号性格者总是喜欢在负面记忆的轨道上行驶。

★ 利用自己的想象力，去想象和表达正面的结果。如果注意力总是集中在糟糕的结果上，那就通过想象力把负面的结果夸大，让自己发现原来现实还不是最糟的。

# 6号需要注意避免的做法

当注意力发生转移时，6号性格者需要注意避免下列反应：

★ 对潜在的帮助表示怀疑，宁愿自己单干。

★ 对成功感到害怕。害怕超越了父母。

★ 随着畏惧感的产生，觉得自己变得被动了，觉得自己失去了棱角，开始犹豫不决，不愿再把项目完成。

★ 希望自己比那些准备帮助自己的人更出色。

★ 喋喋不休。让大脑控制了心灵。让言语和分析取代了实际行为和来自内心的感受。

★ 越来越明显的自我怀疑，而且很容易把怀疑投影到他人身上，认为是他人也对自己的能力产生了怀疑。

★ 妄自尊大。把改变的过程弄得过于复杂。对结果不切实际的幻想阻碍了完成现实目标的逻辑行动。

# 第十二章 7号性格——享乐主义者
## *The Epicure*

## 欢乐型

| 性格特征 | | 本体特征 |
|---|---|---|
| **大脑** | 主要特征：计划 | 高层思想：工作 |
| **心脏** | 主要情绪：贪食 | 高层德行：清醒 |
| **基本性格分支** | | |
| 情爱关系：易受影响 | | |
| 社会关系：牺牲 | | |
| 自我保护：家庭感 | | |

## 困境

他们是小飞侠彼得·潘（Peter Pan）。

他们无忧无虑，在阳光下的海滩上享受生活。

他们积极乐观，对世界充满了好奇，对未来充满憧憬。

他们的血管中流淌的不是血液，而是香槟酒。

5号、6号和7号性格，占据了"九型人格"的左半边。这三种性格分别代表了童年时代对付畏惧感的三种不同方式。6号性格者作为害怕性格的核心，总是警惕地扫描周围环境，而5号性格者则会完全退出令他们感到害怕的环境。7号性格者则恰恰相反，他们根本不在乎，他们努力吸引对方，通过快乐来消除紧张。7号在童年生活中也曾感到害怕，但是他们能够运用自己的想象来溶解害怕，让自己忘记害怕的心理。

7号不会表现出焦虑。他们看上去一点都不害怕。他们给人的感觉很放松、很阳光，喜欢计划并把计划付诸实行。他们把自己的思想集中在对成功未来的规划上，多疑症状（6号的表现）并不会在他们身上出现。

7号是恋青春狂，希望自己是永远长不大的孩子。他们的性格也很像希腊神话中的美少年那西塞斯（Narcissus），这位年轻的美男子爱上了水塘中自己的倒影。有一位仙女埃科（Echo）深深爱上了那西塞斯，但是那西塞斯只关注自己的美貌，他根本没有听到埃科在呼唤他的名字。伤心的仙女最后化作了一缕回声（英文中 echo 一词的意思就是回音——译者注），而那西塞斯最终望着自己的倒影憔悴而死，化作了美丽的水仙花。

每个人都需要一点点健康的自恋。我们都需要发现自己独特的价值和特质。但是如果我们过于沉迷于自身的独特性中，而对于那些反映客观真相的建议视而不见，那就有问题了。享乐主义者就是这样的人，他们坚信自己是出类拔萃的，他们只寻找那些支持他们观点的环境和人。他们拥有细腻敏感的品味，希望享受生活中最美好的一切。他们喜欢保持积极乐观的情绪，喜欢冒险，并对结果充满期望，似乎有一种化学力量让他们不断挑战极限。

7号性格者的世界观在 20 世纪 60 年代的反文化运动（counterculture movement，上世纪 60 年代美国青年人当中形成的一种以反战和反主流文化为特征的价值观和生活方式）中相当流行。在那个佩花嬉皮士（上世纪 60 年代在美国出现的一批佩戴鲜花，宣扬"爱情与和平"的反战嬉皮士——译者注）流行的年代，7号性格者的理想得到了最纯洁的阐释。那些佩戴鲜花的年轻嬉皮士，他们脱离世俗、自由奔放、回归简单的生活，把社会最大限度地理想化。

随着这场运动的继续发展，7号性格者世界观中的阴暗面也开始浮现。他们坚持理想中的现实，但是又无法让这种理想状态在现实中实现。他们的态度变得极度主观，个人身上的任何特点都被高度强调，最后把自己变成了过于自恋的那西塞斯。自我欺骗的效应越来越严重，"哼，我就高兴我是我！"这种内心的毒药取代了改变外在的要求，心理上的自言自语和漂亮的逃避取代了真正的努力和付出。

7号性格者相信生命是没有止境的，总是有令他们感兴趣的事情等着他们。如果生命不去冒险，又有什么意义呢？为什么在可以前进的时候坐在那里不动呢？

7号喜欢同时拥有多种选择，并且为自己安排后备计划。他们往往准备了过多的计划，结果无法让自己完全投入到某件事情中。他们心里考虑的是"哪个计划是目前最合适的"。如果 A 计划被取消了，就去执行 B 计划。如果 B 计划无法进展，我们还有 C 计划。如果 A 计划失败了，而 C 计划又太无聊，我们至少可以选择 B，而 B 计划可能会引出 D 计划。

从防御策略上看，根据一系列连续的选择来计划未来，能够增强生活中的愉悦感，消除枯燥和痛苦。比如，一个在鞋店里工作的7号性格者，可能会把街对面那家和自己老板争夺市场的竞争对手当作另一个后备选择。他们可能会想象自己在对面那家店里做同样的工作。这样的计划对于7号来说很自然，他所关注的是两份工作的相似性，却不会意识到这两家鞋店是多么敌对的竞争对手。

从积极的方面来看，这种注意力集中的方式能够带来具有创造性的解决问题的方式，能够在看似冲突的观点中找到正确的联系。7号性格者几乎拥有了世界上最乐观的世界观，正因为如此，他们对未来雄心勃勃，幻想最好的机会和最满意的生活。

## 7 号性格者的主要特征包括：

★ 需要保持高度的兴奋。同时参与多项活动，对很多事情都感兴趣。喜欢保持感情的高峰状态。

★ 保持多种选择，并把这当作一种避免对单一任务进行承诺的工具。

★ 用快乐的精神活动，比如谈话、计划和思考，取代深层的接触。

★ 避免与他人发生直接冲突。

★ 喜欢把信息相互关联，进行系统分析，这种注意力方式可以导致：

- 从有困难或有限制的任务中理智性地逃脱。
- 从不相关或者看似矛盾的观点中找到不寻常的联系和相似点。

# 3 号性格者和 7 号性格者有些相似

7 号性格者总是能量充沛，只要他们感兴趣，他们就愿意努力工作。表面上看来他们和 3 号十分类似，比如都愿意接受竞争、渴望胜利，而且十分注重他人眼里反映出的自身形象。在旁观者看来，7 号和 3 号都是那种希望被别人称为胜利者的人，但实际上他们内在的世界观有很大差异。

3 号希望拥有控制他人的权力，因为他们对自己的评价来自于他人对他们的尊敬度和关注度。他们希望能够找到一条固定的职业发展道路，然后努力在竞争中爬上顶峰。在他们看来，胜利登顶的标志就是形象、安全、头衔和名誉。

7 号，虽然也处在同样的竞争状态，却把自己的工作看成"一项有趣的活动，我的很多活动之一"。他们同样也希望得到他人的好评，但没有必要掌握控制他人的权力。他们不喜欢让自己背上职业的商标。"把我称作医生是不完全的。我能干的远远不止医生这一行。"他们的想法是要在所有感兴趣的活动中都有所收获。

"我跑步，我做饭，我写诗，我可以做任何事。"

7 号并不像 3 号那样一定要让自己做到最好，尤其是当他们的时间被诸多项目瓜分时。当他们面对那些瞧不起他们能力的人时，他们也不会向 3 号那样急于证明自己。他们只要求自己被安排在最好的跑道上参加竞争，但是他们不会为了获得一场赛跑的胜利而放弃其他的兴趣爱好。

"我想知道我是能干的，但是我不需要证明我自己。"这就是他们的态度。他们可能会花上一段时间努力工作挣钱，目的是为了从工作中脱离出来去做其他事情，而不是为了去买一辆显示身份的豪华跑车。他们的成就感来自于让生命中充满各种美妙的事情，并且在不受永久承诺约束的情况下，轻松登上顶峰。

工作狂 3 号和自恋狂 7 号有着很大的心理差异。3 号认为个人价值完全取决于自己赢得的成就。他们要求把每一件事情做好，这样他人就会赞美他们出色的表现，从而让他们看到自己的价值。他们工作的努力程度超乎自己的想象。他们追求的并不是一种良好的感觉，而是一种让他人产生敬畏的权力。

7 号也渴望得到他人的好评，他们认为他人的敬意能够准确反映个人的内在价值。但是他们不会长久地付出，因为"生活很美好，我高兴做我自己"。如果他们的优点没有得到他人的认可，7 号会从自己身上寻求安慰。他们觉得导致这种拒绝的原因并不在于他们自己。只需要一次郊外的远足、一本好书、一阵灿烂的阳光或者一杯热茶，他们就能让糟糕的情绪烟消云散。

从这一方面来看，如果遭到他人的漠视，自恋者的痛苦要比 3 号性格者少得多，因为他们还有自己可以做伴，而且他们始终坚信属于自己的远大前程。

# 家庭背景

7 号性格者的童年充满了美好回忆。他们的回忆就像一本装满快乐照片的相册：一个正在游泳的活泼男孩，一个穿着小围裙的可爱女孩。通常，他们的回忆中没有痛苦。

"我父亲把我们从母亲身边带走了，我当时 8 岁，等我 9 岁的时候，我就已经忘记了她。"即便是父母离异这种他人看起来很糟糕的事情，也很少会让他们产生憎恨或者抱怨的情绪。7 号性格者倾向于"我决定不要那样"或者"我发现了其他事情，所以不会觉得烦恼"的态度。

我想了很多原因，为什么自己会成为 7 号性格者，为什么 7 号的特征会出现在我身上。当我第一次看到一群 7 号性格者在一起讲述他们的故事时，我的感觉几乎和他们完全相同，除了他们所说的畏惧感，我好像从来没有感觉。

后来，我想起来有一次我从新转的学校回家，在路上迷路了。我知道如果回去晚了，妈妈一定会揍我的，我开始担心被她撞见的样子，心里很害怕。可是我很贪玩，虽然害怕还是在路上和一群孩子玩起了足球，我一直玩到了天黑。

到了吃晚饭的时候我还没回来，妈妈于是打电话报警了。他们发现了我，把我送回家。我记得自己是坐着警车回家的，我害怕得浑身发抖。然后我看到屋子后窗里透出的灯光，想起了刚才的足球比赛，然后我的心又回到了那场球赛上。

我知道，不管她怎样对我，我都可以躲在自己的心里，在心里玩足球，直到一切结束，我还是会活着。

7号的注意力总是自觉地向积极的回忆靠拢。为了保护自己而学习空手道的男孩，会记得自己最得意的比赛。15岁就从家里出走的女孩不会去强调离家的原因，而会去描述出门后的兴奋。这种注意力的关注与6号性格者是完全相反的：怀疑论者倾向于记住那些最糟糕的事情，而远离痛苦、追求欢乐的享乐主义者，则总是记得最美好的事情。

对于7号来说，很多关于童年的回忆都是客观真实、积极正面的。他们倾向于在记忆中把母亲的形象塑造得比父亲更好，这种对于男性权威的偏执反抗也会让他们带有温柔的反权威色彩。

我的童年生活是典型的乡村生活，我很爱我的父母。没有人伤害我，我获得了很多爱与支持。我惟一的抱怨是为了去见我的朋友们，我必须骑上3英里的自行车。当我一个人的时候，我就给自己讲故事，我不太喜欢让别人告诉我该做什么。

当我6年级的时候，我意识到我的思考能力可能已经超过了我父亲。我爱他，但我知道我比他想得更快。所以如果我想让他同意某件事情，我总会首先找出他可能反对的因素，然后提供一个符合他想法的方案，诱导他同意。

# 安排和计划

每一天都充满了各种可能。7号会在大脑中就自己感兴趣的事情列出一份清单。他们是那种抗抑郁型的人，所以工作总是混入了大量的想象和精神关注。即便是在工作中，你也可以因为阳光下走过的金发女郎而感到快乐，或者对墙上的阴影充满好奇。

7号的想法就是保持快乐的情绪，如果对工作感到疲劳，就赶快放下工作，把注意力转移到其他事情上，不要让枯燥和厌烦乘虚而入。7号可以无休止地工作，尤其喜欢同时处理三件或者四件事情。他们很少会去专一地做某一件事情，每件事情都像三明治一样，被夹在其他快乐的事情中间。

我最喜欢在周末安排下周计划的时间。下一周要做的事情都被列在单子上。有满满一周的事情要做，一部具有4星关注度的电影，一顿10星关注度的晚餐。这种感觉很好，你知道下一周将会有哪些甜蜜的事情等着你。

上世纪60年代那种"随心所欲"的思想正好描述了7号性格者制定计划和安排的背后动机。永远不要为自己寻找沮丧和犹豫的理由；你所要做的就是把自己感兴趣的事情列成一个清单，然后根据这个清单去操作。

我的想法就是让自己拥有尽量多的选择。你可以打排球，也可以穿上正装去看一场电影，也可以在乡村小路上骑上一整天自行车。最大的好处在于，你在与别人同样的时间框架中做着自己最喜欢的事情，直到另一件事情出现把你叫走。我曾经走到电影院门口，买了门票，甚至连爆米花都买好了，最后却没有进去看，因为我突然有了一种无聊的感觉，这是我最不想要的。

7号性格者相信只要拥有选择，生活就是没有止境的。他们不想错过任何美好的事情，即便他们暂时没有时间去实现某个愿望，他们也可以去想象没有实现的美好。临时的承诺很容易，但是长久的承诺却很难，因为永久会让他们失去无限可能的未来。7号喜欢各种各样的体验，他们喜欢每件好事都点到为止，而不是把自己完全奉献到某项事业中。

我的内心中有一个完整的计划安排。这个计划包括了我工作的时间、和家人相处的时间、度假的时间以及听音乐、跑步和出海航行的时间。这些事情都装在我心里，不管我有没有在做这些事情，它们至少都是我想做的事情。如果有了和朋友聚会的机会，我会重新设计我脑海中的计划表，改变我的就餐时间，这样我就不会撑着肚子去跑步。所有的事情都会很快被重新安排妥当，不会发生冲突。

如果某项计划取消了或者有了突发情况，我总是有替代计划，比如其他可以选择的餐厅，或者如何从下午与朋友玩音乐的时间和晚上到餐馆吃饭的时间中挤出一块工作时间。

## 选择性思维

各种选择的集合意味着 7 号永远无法被限制在一件事情上。他们的脑海中总是同时有好几件事情在进行，而且因为这些都是 7 号内心感兴趣的事情，很可能导致 7 号在完全不同的事情上做出相同的行为。

在工作方面，我总是能够做出选择，尽管这些选择可能很武断。你必须尊重与他人达成的协议并及时履行你的协议，尽管有时候你可能会改变想法。在感情方面就不是那么简单了。我已经结婚好多年了，好在我丈夫总能想出一些新花招，让我不至于对婚姻感到厌倦。

尽管如此，在我们婚姻的最初阶段，我试图让自己做出长久的承诺。为了解决我的心理问题，我曾经找了三、四家不同的心理诊所，我希望得到不同的建议。然后我发现，自己在严肃考虑与其他男士相处的关系，希望从他们身上找到我未婚夫的特征。不过这并不能算是对我们爱情承诺的背叛，毕竟，我是在努力发展一段关系，而且态度是严肃的。

从旁观者的角度来看，这位 7 号性格者可能为自己找了太多的心理诊所和太多的选择方向。但是从 7 号的角度来看，所有这些选择和想法在本质上都是相关联的，因此，她可以完全同意某位心理医生的说法，然后按照另外一位心理医生的建议去做。毫无疑问，他们的注意力似乎总是可以同时朝着几个不同的方向发展。

你可以跟我谈论你最近学习到的某种哲学体系，比如说禅宗。当你在介绍这种哲学的细节观念时，你说的某些内容会让我想起其他体系中的一些相似观念，而你可能毫不了解。我对禅宗的兴趣可能就在于它与其他事情的相似点在哪里，比如马拉松、九型人格或者高尔夫。

你对禅宗的谈论点亮了我心中的六、七个其他方面的兴趣。所以尽管我对你的看法表示同意，但我并没有关注你说的内容。我关注的是在你描述的禅宗概念中，有哪些信息符合我的其他兴趣，我会把你对禅宗的描述放置在我自己的思想体系中。通过这种方式，我可以同意你的观点，同时拥有我自己的其他选择。

## "万人迷"与"吹牛大王"

尽管 7 号性格者和 5 号、6 号性格者拥有同样的偏执症状，那就是害怕，但是他们从来不会表现出来。

7 号性格者非常合群，而且能说会道；他们魅力十足，喜欢享乐。他们是"万人迷"。他们十分聪明，能说会道，常常可以用花言巧语取代实际行动。事实上，7 号性格者说他们更喜欢灵机一动的感觉，它们不愿被局限在苦役一样的工作中。

5 号性格者和 6 号性格者都有无法表达自身想法和做事不能善始善终的问题，他们都害怕别人来评估自己的工作。7 号也有同样的问题，但是他们会用迷人的谈吐和令人愉快的风度来掩盖自己害怕暴露缺点的感觉。

他们害怕对某事过于投入，广泛的爱好只不过是他们的幌子。对快乐的追求看上去是一种积极的表现，而实际上则是为了遮掩内心逃脱痛苦的挣扎。7

号性格者总是无法让自己专注于某一件事情，因为当注意力被局限在某一件事情上时，负面的反对声就会出现。认为自己"天生有才"的夸张想法在放大镜般的关注下就会消失。正因为如此，带有自恋情结的 7 号将尽量避免发现自己的问题，他们不断强调自己的潜能，直到这种潜能成为现实。

7 号性格者同样还扮演了吹牛大王的角色。他们总是让自己充满吸引力，希望得到其他人的崇拜和爱慕。他们挑起了他人的期望，让他人对他们充满幻想。7 号尤其喜欢那些他们关注的人拜倒在他们脚下，但是 7 号也很容易对重复的活动感到厌倦。

他们吸引他人注意，实际上是为了满足自己。他们真正自恋的表现是，他们会在激情的缠绵后立刻把对方遗忘，以至于第二天接到对方的电话时，他们已经无法说出对方的名字。

要找到一个不令人厌烦的人真不容易。我的解决办法就是找一个和我一样的人。我爱我的生活，也爱我做的事情。我一直以为，我想要的不过是某个能和我一起玩的人。然后我发现了她，令我失望的是她居然也是 7 号性格的人。她有各种各样的爱好，她也是个出色的爱人，但是她总是无法把心思完全放在我身上。

我无法忍受她有那么多成就，注意力总是在其他地方，而不在我，所以我决定求婚，通过一个家庭让大家稳定下来。现在，我们有了几个孩子和美好的时光，我把她当作一面镜子，看到她我就知道自己是多么以自我为中心了。

## 自大与自卑

追求高度刺激可以让 7 号性格者逃避现实，也可以激发他们的好奇心，去进行创造性的探索。一个病态的自恋者会相信自己拥有他人无法相比的智慧，觉得自己高人一等，理所当然地会拥有他人的认可和支持。那些坚信自己具有特殊能力的 7 号会迅速奔向快乐，实际上却是为了逃避痛苦。

自恋者的痛苦在于他们可能发现自己并没有想象中出色，这样的答案会让他们感到自卑，这是他们不想要的。

他们的内心有一个问题：我站在哪里？我到底是比我发现的自己好，还是更糟糕呢？

在病态的自恋者心中，答案总是我的水平更高。对于那些能够自我观察的7号而言，这种比较在他们思想中也是存在的，但他们可以提醒自己去客观看待自己的实际能力。

我发现自己有自恋的问题，是因为我开始瞧不起一个朋友。这种自恋是非常隐蔽的。我会原谅朋友们的愚蠢，或者在心中默默批评他们做的错事。一旦我发现自己是在和一个不如我的人打交道时，我就想离开。我厌倦他们讲的内容，他们做什么我似乎都能预测到，这让我忍不住想尖叫。我在心里暗笑他们的鼠目寸光。

当他们看上去特别愚蠢和不可救药时，我知道是自己的想法出了问题。一个好朋友怎么会变得如此糟糕呢？我怎么能够对一个昨天看起来还很聪明的人产生如此轻蔑的感觉呢？结果是，如果我不是完全的正确，那就是完全的错误。如果我错了，我会感到朋友们其实都很棒，而我自己则一无是处。

如果长期放纵自己去做"最好的事情"，7号就很容易产生自大心理。如果7号的内心开始赛跑，这说明他们可能出现了问题。当他们的生活被一件件活动安排得满满当当，没有一点喘息的时候，当他们的注意力被强迫分散到各种选择中时，7号就陷入了疲于奔命的状态。

我无法想象人们怎么能投入一个职业，然后干一辈子。他们怎么知道他们想要这样的生活？我是一个多才多艺的人。我每天都表现得很出色。我所从事的每一件事情，都代表着一个更大的可能、一种没有尝试的方法，一个绝妙的主意。

我在大学中选修的课程从宗教工作到中东问题研究，我毕业的时候已经学习了50多门不同的课程。我的毕业论文涉及三大领域，要不是我的评审委员会缩小了我的题目，我的范围会更广。

但是，我在提交论文的时候几乎要选择放弃，因为那些打印出来的文字和我想象中水平差距太大，尽管这并没有影响我毕业。现实让我发现了一个秘密，那就是我居然需要评审委员会的帮助，我的论文并没有在学术界引发地震，我不过是个愚蠢的博士，而不是我曾经以为的天才。

# 权威关系

7 号性格者希望能与权威平起平坐。他们喜欢平等的状态，没有人在他们之上，也没有人在他们之下。从表面上看，权威也是普通人。7 号对他们有一种天生的优越感，而且这些人也会被 7 号清楚流利的表达所吸引。

但是现实中，享乐主义者是属于害怕类型的，他们追求与当权者的快乐相处是为了消除权威对自己的控制。如果他们的自由受到任何形式的限制，他们通常会变成强烈的反权威者。那些小权威的力量会被自动最小化。7 号性格者相信他们能够说服任何阻碍他们的人。

从好的方面来看，7 号很擅长带动团队的整体情绪。他们的安排令人愉快；他们似乎无所不知，而且还假装知道得更多；他们有良好的表达能力。他们会坚持积极的选择，而不会产生疑虑。他们能够把理论与实践相结合，并且结合各方面力量，来努力实现他们的构想。在项目实施的最初阶段，以及项目遇到困难时，他们的效用最高。

从不好的方面来看，7 号往往会在最初的计划和实施阶段过去后，就失去了热情。他们的兴趣在项目进入中期后发生了转移。他们很难对一个项目投入从头到尾的热情。一旦想法变成了一个可以实施的计划包，7 号就会对常规的工作和缩小的选择感到失望。如果他们被授命去研发新的计划项目，或者被聘用为兼职的计划顾问，他们的工作可能更有成效。

7 号可以坚持关注一个让他们感兴趣，但却不切实际的想法。他们会用大量的设想和理论来代替枯燥而艰苦的工作。只要是没有实现的，他们就不会放弃。他们看不惯那些"目光短浅"的人。

## 权威关系实例：7 号 vs. 3 号——享乐主义者 vs. 实干者

这两种人在工作中都属于能量充沛型。3 号性格者的目标是事业的成功，7 号性格者则是受到兴趣推动，并且希望发现新的兴趣。这样的组合可以说非常出色，如果 3 号愿意承担表面的领导工作，而 7 号能够从一个顾问和伙伴的位置上帮助 3 号。站在顾问和伙伴的位置上，7 号既不需要承担明确的责任，也不需要去考虑他人的期望，更不用陷入重复的工作中。不管工作是枯燥还是有趣，3 号都会从头到尾付出百分之百的努力；7 号也会和 3 号一样努力，只要他们觉得自己所做的一切是有趣的。

这两种类型的人都是社交能手。他们能够把自己的项目介绍给公众；他们都相信自己的立场是正确的，并希望吸引他人来关注自己的观点。

如果 3 号是老板，他们可能对员工寄予过高的期望，以为员工们和自己一样追求企业的成功形象，因此对员工提出过高的要求，加大员工的工作量。7 号雇员会想办法敷衍老板，以节省自己的时间和能量。比如，他们会用同样的一份报告来应付两个不同的部门。由于 3 号老板是那种重效率胜于质量的人，只要没有什么大问题出现，他们就不会去质疑员工的抱怨行为。只要项目还在不断发展中，3 号和 7 号都不会去考虑质量问题，除非不满情绪让问题彻底暴露出来。

只要 7 号员工对工作项目感兴趣，他们愿意在老板的强大压力下工作。在项目进程的初期，7 号是最有用的，他们会发挥自己的特长，提出新颖的创意、独特的设计，还能带动其他同事投入到工作中来。只要 7 号的创新符合指导方针，不是异想天开，3 号会很高兴有这样的员工在团队中。

一旦项目安全起步，3 号和 7 号在工作目标上的不同就会逐渐表现出来。3 号想要得到公众的认可和银行里不断增长的存款；而 7 号员工，觉得这些目标限制了自己。为了保持自己的兴趣，他们只能屈服于老板的要求。如果 3 号只想要机器一样的员工，7 号就会离开。

如果 7 号是老板，他们不会想要去管理员工，尤其不喜欢直接发号施令。

*他们的主观想法中有一种很奇怪的矛盾：一方面他们认为每个人都是独特的，都应该受到尊敬；另一方面，他们又觉得自己应该高人一等。*

工作的指导方针可能是非常抽象和松散的。为了避免工作中产生冲突，7号总是希望每个人能平等地参与到工作中。如果3号员工聪明的话，他们会把老板抽象的指示细化成具体可行的工作步骤。如果有什么坏消息，他们会尽量自己解决，而避免让老板知道。如果3号能够把7号的想法付诸实施，而7号又对3号员工给予高度认可和额外的奖金，整个团队都会欣欣向荣。3号愿意承担额外的责任，只要他们的付出受到了尊敬，同时他们能够清楚看到继续发展的可能。

如果7号老板总是提出一些异想天开、不切实际的想法，让工作方向变得模糊不清，3号员工会想办法减少团队中的不满情绪，想办法改变团队的组织结构，让老板与他们保持一致。如果3号的努力失败了，他们就会想要离开，找一个发展前途更大的工作。

## 理想主义与未来主义

7号性格者和所有真正的偏执狂一样，都反对权威。但是他们不会和权威发生直接正面的冲突，而是去委婉地摆脱权威的控制，让自己与权威处于平等的位置。

"你做你的事情，我做我的事情。"7号会这样说。意思是他们是自由的行动者，他们只听自己指挥。他们还会说："不要在我背后指指点点，不要告诉我该做什么。"

他们的主观想法中有一种很奇怪的矛盾：一方面他们认为每个人都是独特的，都应该受到尊敬；另一方面，他们又觉得自己应该高人一等。一个7号性格者可能会从我们每个人身上发现一种独特的性质，但是又觉得我们每个人都被这种特性所限制，而他自己则可能拥有了我们的所有特性。7号认为数学和音乐是可以相互融合的，而且他们不必花费太多精力，就能同时精通这两种爱好，因为他们为自己树立了理想的自我形象，这让他们相信，自己的天赋能够让他们在几个月之内就轻松掌握数学和音乐的奥妙。

*一个7号性格者可能会从我们每个人身上发现一种独特的性质，但是又觉得我们每个人都被这种特性所限制，而他自己则可能拥有了我们的所有特性。*

7号性格者的想象总是积极正面的，这也让幻想和理想取代了真实信息。这些天花乱坠的想法构建了一个理想的自我，这个理想形象取代了现实中对真实和深度的要求。

7号性格者的很大一部分快乐都来自计划活动和参与活动的过程。在他们脑海中，未来的一切都是甜蜜的。在他们看来，未来的想象就像摆在眼前的桌椅一样真实可信。

7号认为，一顿美餐给人的最佳享受往往是在佳肴端上桌之前，因为所有美味都会出现在他们想象中。同样，如果一个享乐主义者正在享受一顿美餐，他们内心的想象力会把其他快乐同时注入到他们的真实感觉中，从而让这种享受极度膨胀。他们可能会想到记忆中的一次迷人日出，想起和好朋友们一起观看日出的美妙感觉。也就是说，当他们用餐时，他们可能会把过去的美好记忆和未来的美好憧憬都融入到这顿美餐中。

7号会沉浸于自己的想象中，因为这种想象让他们觉得所有事物的美好面都被汇聚在了一起，而且这种美好是真实的。

7号说，他们能够从精神和智慧追求中获得极大的愉悦。他们天生敏捷的注意力让他们能够为普通问题找到精彩答案。对于那些只关注现实的人来说，7号的想象力可以说是天马行空。

下面的陈述来自一位专业的未来学家。这位7号性格者说自己的心灵就是他最好的朋友，他的想法就是他每天的伴侣。他的工作就是去分析一些历史性的潮流，然后预测这些潮流如何能更好地与现实相结合。

我最亲密的爱人就是我的想法。认识这些想法是那么快乐，就好像把生命重新注入一个已经失去呼吸的躯体中。这种感觉就像恋爱一样。我珍惜我的每一个想法，它们都是那么可爱。我还曾经迷上过飞机和其他一些具有速度感的机械。它们把我带到一个远离现实的地方，让我独自拥有无数选择，每件事情都可能是我需要的。

*在某种意义上，7 号并没有生活在真正的情感关系中，因为他们的内心总是充满了关于情感关系的各种想象。*

# 亲密关系

7 号性格者会通过与他人共享美好事物来建立亲密关系，但是他们会十分在意承诺的束缚。当所有的可能都存在时，他们是最高兴的。

"爱情错了怎么办？"

"分享最美好的东西错了怎么办？"

他们总是有这样的担忧，所以他们喜欢去冒险尝试所有的美好，而不愿去单纯地享受一顿完整的大餐。如果要他们完全投入到一次情缘中，不管是多么诱人，都会让他们感到枯燥和厌烦，因为他们觉得这种承诺限制了他们拥有其他罗曼史的可能。

通过一起做事，一起讨论感兴趣的话题和美好的事物，7 号与他人建立亲密关系。这种谈恋爱的方式是具有冒险性的，因为这样的交流往往让他们忽视了生活中平淡无奇的一面。一旦出现了问题，7 号会选择大量活动让自己忙碌不停，让双方没有讨论问题的时间。"有重要事情去做"会成为他们的招牌借口。

"对不起，我只有 10 分钟来讨论我们分手的问题，我还要赶飞机航班。"他们总会这样说。

冲突和责备是自恋者无法接受的，这等于证明了他们的失败。他们总是喜欢把严肃的谈话安排在日程表上，然后通过临时变故，取消原定计划。

在某种意义上，7 号并没有生活在真正的情感关系中，因为他们的内心总是充满了关于情感关系的各种想象。但是从另一方面来看，他们非常善于让一个情绪不佳的伴侣重新快乐起来，因为他们总是能找到快乐的理由。

不过，7 号性格者这种喜欢用快乐情绪取代负面感觉的习惯也会给他们带来烦恼，就是他们往往无法对付那些在情感上不能自拔的人。如果伴侣无法从痛苦中摆脱出来，无法露出笑脸，7 号会认为自己的乐观精神受到了限制。7 号说，他们为了回避伴侣的抑郁情绪，常常会为自己安排一系列活动，让自己远离家庭。

尽管最终的承诺很难，7号也会在分手后怀念美好的时光。他们对于爱情的理想设计是，他们的伴侣能够加入到那些他们喜欢的活动中来。他们希望"生活是美好的"这个想法能够在伴侣身上得到印证。他们希望双方的关系中没有限制和约束。如果这种完全美好的景象无法实现，那么第二美好的选择就是保持对7号具有吸引力的友谊，不至于让7号感到厌烦。

7号性格者在情感关系上的优点是，不论做什么事情，他们总是能够让人感到愉快。他们能够找到新的兴趣，并与伴侣分享；能够让人忘记过去的悲伤，开始新的生活。

不足之处是，如果伴侣缺乏快乐精神，或者陷入忧伤而无法自拔，他们就会想要离开。他们会把离开当作对原有承诺的理性思考，会以意外事件为借口来改变自己的原有计划。

## 夫妻关系的实例：7号 vs. 6号——享乐主义者 vs. 怀疑论者

这两种人都有潜在的偏执特征。6号是公开地害怕，7号则通过选择后备计划来避免害怕。如果7号能够认真对待6号的恐惧感，带6号到户外散心，参加一些活动，会对他们的夫妻关系有很大帮助。一旦处于忙碌的活动状态，6号的恐惧感往往就会消失，所以7号可以带动6号进入活跃状态。6号通过给7号帮助自己的机会，也在无形中促进了夫妻关系，因为他们让7号的许多潜在想法变成了现实。

6号认为他们生来就是要担负责任和努力工作的，而7号的基本立场是让自己拥有无限的机会。只要双方都愿意接受对方的观点，比如6号学会阻止自身的恐惧感，让自己投入到实际行动中，7号学会把注意力集中在一件事情上而不会感到害怕，他们能够相处得很好。

这两种类型人都倾向于生活在未来，6号希望消除关系中的潜在威胁，而7号则幻想着夫妻二人共享的奇妙经历。同样，双方可以通过接受对方的生活态度，来相互支持，增进感情。7号可以带领双方朝着快乐的可能努力，6号可以通过对困难的实际评估来稳定他们的计划。

双方都愿意努力实现未来的目标。7号的热情将消除6号的疑虑，让双方积极面对理想；而6号能够从每天的辛劳中发现美好，这能让夫妻脚踏实地，在正确的轨道上前进。

夫妻双方的矛盾主要产生于这两种类型的人对于一夫一妻和永久承诺的不同追求。6号希望在他们做出承诺之前，首先获得对方的承诺；7号则希望保持自己的空间。6号很容易产生妒忌心，7号模糊不清的表态会让6号想到最糟糕的结果。6号伴侣会把7号多项选择的生活方式看作是一种放纵、不忠贞的表现。

如果7号在外面的表现不检点，或者把大量时间花在那些户外兴趣上，6号就会觉得婚姻关系受到了威胁。如果6号因此变得抑郁或者过于担心夫妻关系的未来发展，双方的关系可能会陷入恶性循环之中。6号担心自己被遗弃而情绪低落，结果反而让7号起了离心。6号可能会变得非常恼火，觉得"自己什么都要做，而你却在外面吃喝玩乐"；针对这种抱怨，7号的回答往往是："没人让你这样做。"

如果7号愿意协商，愿意对双方的关系做出清楚的承诺，6号就能了解对方的立场，双方的冷战关系就能得到缓解。很多6号在获得对方清楚的表态后，内心的恐惧感就消失了，也不会再去担心7号的闲暇时间都是和谁在一起。

如果7号愿意通过忍耐和反省来增进夫妻关系的质量，他们能够从6号对承诺的忠诚中学到很多东西。

如果6号能够努力记忆夫妻关系中最好的方面，而7号又愿意去关注那些负面因素，主动去解决问题，他们的夫妻关系将大有长进。

## 7号性格者的注意力

在外人看来，7号性格者很像那种业余的艺术爱好者。这种人往往什么艺术种类都会一点，但是都不精通，换言之就是"半瓶醋"。7号性格者往往爱好广泛，他们手头总是同时在做好几件事情，他们的枕边总是放着三四本没有看完的书。他们从一种体验转向更多的体验。在面对新的兴趣时，他们的注意力会以百米赛跑的速度冲过去。

从 7 号的观点来看，所有这些兴趣都是互相关联的，都会把他们指向某个方向。在未来的某个时刻，这些兴趣会汇聚到一起。这是一件多么美妙的事情！在一个逃避现实的人看来，注意力是可以在甜蜜的回忆、奇妙的思想和有趣的计划之间来回移动的。下面的陈述来自一位年轻的 7 号性格者，他组建了一个跨学科研讨小组，但他说不清自己这个研讨组到底属于哪个学科。

我创办研讨小组不是没有根据的。我了解至少 10 门不同的学科体系，我采用折衷的办法，吸收每一门学科的精华。我不喜欢课前准备，喜欢有什么就说什么。我的课程提纲会包括每个听课者需要的内容。我的课程介绍是这样写的："我们会学习冥想练习、武术、神经语言学以及莱克式呼吸（Reichian Breathing，一种迅速提高身心能量，让人感到轻松的呼吸方法）……"

这个研讨小组的组织者没有把自己的注意力集中到某个具体问题上面。他只不过是想通过不断改变计划，来把所有问题都涉及到。

如果他能够投入精力去研究真正的问题，而不是对每一种新技术都一知半解，他的学生能学到更多知识。

接下来的陈述来自另一位 7 号性格者，他已经发现自己的注意力可以成为解决问题的有效途径。他的方法和前面这位年轻的研讨小组组织者是不一样的，因为他能够把所有的注意力集中到一个问题上，而不是通过不断转移注意力来忽视具体的问题。

我的工作是机构发展顾问。我们的客户是那些陷入危机或者有些停滞不前的企业。这些企业很多都是拥有许多不同子公司和不同部门的大企业。所有的子公司或部门都希望牺牲他人，成就自己。我从他们那里得到完全矛盾的报告。我感觉他们是我手中不同的牌，我必须合理搭配这些牌。

我把这些牌都摊开，直到发现它们之间的联系。只要我不断洗牌，选择不同的组织结构和搭配方式，总会找到一种令大家都满意的方法。我认为自己的工作是一种脑力震荡，不断寻找各个部门的共同点，这样这些部门就能为了自己的生存而互相合作。

这种洗牌常常也会带来困难，特别是当你要改变一种固定程序和等级结构的时候。那些告诉人们需要变革的会议总是让我疲惫不堪，不过我的"纸牌原理"总能帮助我完成工作。

# 直觉类型

7号性格者喜欢把新的信息放到相互关联的多个背景中，这种发现直觉的办法与讲故事的技巧十分相似。

在讲故事的过程中，你往往首先把中心问题放在一边，从一个完全没有关系的事物或场景进入，慢慢引到正题上。一般是在故事讲到一半后，你开始抛出故事真正的主题。你通过不同的场景、不同的角色、不同的情节来表现你的主题。会讲故事的人总是不断给读者以暗示，让他们找到发现故事主题的线索。

我的研究领域很复杂，它一只脚站在科学领域，另一只脚站在哲学领域，还有其他几只脚涉及统计学和历史。这项工作需要不断地把我从一个领域获得的信息与其他领域联系起来。我无法用逻辑的力量来实现这一点，因为一门学科的结构是无法照搬到另一门学科中去的。我经常会遇到障碍，当我碰到一堵墙时，我总是想休息一下，来一杯咖啡和一个新出炉的牛角面包。我会把注意力转移到其他事情上，比如慢跑或者和朋友聊天。

通常这种休息会让我很放松，而且当我重返工作后，我会表现得更好。偶尔在我休息的时候，某件看似和我的问题毫无关系，而且并非处于首要关注层面的事情会突然蹦出来，成为我想要的答案。

一个最典型的例子就是，有一次，我听到我老婆给小儿子讲述缝纫机的原理，不知为什么，我被她讲述的语气吸引了，当她在描述缝纫针是如何把缝纫线穿连起来时，我突然迸发了灵感，发现我正在撰写的一篇文章忽视了一个与之相关的历史问题。

# 高层心境：工作

7号性格者的逃避有两种表现。首先，如果他们的计划充满了美好幻想，他们就宁愿沉浸在这种想象中，而不愿去面对现实中的枯燥工作。为什么不能生活在梦中，让别人来替我付账呢？

另一种逃避要更加隐蔽，往往具有欺骗性。人们以为7号点头就表示同意，而实际上他们可能只是认可了问题的某个方面而已。他们的承诺是带有水分的。比如，如果你承诺一夫一妻制，你认同的可能是夫妻双方互敬互爱，而不是一生只爱一个人，因此，你可能还是会爱上其他人。

很多7号性格者会认识到这一点，但是他们倾向于把打破承诺的后果最小化，并强调说："爱有什么错？爱是一个平衡器，所有的爱不都一样吗？"这种说法实际上是在为自己推卸责任，好像一切都是因为情不自禁。

工作意味着对一件事情做出完全承诺，意味着认真对待一件事情，而不是在多种选择之间徘徊，因为你不愿错过任何好东西。工作意味着一定程度的自我约束。你不得不限制自己的其他选择，把自己投入到单一的计划中。即便这个计划面临风险，你也不能改变它；即便你受到了批评，或者其他人都对你的计划毫无兴趣，你都不能抛弃你的工作。

从注意力训练的角度来看，工作意味着把注意力完全集中的眼前，能够接受任何现实，不管是快乐的，还是悲伤的。当你在工作时，你在一段时间内只关注一件事情，直到任务被完成。

对于具有自恋情结的冥想练习者来说，这种把注意力集中在内心某件事物上的练习是非常枯燥的。他们的注意力总是被五光十色的想法和梦境所吸引，这让他们很难放慢自己的心思，把注意力集中到一点上。

如果冥想中的表现让我们发现自己并没有想象中那么好，那这个练习就更加困难了。自恋的 7 号需要相当的勇气才能面对一切。他们很难接受自己并不如想象中完美的现实。

我在参加住院医生实习时，开始对医学感到绝望，发现我不想当医生。以前，在我的潜意识中，我总是认为医生可以反抗死亡，因此我在做一件有用的事情。然后我被安排到肿瘤病房，每天我都看到重病患者和他们的家人生活在痛苦中，但是我却无能为力。

一开始，我无法接受这样的事实。一定有帮助我的病人解除痛苦的办法，比如一个不同的医疗方案，一个多方位的治疗计划。最后，我还是不得不接受死亡的事实。后来我发现，是我自己的想法超越了现实。我不相信自己会死，我开始研究癌症，我对癌症产生了浓厚的兴趣。

我把我的研究方法称作"精神体验"。我一边透过显微镜观察那些癌细胞，一边和我的内心斗争。我会尽量把注意力集中在装有癌细胞的器皿上，压低我的呼吸，但是我的脑海里可能在想我读的一本书或者晚上和朋友的一个约会。这种感觉就好像在生和死的边缘徘徊。死亡就躺在显微镜下面，而生命正在召唤我。

然后我看见那些癌细胞向我打开了。在显微镜的载玻片上，它们还是一个个污点，但是在我眼中，它们变成了一个个发光的小太阳。我所要做的就是看着它们慢慢展开，知道它们是有生命的。当我回到自己的意识中时，我相信我刚刚经历了某种特殊的境界；通过把自己的注意力专注于一点，我窥视到生死之间的某种真实。

尽管这种体验并不能改变任何事实，癌症仍然是最厉害的杀手，但是它确实让我明白了自己并非不朽的生命，让我更多地意识到自己的局限性。

# 贪食

7 号性格者的"贪食"不是说他们的胃口有多好，而是说他们总是热衷于任何新的尝试。这种"贪食"集中表现在：他们总是对兴奋和体验充满了渴望。

7 号说他们沉浸于自己的肾上腺素中。他们喜欢身体能量的迸发，喜欢冒险的兴奋，喜欢精神上的刺激。他们还常常被迷幻药或者其他能够让他们精神兴奋的药品所吸引。"贪食"是身体对刺激和体验的饥饿感，而不是对食物的饥饿感。事实上，为了让自己的兴趣保持下去，他们宁愿在达到满足之前就离开体验。7 号喜欢拥有各种各样的体验，他们宁愿每一道菜都品尝一点，也不愿被一道菜填饱肚子。

精神上的"贪食"在修身养性的练习中被称为"猿心"（monkey mind），指人的思想左右不定，跳来跳去，就像森林里的猴子一样。这和中国的成语"心猿意马"意思很像。

"猿心"的问题是冥想者无法让自己的注意力集中，因此无法进入深层的思想境界。要克服这个问题，冥想者需要把注意力安静地关注在单一的思想上，拒绝外在的各种诱惑和幻想。

身体上的"猿心"常常被 7 号描述为渴望尝试任何可能的感觉。他们说，当他们准备投入到好几项迷人的活动中时，他们就会感到自己充满活力，而且只要他们的兴趣还在，他们就会拥有无尽的体能。他们保持活力的秘诀就是在他们对一项活动感到厌倦前就离开。7 号还说，他们为了做自己感兴趣的事情，他们宁愿不睡觉，也不愿意放弃自己的兴趣。

# 高层德行：清醒

清醒，简单地说就是能够坚持一项活动，不会被其他事情干扰，不会被兴奋的后备计划吸引。7 号说，他们害怕放慢脚步，让自己投入到单一的行动中，因为承诺总是意味着枯燥和痛苦。

从精神层面来看，7 号喜欢想象积极正面的事情，这与 6 号为了做好准备而想象最糟糕的情况是截然相反的。所以 7 号往往是处于自我陶醉的状态，这些享乐主义者会沉浸于自己的想象能力中，当他们能够纵容自己的欲望，感受尽可能多的刺激时，他们还会感受到一种身体上的兴奋，就如同醉酒后的疯狂。

7 号性格者的心中装满了对未来的宏伟计划。在他们的宏伟蓝图中，他们的各种爱好和舒适享受被集合成一个整体；生活中没有冲突，所有事情都顺顺利利，有很多刺激，没有困难和障碍。

从实践层面来看，清醒意味着生活在此时此刻，愿意诚实地接受眼前的一切。不论好坏，都需要用同样的兴趣去关注，而不是有选择地把注意力放在积极的体验上。一个清醒的 7 号能够在一个时间做一件事情，能够真正体会到做这件事情的价值，而不是运用自己的想象力把一切都变得天花乱坠。

# 7 号性格的闪光点

7 号性格者对那些创造性的可能永远充满兴趣。他们喜欢帮助他人，为他人带来新的想法。他们会是出色的网络工作者和智囊团的策略提供者。

在工作的初始阶段，他们的作用尤其明显。他们愿意去尝试，愿意把新的理念注入到自己的想法中，愿意从反对者身上发现共同点，愿意去发现所有事物的美好面。他们擅长在项目的黑暗期或者情感的危险期，带动周围人的积极情绪。对于冒险性的计划他们充满了兴趣和能量。他们愿意为一个有趣的项目、一个有意义的目标努力工作，而不是像他人那样为了薪水和个人利益工作。

# 适合 7 号的环境

7 号性格者可以成为编辑、作家或者讲故事的人。他们往往是新模式的理论家。他们是计划者、组织者和创意收集者。他们寻找让自己情绪积极向上的自然途径。

他们是永远的年轻人，为了保持自己的健康和活力，他们会经常光顾健身中心和保健食品商店。他们的形象会出现在医疗保健杂志上。他们是理想主义者、未来主义者，也是世界级的旅行者。"我今天不能一直呆着这儿，我一会儿还要赶飞机。"他们总是会说。他们还是美食和美酒的热衷者。在大学里，他们是跨学科研究的带头人和推动者。

# 不适合 7 号的环境

通常，我们不会在例行公务的工作中看到 7 号的身影，因为这样的工作是没有冒险精神的。实验室里的技术人员、会计和其他可以预计结果的工作，都不会是 7 号的选择。另外，他们也不喜欢为一个苛刻的老板工作。

# 著名的 7 号性格者

美国四格漫画家杜鲁多（Garry Trudeau）创作的连环讽刺漫画《杜尼斯伯里》（Doonesbury）就有一位典型的 7 号性格者。他就是宗克（Zonker），他在耶鲁大学的学习是断断续续的，他相信对自己真诚要胜过辛劳的工作。

### 其他著名的 7 号性格者包括：

★ 梭罗（Thoreau）：1817 – 1862，美国诗人、作家、自然学者，是超越主义运动的领导者。

梭罗
*Thoreau*

★ 小飞侠（Peter Pan）：同名童话故事的主人公。

小飞侠
*Peter Pan*

★ 库尔特·冯内古特（Kurt Vonnegut）：美国当代作家。作品在现代生活的暴力和变异中显示同情和幽默。

库尔特·冯内古特
*Kurt Vonnegut*

★ 格劳乔·马克思（Groucho Marx）：美国喜剧演员。

格劳乔·马克思
*Groucho Marx*

★ 奥修（Osho）：1931－1990，印度哲学家、世界古宗教研究者、神秘学家、梵文研究者、瑜珈研究者。

奥修
*Osho*

★ 汤姆·罗宾斯（Tom Robbins）：美国畅销书作家。

汤姆·罗宾斯
*Tom Robbins*

# 基本性格分支

基本性格分支描绘的是享乐主义者为了维持一个理想的自我形象而表现出的一些天性。有三个词可以描绘出自恋者的特征——镜像、未来主义和理想化。

## 一对一关系：易受影响（着迷）

对于 7 号性格者来说，新的体验和想法总是会因为无尽的想象力而变得五光十色。这些诱惑总是令他们难以抗拒。他们总是喜欢把未来的美好憧憬映射到现实中，并期望他人和他们做出同样的反应。

我觉得自己在爱情中就像一位女版的唐璜（Don Juan，西班牙传说中的风流人物，许多文学作品的男主角）。我的吸引力是难以抵挡的，而我也总是被其他美好的事物所吸引。我希望能够分享我发现的所有美好，希望在我寻找更多新奇体验时，他能陪在我身边。

## 社会关系：牺牲（烈士）

有时候，出于对他人的责任，7 号愿意接受选择上的限制。他们之所以会这样，是因为他们相信，所有的限制都是临时性的，未来的结果还是积极美好的。

牺牲好像是理所当然的，因为我从来没有觉得自己做出了牺牲。我们是一个移民家庭，搬到了一个住满意大利移民的贫困地区。我在另一个街区的教会学校上学，我发现其他孩子的家庭和我的家庭有很大差异，但我并没有抱怨什么。

我知道我的家人可能永远也无法通过语言关，这让我们很难进入主流社会；但是在另一方面，我能够看到我们的生活正在发生改变，所以我对未来还是充满了希望。

### 自我保护：家庭感（寻找相似者）

7号性格者喜欢寻找同类人，这让他们感到安全，就像一个大家庭一样，有一种归属感。不仅如此，这些人就像镜子一样，能够让7号看到自己的想法。

我以前觉得自己就像个巡回牧师（circuit rider，在教堂间巡行的牧师）一样，总是穿梭在不同的朋友之间，希望不要错过他们遇到的任何一件有趣事情。我总是在想，如果我们能够把大家的智慧汇集到一起，我们就能找到一种完美的生活方式。有很长时间我都是这样做的，忙着把不同的朋友拉到一块，但是后来我发现，我们这些人一旦走近了，也会有很多矛盾。现在，我依然觉得我们在精神上是相互联系的，就像一个大家庭一样，但是把大家聚集起来，住在同一个屋檐下的想法已经不存在了。

## 对7号有益的做法

7号性格者选择心理治疗或冥想练习的原因往往是因为他们想要"从生活中得到更多"。

还有一个普遍的原因是陷入了中年危机。在这段时期，他们的理想期待和现实所得之间的差异开始凸显出来。典型的表现是，坚信家里的其他人出现了问题，不愿对情感关系做出承诺，以及无法接受一个单调或有困难的工作。由于他们急于得到快乐，把快乐作为自己的心理防线，他们很多人都会面临各种各样的问题。

享乐主义者需要认识到自己对快乐的盲目追求。他们的注意力忽视了现实的痛苦，只看到积极的幻想或其他愉快的行为。7 号性格者可以通过下列方式帮助自己：

★ 认识到自己总是被青春和活力所吸引。让自己看到年龄增长和成熟的价值。

★ 学会让自己面对痛苦，直到发现问题。不要总是觉得："如果我需要帮助，我就是有缺陷的。"

★ 注意到自己出现精神逃避时的情况：过多计划、多项活动、新选择、未来设想。当自己的想法和活动都在高速运转时，7 号实际上是在逃避现实。

★ 认识到自己喜欢去想象痛苦的感觉，而不是去接受真实的体验。

★ 注意到虚幻的快乐和缺乏深度的承诺会让人渴望得到更多的快乐和娱乐。

★ 不要沉溺于表面的快乐，而忽视了深层次的体验。

★ 不要用虚假或者不成熟的情感发泄取代深层次的情感反应。注意到自己总是害怕做出深入的承诺。

★ 不要觉得自己总是应该获得特殊待遇。

★ 发现真正的责任范围，这往往比 7 号希望的要更大。

★ 当内在的偏执情绪出现时，坚持脚踏实地。

★ 发现他人的批评和自我评价之间的差异，学会正确地评估自己。注意到当自我价值遭到质疑时，自己会很害怕，会渴望重新振作起来，重新获得高人一等的感觉。

★ 当良好的自我感觉遭到质疑时，尽管十分愤怒，也要学会控制自己的情绪，继续完成工作。当情感出现问题时，不要对爱人产生两极化的看法，要么认为对方全是错的，要么认为对方全是对的。如果事情看上去很糟糕，要学会接受现实，而不是胡思乱想。

★ 认识到自己喜欢把事物美化，喜欢让事情变得更有趣，总是想象得比实际更好。

★ 认识到自己喜欢为自己虚构一个故事，以避免受到痛苦的伤害。这种令人愉快的故事与事实关系甚微，但7号会通过类推的办法把痛苦的情绪精神化，让注意力转移到精神画面上，从而阻止真正的痛苦体验。

★ 认识到自己喜欢逃离现实，躲在自己的幻想和虚假情感中。学会生活在现实中，而不是逃避。

★ 舍弃没有实现的选择。不必因为失去选择而产生遭到限制的害怕感。

# 7号需要避免的做法

当变化出现时，享乐主义者应该注意到自己的下列表现：

★ 对心理治疗感到厌倦，开始向心理医生献殷勤，送小礼物，让自己的注意力转移到有趣的精神追求上。

★ 觉得自己高人一等。瞧不起温柔的心理医生，认为对方很可笑。瞧不起普通百姓的生活。

★ 在遇到困难情况时，会在脑海中联想很多其他情况，让眼前的困难失去威力。

★ 当承诺出现问题时，希望加速完成自己的活动。在失去其他选择时，感到焦虑不安。

★ 对承诺感到厌烦。"我想要回我的其他选择。"

★ 在乎自己的地位。"我站在哪儿？我的位置在哪儿？其他人怎么看我的？"

★ 不想当领导，也不想被领导。希望与权威平起平坐，避免受到他们命令。

★ 一旦现有问题出现了好转，就想要离开心理治疗。急于恢复健康状态。

★ 喜欢改变，喜欢把现有问题赋予更高的含义。

★ 对过去的负面经历产生错误的记忆。

★ 通过取笑问题，来表达自己的愤怒。认为遇到的问题很可笑。认为他人的担忧都是微不足道，令人发笑的。

# 第十三章  8 号性格——保护者

## *The Boss*

### 领袖型

| | 性格特征 | 本体特征 |
|---|---|---|
| 大脑 | 主要特征：复仇 | 高层思想：真相 |
| 心脏 | 主要情绪：欲望 | 高层德行：无知 |
| 基本性格分支 | | |
| 情爱关系：占有欲/投降 | | |
| 社会关系：寻找友谊 | | |
| 自我保护：满意生存 | | |

## 困境

他们的童年充满了斗争，强者受到尊敬，弱者被人欺负。

他们因此学会了保护自己，让自己变成强者。

他们是愤怒的公牛，却愿意为弱小者提供安全的保护伞。

他们可以不择手段地追逐权力和地位，目的却是让自己成为正义的执行者。

小时候害怕受人欺负的 8 号学会了保护自己，他们对于他人的侵犯和恶意变得特别敏感。

**他们与朋友打架实际上是为了争取更亲密的接触，因为8号认为，真相往往来自正面的对抗。**

8号性格者把自己当作保护者。他们为朋友和那些无辜的人提供庇护伞，让他们躲在自己身体后面，自己则挺身而出去和那些不公正的恶势力进行斗争。

8号不会在冲突中退缩，相反，他们认为自己是正义的执行者，他们为自己能够保护弱小者而感到骄傲。他们表达爱意的方式也往往是强有力的保护而不是温柔的情感流露。在8号看来，对爱的承诺就意味着让伴侣安全地依偎在自己的保护伞下。

8号关注的核心问题是控制。谁掌握权力，他是否公平？他们喜欢领导者的位置，希望能够用自己的能力来控制局势，希望控制其他强劲的竞争者。他们需要验证权威的能力和公平性。"我会不会落到错误的人手中？他们是不是一群傻瓜？他们面对压力会怎么做？让我们测试一下。"

如果8号处于下属的位置，他们会尽量忽视要被人领导的事实。如果缺乏清楚的惩罚措施，他们会有意挑战规则。如果他们处于领导者的位置，8号会希望拥有一个安全的个人王国。他们的策略往往是迅速控制全局，而不是通过协商或谈判的方式来寻找合作者。

通常，8号测试他人权力的方法是攻击他人的弱点，看对方有什么反应：

"他们会不会报复？"

"他们是因此屈服并变得软弱，还是不惜一切代价地坚持原则？"

"当他们遇到强大的压力时，他们是不是会改变自己的故事？他们是会说谎、造假，还是说出真相？"

保护者会通过类似打架这种正面冲突，来考验对方的动机。他们与朋友打架实际上是为了争取更亲密的接触，因为8号认为，真相往往来自正面的对抗。但是一般人恐怕不会理解，他们只会把8号公开的怒火看作一种威胁，而不会当作亲密接触的表现。亲密和愤怒可以紧密相连的事实往往让人感到不可思议。

8号强硬的外表实际上是为了保护自己，保护那颗从小就处于危险环境中，渴望找到依靠的心。许多8号自从失去了童年的天真后，就把自己的温柔

---

*过度是另一种发泄多余能量的方法，也是8号性格者打发无聊的常用办法。只要是让他们感觉良好的事情，他们就会没有节制地做下去。*

埋葬在了心底。在他们长大后，再也没有流露出温情。

他们一生都习惯关注外界，习惯去寻找那些该受到惩罚的人，这种习惯导致的不幸结果是，当他们最终把注意力投向内心，发现我们每个人都要对自己的错误承担一部分责任时，他们很可能无法接受这样的现实，甚至产生自杀的力量。

8号说，不论他们怎样责备他人，他们都不会对自己进行惩罚。谴责和惩罚错误是他们的天性。只要找到一个值得谴责的明确对象，8号就通过合法渠道获得了控制权，把自己塑造成了正义的执行者、无辜者的保护者。外在的威胁会点燃8号心中的怒火，怒火能让8号产生一种强有力的感觉。他们可能也会害怕，比如害怕自己在对手面前变得脆弱，或者害怕信任的人背叛自己，但是这种害怕只是潜藏在内心，而内心的怒火总是能取代这种潜在的畏惧。

弱肉强食，优胜劣汰，这就是8号的世界观。因此，8号总是在用怀疑的眼光审视世界。对他们来说，安全意味着知道你要反对谁，同时知道谁会在你背后支持你。当他们面对压力时，他们的注意力会集中在双方力量的比较上，会去研究对方的弱点。对方是无辜的，还是有罪的；是朋友，还是敌人；是战士，还是懦夫？保护者很少会质疑他们自己的观点，研究自己的心理动机只会摧毁他们原本坚定的个人立场。

8号希望能够预测和控制自己的生活，但是一旦失去了保护者的身份，他们就会感到厌烦和枯燥。一旦行为规则被抛弃，8号往往会去破坏他们曾经坚持的原则。如果8号感到厌倦，或者有过剩的能量需要发泄，他们将制造麻烦。最常见的表现就是与他人打架，干扰朋友的生活，或者小题大做——"谁偷了我的土豆去皮器？欠揍的家伙！"

过度是另一种发泄多余能量的方法，也是8号性格者打发无聊的常用办法。只要是让他们感觉良好的事情，他们就会没有节制地做下去。彻夜狂欢，疯狂工作，直到疲劳过度。喜欢一种食物就一口气吃下三盘。一旦注意力锁定快乐，就很难再被转移到其他地方。他们喜欢好事接踵而至的感觉。如果参加狂欢，他们一定是那些曲终人散后，依然不愿离去的客人。

和"九型人格"中的其他性格者一样，成熟和自我观察能够帮助保护者意识到自身思想的局限性。每一种性格的人，都可以通过自己性格的主要特征去重新发现本体的价值。

对于 8 号性格者而言，他们需要发现的是童年的天真，这种天真无邪的状态在他们为了生存而与外界斗争的过程中遗失了。

## 8 号性格者的主要特征包括：

★ 控制个人的占有物和空间，控制那些可能影响自己生活的人。

★ 具有进攻性，公开表达自己的愤怒。

★ 关注正义，喜欢保护他人。

★ 把打架和性爱当作与他人接触的方式。相信那些在正面冲突中不退缩的人。

★ 把过度看作克服厌倦的良药。夜生活、疯狂娱乐、彻夜狂欢、暴饮暴食……

★ 难以意识到自我的依赖性。当别人爱上他们时，他们会通过各种方式拒绝真实情感，比如离开、认为无聊或者暗自谴责自己对他人的误导。

★ "要么全有要么全无"的关注方式，常常把所有事物极端化。他人要么是强大的，要么是弱小的，要么是公平的，要么是不公平的，没有中间类型存在。这种注意力的关注方式会导致：

• 无法认识到自身的弱点，为了支持让 8 号感到惟一安全的"合法"观点而自动否定其他观点；

• 在帮助他人的过程中给予适当的力量。

# 家庭背景

8 号性格者的童年很不容易，他们依靠自己强硬的外表才得以生存。尽管如此，他们的世界总是被那些比他们更高大、更强壮的人所主宰，这些人企图控制他们的生活。

8号孩童努力和不公正的压迫做斗争，他们愿意采取任何形式的对抗把对手击败。有的8号是在家里挨打，然后学会反击的孩子；有的8号从小就在街头摸爬滚打，他们总是扮演"硬汉"，他们从不掉眼泪，从不表现自己的软弱，并因此赢得周围同伴的敬畏；还有的8号在家里并没有遭到什么虐待，但是他们从小被灌输的思想就是，强者受到尊敬，弱者遭到拒绝。

我小的时候，打架就是一种生活方式。不论是在学校，还是在邻里，我都是令人头痛的人。你一定要成为最厉害的人，才能控制他人。你吼叫的时候，其他人会乖乖听着；你讨厌他们的时候，他们会乖乖离开。最近我趁着假期，又回家体验了一下当年的感觉。我发现自己和家人的所有谈话都必须立场鲜明，不管什么内容，都必须有一个明确的攻击目标。

每次，当我努力避免这种直接的反对时，我的母亲都会流露出厌恶的目光。最终，她打断谈话，批评我像个懦夫一样，没有自己的观点。我这才意识到，原来她一直都喜欢我作为斗士的样子，不喜欢我表现出软弱。

8号性格者通常都会说，在他们年轻的时候，他们也曾努力把自己变成好好先生。他们说，自己最初的愿望是想要让他人高兴，但是他们的美好想法常常被人利用，当他们表现出自己温柔的一面时，他们得到的却是他人的伤害。于是他们不得不收起好心，重新回到保护自己的冰冷盔甲中，他们很快发现破坏规则往往比努力遵守规则更加有趣。

我父母都是原教旨主义的基督教徒。他们相信任何惩罚以赎罪的名义去做都是可以的。所以，小时候父亲对我们一直很暴力。记得有4年里，我几乎每隔两周，就要挨一顿皮鞭。后来在我15岁的时候，我知道自己已经长大了，有一次我从他手中夺过了皮鞭。我告诉他，下一次他再拿起皮鞭，我就要挥拳头了。

我母亲对我心灵的控制更狡猾。我11岁的时候，她带我到教堂去赎罪，让我连续好几个月都去诵读那些誓言。但赎罪其实是不可能的。任何一点罪过，都会把你带入道德的火海。这个世界要么是天堂，要么是地狱，根本没有什么赎罪的方法。我父母为我勾画的现实根本是无法让人接受的。如果这就是生活，我们为什么不立刻结束它？所以我开始反对这样的生活，然后我总是被他们警告说："你要是那样做，你就违规了，没有人能拯救你，没有回头路可走。"但是我还是会去做，去挑战那些限制。

在我上高中后，我跑到父亲担任执事的教堂里去行窃，这一恶劣行径导致我们全家都不得不羞辱地离开这个教区。在那之前，他们总是强迫我去教堂——周日早上、周日晚上、周三晚上——这让我烦透了。现在回想起来，我想那件事情终于让他们醒悟了我是什么样的人，但是当时，我行窃仅仅是想要钱而已。

# 拒绝

年轻的 8 号性格者在一个公开竞争的环境中成长壮大，他们会运用上天赋予他们的任何品质去赢得胜利。一个身材娇小但头脑聪明的孩子，会去指挥他人，或者提供坏点子；一个体格强壮的孩子则会选择暴力，或者用更大的声音压倒对手。弱小的武士在斗争中会不断考虑自己的弱点，还会学会先发制人。

为了表现得强大，这些孩子学会了拒绝他们自己的局限性。一旦 8 号的注意力被锁定在斗争之中，他们思想就只会去考虑对手的弱点。8 号一般无法理解对手的辩解，因为他们内在的注意力不会再去考虑这个问题。即便出现了矛盾的迹象，他们也会熟视无睹。他们已经无法转移自己的注意力，让自己对出现的迹象重新思考一番。

在整个学生时代，我都是那个为了帮助朋友而敢于和老师较量的人。我希望通过斗争，赢得其他学生的关注，而且我想那些老师也会因此对我产生敬畏。我从来不去考虑我的观点会不会是错的。从某种程度上说，我的观点是对或者不对并不重要，因为我想要得到的是这种让我兴奋和感觉到活力的冲突。

长大工作后，我曾经接手了一些项目，但在接手之前却丝毫没有去考虑自己是否有能力完成这些项目。有一次，我答应为一本全国性杂志撰写一篇关于新基因技术的文章，我其实连最基本的生物课程都没有学过。我就这样答应了，因为我想自己是可以做的。有时候，工作会占据我所有的时间，全是工作，没有娱乐；还有的时候，我会痛痛快快地玩，把工作抛开。对我来说，不管什么事情，要么是全部，要么就是一点没有。

8号性格者喜欢那种高度投入、充满能量的活动状态。保护者学会了依循自己的冲动，去寻找任何让他们感到快乐的事情，而不去过度考虑自己的动机。正因为如此，他们相对来说是不受约束的，他们会把大量精力投入到自己安排的活动中，而不是去反思或反省。一旦欲望出现，他们会很快付出行动。内心冲动和实际行动之间的间隔时间往往很短；而且一旦内心出现了某个渴望实现的目标，保护者就好像进入了某种潜在的斗争状态，无法自拔。

我总是觉得自己是无所不能的。我记得有一天晚上，时间已经很晚了，我突然很想吃馅饼，这时离城里的馅饼店打烊只剩下几分钟时间。我骑上摩托车，以最快时速在大街上飞奔。正好有一段路在施工，警告灯没有亮，结果我骑着摩托车掉进了一个大坑里。等我勉强站起来时，腿上流满了血，我当时气得想把摩托车踢烂。

我记得有些路人想来帮我，都被我拒绝了，我心里还惦记着要得到我的馅饼，不然就太迟了。这种想法其实和英雄主义或者馅饼都没关系，它实际上是希望获得一种在最匆忙的时间内实现目标的快感。

对我来说，失去所有能量，感受自己的脆弱是一件非常痛苦的事情。所以我相信自己是无所不能的。我喜欢在快车道上飙车的感觉，因为如果没有这种速度感，就好像什么也没发生一样。

拒绝承认个人能力的局限性还会导致另一种习惯，就是拒绝个人的身体痛苦和情感痛苦。8号常常会讲述他们如何在踢完高中的足球比赛后，腿上缠着绷带，坚持走回家，一进家门就痛得倒在地上。在感情方面他们也有同样的故事，比如在发现自己被爱人或者亲密的朋友当傻瓜玩弄后，拒绝承认自己曾经付出的感情。

对于一个优秀的斗士来说，转移注意力，拒绝痛苦经验是一种非常基础的要求，但是当这个斗士开始受到他人想法的影响，或者开始爱上某人时，这种习惯也可能成为他们苦难的根源。在爱情的最初阶段，8 号发现他们一方面渴望重新打开内心的温柔，另一方面又在习惯性地拒绝柔情蜜意，这种矛盾让他们备受折磨。

20 世纪最重要的精神分析思想家之一卡伦·霍尼（Karen Horney，1885 – 1952，柏林精神分析研究所创始人之一）在《我们的内心冲突》（Our Inner Conflicts）一书中，对"九型人格"图中从 8 号人格到 2 号人格的发展线提供了生动描述，正好说明了我们上面提到的这种困境：个人的最初习惯是为了保护自己而敌视他人，但是内心却渴望得到他人的认同和爱。卡伦·霍尼用了专门的一章描述那些通过对抗他人来保护自己的人（8 号性格者），她又用另一章内容描述了那些通过靠近他人来保护自己的人（2 号性格者），她还有一章是专门描述那些远离他人的人（5 号性格者）。根据"九型人格"系统中"三位一体"的人性观点，这三种明显不同的行为方式正好代表了 8 号性格者的最初状态、安全状态和压力状态。

# 控 制

保护者希望控制所有对他们有影响的事物。他们有一种敏锐的感觉，能够对他人的行为是否公正做出判断，还能习惯性地判断出谁是掌握权力的人。他们的内心所关注的问题总是："谁是这里的负责人？"以及"那个人做事公正吗？"

某种程度而言，我的生活就是在寻找公正，寻找真正的规则。不是对付别人的欺负，而是寻找指导我们行为的真正准则。我的世界观是：这个世界的确存在邪恶的势力，人们总是希望打压我，来提升他们的地位，获得他们的利益。我和他们一样，也有获得自己想要东西的权利，所以为了得到我想要的，

*他们建立信任的方法是完全地展示自我，尽可能多地消除相互之间的未知信息，这种做法往往会强迫他人选择立场，或者让自己处于有争议的立场中，以便观察他人的反应。*

我必须远离那些损害我的人，同时让自己的行为符合自己的行为准则。

当 8 号性格者能够通过掌管权力来控制某个局面，让他人听从他们的指挥时，他们就会感到安全。当他们能够反抗他人制定的行为准则时，他们也会感到自己的强大。他们对于任何企图规范他们行为的做法，都十分敏感；他们会觉得这些做法很讨厌，并因此产生背叛心理，直到他们不再受到外界干扰。

他们希望同时拥有制定限制和打破限制的权力，这让他们的行为常常两极分化。一方面，他们会以清教徒似的严格要求来规范自己和他人做出正确的行为；另一方面，凡是被禁止的事情，他们可能都会去做。

一个 8 号性格者实施管理的表现可能是，他或她非常辛苦地制定一系列要求，然后自己跑去钓鱼，一走就是一个星期。在这个星期里，他们不会有内疚感，而且还很喜欢到处捣乱。还有一个例子是，身为老板的 8 号可能以工作效率为由，要求员工按时上班，但是如果他们自己约定了与某位员工开会的时间，却可以让对方坐等一个小时才出现。

8 号性格者希望自己有能力去限制，至少有能力去预测他人对他们的影响。他们建立信任的方法是完全地展示自我，尽可能多地消除相互之间的未知信息，这种做法往往会强迫他人选择立场，或者让自己处于有争议的立场中，以便观察他人的反应。糟糕的种族笑话、同性恋的暗示以及过去的一些恶迹，都会成为他们与他人谈话的内容。不论是什么样的社会场合，这些敏感的话题几乎很快就可以把参与谈话的人分成两大阵营，让人们的薄弱部位暴露出来，从而满足 8 号的控制欲。

当我有意和某人交朋友时，我最想知道我们会如何对待对方。我希望我们都能遵守规则，所以我会去观察对方，看对方有没有出现违背约定的地方。一旦我松懈了自己的防御，却发现自己被信任的人所欺骗，我就会有一种完全遭到背叛的感觉。

如果朋友并不是有意伤害我，或者仅仅是一些愚蠢的行为，我会和他们确定同样的事情不再发生；但是如果他们是有意伤害我，那我一定要"以牙还牙"。我要让他们承认他们犯下的错误，并且为此遭到惩罚。允许别人占我的便宜只会动摇我认为自己完全正确的想法，久而久之，我可能会觉得自己完全错了，甚至向他人屈服。这是我不允许的。

8号性格者认为，细小的疏忽或过失很可能在将来失去控制，变得一发不可收。所以他们会因为一些微不足道的错误而生气，甚至做出强烈反应，因为他们觉得这些小错误会让自己猝不及防。大规模的错误反而容易引起注意，让他们进入全面对抗状态。

8号希望防患于未然，如果出现了什么令人吃惊或者混乱的事情，他们的注意力会大量集中在那些细小的错误上，这往往让他们忽视了他人的反应，也忽视了修补错误的方法。在社会活动中，当保护者开始变得顽固，坚持重新夺回自己的控制权时，往往会造成令人尴尬的结果。

我热衷管理，这样我就能确定所有事情都在有条不紊地进行。我倾向于去控制细节，掌握每一件事情的进展。上周，我们和另一对夫妻一起吃饭，端上来的汤是冷的。我把服务员叫过来大声训斥。在我看来，我不过是在和服务员投诉冷汤的问题，但是后来我才意识到，我的做法让其他人很尴尬。其实我想要的不过是一碗热汤，这个问题在我心中变得越来越严重，好像如果我不去解决，那么很可能后面的主菜也会变得糟糕。如果出现了问题，你必须赶快解决，才能把自己拯救出来，否则你就会觉得所有事情都会失去控制，并因此焦虑不安。

# 复仇

觉得自己软弱无助的孩子会产生复仇的思想，这种思想覆盖了他们内心的焦虑感。在竞争中失败的人通常会觉得自己受到羞辱或伤害，但是当他们决定夺回失去的一切时，失败感就被阻断了。怨恨能够让竞争继续下去。我们还没输，我们不过是在等着下次机会。8号性格者会把自己遇到的困难归罪到别人头上，并在思想上把所有反对自己的观点都看作是愚蠢的。这样做，是不想让自己产生被别人控制的感觉。

坐在那里接受别人对你的侮辱是令人气愤的。但是我已经筋疲力尽，所以我必须等待合适时机，再采取行动。复仇并不是一件阴险的事情，它更像一种教育手段，对他人犯下的罪行给予合理的惩罚。我会想象自己怎样通过合适的方式来实施报复，这样等到时机成熟时，我的敌人就会发现他们犯下了多大的错误。

8 号性格者常常会把他们的复仇心理看成是执行正义。他们受到了伤害，而且觉得是不公平的伤害，所以复仇是为了让正义的天平恢复平衡，而不是简单地报复。

上周我和朋友一起吃早餐。在我们点餐时，那家餐厅的老板显得非常无礼，整个早餐的过程中，我都无法忘记这件事。我走的时候是不是该把桌子掀翻？我是不是该和这个家伙大吵一架？我该做些什么，让我不至于觉得自己受到了羞辱，让自己感觉好点呢？我无法停止思考自己该怎么对付这个家伙，但我还是什么都没做就走了。尽管如此，这件事情还是让我耿耿于怀。每次当我开车路过那家餐厅时，我会暗想："我要是把窗户砸了会怎样？"好像你不做点什么，就永远无法摆脱。

# 公正

寻求控制也是 8 号天性中渴望公正的一种表现。

"其他人可以信任吗？"

"他们的行为公平吗？"

这种天性来自童年的愿望，希望找到一个值得信任的权威，来掌握控制权，这样他们就不必担心被欺骗或支配。对公正的敏感性让保护者特别注意任何不公正的企图。

我总是喜欢去寻找那些象征恶意行为的迹象，总是想去了解他人的企图，想知道他们面对压力时的反应。他们是不是在有意操纵？他们是不是喜欢这样做？

我希望看到他人最恶意的表现，这样就不会再有什么事情让我感到惊讶了。我可不希望把某人当成好人，结果却被他们的险恶动机大吃一惊。我宁愿事先知道他们的底线。他们想要什么，我能够对他们有什么指望？

我会花大量时间去观察人们是怎样互相打交道的。他们的弱点在哪里，他们的致命反应是怎样的？我发现一旦某人被列入了"不能相信"的名单，我就很难改变自己的看法。因此，我希望自己对他人的预测能够尽量准确，不会改变。如果某人表现很好，而我想测试他们的真实表现，我就会给他们施压，去惹恼他们，看他们在受到进攻时如何反应。

保护者会为了知道他人的真实动机而给对方施加压力，他们尤其想知道他人是否公平。8号性格者的自我形象是弱者的保护者，看到不公正的情况，他们很自然会要打抱不平。然而不幸的是，8号常常会扮演"帮倒忙"的角色。他们总是为了维护一个有价值的目标而表现得过于激进，结果在他人看来，他们不但不是有用的帮手，反而成了麻烦的制造者。

8号还经常会加入到别人的战斗中。他们总是愿意充当公平的维护者，总是扮演着反抗压迫的领导者，而且可以是非常好的盟友。8号说他们小时候常常出现这样的场景：一旦他们知道了什么不公平的情况，他们就会首当其冲，替他人出头，为了他人的利益跑在最前面。比如，如果班里的同学都认为老师布置的家庭作业太多了，敢于把这种意见说出来的人很可能就是8号学生。8号的安全感来自对不公正行为的直接反抗，当然他们也很容易替人受过。

在问题家庭中，往往是8号儿童首先感到了不公正待遇，并站出来反抗大人。在这种情况下，家里人很可能把8号看作家里的"麻烦制造者"，而不会意识到，是他们自身的侵犯影响了孩子。

*8 号性格者尊重公平的斗争。他们鄙视那些避免冲突的人，尊敬那些*
*面对冲突依然坚持自己观点的人，因为他们觉得自己也属于这样的*
*人。*

# 高层心境：真相

8 号性格者关注他人的隐藏企图，他们想知道对方说的话是不是真的，他们会在敏感问题上有意与对方发生冲突，看看对方在面对压力时是否会改变。在 8 号看来，这种做法并没有什么不妥，寻找真相并不是好斗的表现，他们不过是想知道哪些观点是不明确的，哪些信息是不完整的。他们觉得斗争是一种获得友谊的基本途径，因为人们总是在面对压力时才会表现出隐藏的真相。

8 号性格者尊重公平的斗争。他们鄙视那些避免冲突的人，尊敬那些面对冲突依然坚持自己观点的人，因为他们觉得自己也属于这样的人。对这种人的尊敬也让他们为自己塑造的理想形象得到加固。

在外人看来，8 号性格者的"公平斗争"就好像把两个互不妥协的对手放到了拳击场上。我们一般人常常会避免 8 号的处境，为了不惹恼某个脾气很大的人，我们可能会把坏消息藏起来，或者修改信息。但是在 8 号看来，斗争是兴奋的源泉，和一个势均力敌的对手斗争要比轻松地赢得一场胜利更加有趣。

只要是一个值得对付的对手，8 号就会表现得斗志昂扬。他们的愤怒变成一股动力，他们感到的是兴奋，而不是什么负面情绪。愤怒的 8 号把自己爆发的能量看作追求真相的动力，完成工作的工具，消除厌倦的良药。

对于 8 号来说，公平斗争实际上是双赢的选择。如果他们战胜了对手，他们就能获得掌握控制权的满足感；如果他们输给了有实力的对手，他们也证明了对方是公平的，从而消除了对对方的不信任感。

8 号性格者坚持认为他们心中的真相就是完全客观的真相。一旦确信自己的真相是正确的，他们就会忽视其他因素，不管这种真相是否是自私的，或者只代表了一部分事实。他们的大脑会碾碎一切反对意见，这让他们的注意力进入斗争状态，任何反对意见都是他们攻击的目标。其他的想法，在他们看来都是愚蠢的，根本不值得思考，因为 8 号的注意力仅仅局限在支持他们自身安全的目标上。

*一旦进入斗争状态，8 号的注意力就失去了灵活性。他们无法反思自己的行动立场，也无法接受新的信息来软化自己的立场。8 号如果发现自己不假思索地就断定某人的想法特别愚蠢，他们就应该提醒自己，防止让注意力陷入斗争状态。*

一旦进入斗争状态，8 号的注意力就失去了灵活性。他们无法反思自己的行动立场，也无法接受新的信息来软化自己的立场。这种情况虽然非常危险，但也是可以预防的。8 号如果发现自己不假思索地就断定某人的想法特别愚蠢，他们就应该提醒自己，防止让注意力陷入斗争状态。

有一位 8 号性格者把这种注意力的斗争状态描述为"橄榄球中的四分卫"。橄榄球场上的四分卫总是抱着球拼命跑，他们永远不会回头考虑自己的防卫体系，只是一个劲儿地在对方的防线上寻找漏洞。8 号性格者也是一样，当他们的注意力高度集中在自己的"真相"上时，他们不会去考虑自己的问题，也不会把注意力转移到其他正确的可能上。

在他们步入成熟，拥有了一些生活经历后，8 号的防御思想会慢慢变软，他们也会意识到妥协的需要。对于成熟的 8 号来说，通过冲突来寻找真相的做法是过去的习惯，现在他们意识到要去发现每个人真实的真相。他们不再害怕被他人的不公正权力所控制，而是自然地、客观地去感受每个人的真实愿望。

他们还是在追求真相，但是他们的注意力不再仅仅关注自己的想法，他们学会了用真诚的态度去审视他人的观点。

# 8 号性格者的注意力

8 号性格者有好几种避免收到危险信息的方式。

他们总是认为自己比任何潜在的对手都要强，这是他们心理防御体系的基础。他们总是倾向于把自己的力量最大化，把对手的优点最小化。有一位 8 号性格者是这样描述自己的：

我并不是真正的勇敢，只是因为很少遇到令我害怕的情况。我宁愿遇到害怕的情况，然后克服自己的畏惧，这才是真的勇敢。但实际情况是，当我和他人发生争论时，对方看上去都不是我的对手。

1. 转移注意力。为了避免让自己感到威胁，8 号性格者最常用的一种方式

*他们必须相信自己是正确的，这一点很重要，因为只有这样，他们才*
*能采取迅速、坚定的行动。这种完全斗争状态所造成的负面影响就是*
*当事人对新信息失去了判断能力。*

就是转移注意力。对 8 号来说，过度沉迷于某事，比如彻夜狂欢或者疯狂采购，都能让他们把内在的痛苦或者对个人能力的质疑，轻而易举地抛在脑后。一个拥有自我意识的保护者，会注意到自己急于得到满足感的习惯。他们会利用这种习惯来提醒自己去发现那些被掩盖的真实需要。

2. 强迫性否决。8 号性格者逃避不良感觉的第二种方法就是强迫性否决，他们告诉自己令人头痛的事情根本不存在。这种方法不是通过转移注意力来忘记糟糕的事情；而是让你直接面对某事，并强迫自己相信什么都不存在。一个正在接受治疗的酒鬼为我们提供了这种注意力方式的典型例子。她丈夫曾经发现她坐在地下室的一堆空威士忌酒瓶前面。她跟丈夫说自己没有喝酒，她相信自己说服了丈夫，因为在她心中，那堆空酒瓶根本不存在。

还有一个例子可以说明这种对现实的拒绝。医生们在进行重病诊断时，通常都会要求一位亲属或朋友陪在病人身边，因为人们总是倾向于拒绝接受威胁性信息，所以医生们害怕病人无法接受生病的事实。

8 号性格者尤其喜欢控制自己的注意力，让自己的注意力报喜不报忧。他们之所以会这样，是因为在童年的成长环境中，他们不得不去反对比自己更强大的力量。他们只能让自己无视现实，这样自己才不会因为糟糕的情况而害怕。

这就好像在拳击场上，有技巧的拳手为了击倒对手，都会让注意力高度集中，那些与击倒对手关系不大的信息，都会被他们忽略掉。不仅如此，8 号性格者认为，在斗争过程中，立场一定要鲜明，非黑即白，模糊的灰色要越少越好。因此，当 8 号性格者陷入这种状态时，他们的眼中只会看到对方的弱点：

"我怎么打败他？"

"她性格的弱点在哪里？"

"什么能让他屈服？"

他们必须相信自己是正确的，这一点很重要，因为只有这样，他们才能采取迅速、坚定的行动。这种完全斗争状态所造成的负面影响就是当事人对新信息失去了判断能力。

> *8 号的思想中只存在两分法，中立的看法在他们看来是脆弱的表现。*
> *妥协会让8 号觉得自己失去了抵御攻击的心理防线。*

我还是不愿听取其他观点。我对那些"无法控制自己"而采取暴力措施的大人特别生气，我认为他们就是那种人，不管怎样他们都会动手。我知道不同的人可能有不同的原因，我知道人们可能有其他正确的看法。在思想上我可以接受这样的观点，但是在现实中我是绝对接受不了的，因为这会动摇我认为自己是完全正确的想法，让我觉得自己肯定完全错了。这是一个完全正确或完全错误的问题。

其他人可能会觉得8 号这种"非黑即白"的态度十分死板。"你是朋友，还是敌人？是领导者，还是追随者？是强，还是弱？是反对我，还是支持我？"8 号的思想中只存在两分法，中立的看法在他们看来是脆弱的表现。妥协会让8 号觉得自己失去了抵御攻击的心理防线，因为如果局势不明朗的话，他们就很难做出预测。

高二有一段时间，我发育得很快。当高中橄榄球赛季开始时，我已经长到了6 英尺3 寸，体重240 磅。我成了球队的主力。记得在赛季初期，另一支球队的一个队员侮辱了我，我气疯了，把他拽出来，一顿暴打，打断了他的几根肋骨和脊椎骨。他住了很长时间的医院，才慢慢恢复行动能力。虽然我一直知道他伤得很重，但是在我看来，这些好像不是真的，而且我觉得打他的人并不是我。大家给我起了一个绰号，叫"杀手"，我没有什么意见，这个绰号能够在球场上威慑到对手，而且我知道自己并不是真的"杀手"。

到赛季中期，同样的事情又发生了。同样的起因，同样的暴力，同样的受伤。但是在我躺在地上的时候，我突然想起了第一件事情，感觉好像自己被击中了。被我打倒的对手，他的所有痛苦，他躺在医院病床上的感觉，我好像突然都能感觉到了。我觉得自己能感受到，那些叫我"杀手"的人，是多么恨我。在此后的几天，这些感觉反复出现。整个故事的结果是，被我打倒的第二个家伙，伤得并不太严重，有一点骨折。我决定退出校橄榄球队。我的做法遭到了球队的反对，因为他们需要有我这样的大块头在球队里，但是我无法相信自己，我不知道如果下一次自己被激怒时，是否还会做出同样疯狂的行为。

*这种洞察或者醒悟，就像那种打开盒子会突然跳出来吓你一跳的玩偶一样，常常会给8号重重一击。当他们打开盒子的时候，他们坚信自己是绝对正确的；但是盒子打开后，他们得到的却是自己做错了的事实。*

从冥想练习的观点来看，拒绝是一种"不让自己思考"的做法。这是一种错误的练习，也是许多冥想者在练习初期最容易犯的错误。在这种错误练习中，冥想者并不是真的把注意力从主导他们的思想中转移出来，而是通过让精神集中在内心的空白上，来阻止思维出现。这种把注意力严格局限在内心空白上的做法，能够导致对自身思想和其他情感表达的阻断。只要冥想者的注意力一放松，他们的思想就又会出现。实际上，他们的意识从来没有与思想脱离。

8号性格者可以注意到自己会出现"不让自己思考"的情况。当他们需要逃避一些痛苦感觉时，他们就会做出这种类似"面壁发呆"的状态。他们可以突然从这种空白状态中醒悟过来，发现自己的思想出现了困难。

有一位8号把突然从拒绝状态走出来的感觉描述为："如同舞台上的大幕慢慢打开，所有你曾经反对过的事情都真实地展示在你面前。"当8号突然从以前的空白状态中醒悟，发现自己曾经坚持的公平与现实有着巨大冲突时，他们可能陷入自我憎恨或自我责备之中。就好像前面那个年轻的运动员，他觉得自己要么就是英雄，要么就是杀手，这两者之间没有中间余地可以选择。

8号性格者说，当某件事情让他们突然醒悟，内心的拒绝被消除后，这件事情很可能像导火索一样引发一系列的连锁反应，让他们回想起很多其他事情。一旦认识到自己某方面的缺点，8号就会想起许多以前的例子来印证这个缺点。

这种洞察或者醒悟，就像那种打开盒子会突然跳出来吓你一跳的玩偶一样，常常会给8号重重一击。当他们打开盒子的时候，他们坚信自己是绝对正确的；但是盒子打开后，他们得到的却是自己做错了的事实。这会让他们大吃一惊，导致注意力进入斗争状态。他们想不出任何妥协方式，来缓解这种醒悟带来的打击。完全正确变成了完全错误，惩罚错误的想法会立刻让8号对自己产生了厌恶情绪。

# 直觉类型

人在童年的时候最关注什么问题，他们的直觉就会往自己关注的方向发展。对于 8 号性格者来说，他们最关注的是权力和控制，所以他们从小就学会了展示自己的力量。8 号说，他们总是被能量所吸引，他们对于他人和环境的能量特别敏感，他们的自我感会占据整个空间。他们会说："我生气的时候，觉得自己变大了。"或者"人们总觉得我很高，实际上我并没有他们想象得那么高。"

下面的陈述来自加利福尼亚大学（University of California）的一位大学生，她通过观察自己发现了 8 号性格者处理注意力的典型方式。

我的男友说，只要我一出现在门口，他就能够感觉到我的存在。他说他感觉自己不得不去注意我，哪怕他是关着门在屋里学习。我的感觉是，我和其他我认识的 8 号性格者一样，会让自己的影响力占据大量的空间。我让我自己充满了整个屋子。

这位大学生对自身注意力的理解是，它依赖于一种扩大的自我感，占据了比她自己更大的物理空间。这也是 8 号的一种典型表现。他们既不是把自己的关注力投入到他人的感觉中，也不是局限在自己的精神想象里，而是会产生一种身体空间的扩张感。让我们看看下面这位在同一所大学工作的物理学家对自己直觉的描述与上面这位大学生是否相同。他也认为自己是 8 号性格者。

我是进行测量实验的，要求工作非常精准，不然就会功亏一篑。实验中的每一点调整都要非常小心，以避免破坏平衡。整个实验最头痛的问题是一旦出现了问题，你可能要花上 3 天时间才能发现毛病到底在哪儿。

去年有一次，我们的实验已经临近结束期限，结果出现了问题。我快疯了，但是在想了一通宵后，我发现我还是无法解决这个问题。我绝望了，我记得自己当时开始咒骂整个实验项目，恨不得把所有仪器都砸了。我觉得自己是如此憎恨这个实验，当我在进行电子测试时，我的一部分自己好像已经跑出来捶桌子了。就在我感到自己灵魂出窍时，我突然发现了整个实验的盲点，发现了问题所在。

事实上，公开的愤怒对于值得信任的关系来说，往往是必要的。

# 公开的愤怒

公开地、毫不控制地表达愤怒是 8 号性格者的一种典型反应。这种表达既让他们骄傲，也给他们带来了痛苦。他们骄傲，因为自己敢于直言，想说就说；他们痛苦，因为愤怒的表达可能会让他们失去自己的友谊，并因此而感到自责。以前，保护者因为自己的强大而受到奖励，如果他们发现赢得一场争论可能会让他们遭到拒绝而不是获得尊重的话，他们就会大吃一惊。

8 号性格者说，当他们投入到争论中去时，他们一心只想着要赢，他们会尽可能地表现自己的力量，这可能会导致他人的疏远，但是 8 号往往不会注意到。当然，这种为了一个目标而全心投入的状态对 8 号也不是什么坏事。事实上，公开的愤怒对于值得信任的关系来说，往往是必要的。

当我看到自己的朋友生气时，我是感觉最舒服的。对我来说，生气可以带领我们发现那些深层的感情，比如深度的悲伤或者被压抑的欲望。只要我惹某人生气了，而且对方能够保持这种状态，我就会感到很兴奋。但是如果他们开始哭，那就糟糕了。那会让我感觉很糟，相信他们是不幸的受害者，而我自己则是不幸的制造者。他们并不会告诉我是什么原因让他们反对我。

很长时间，生气都是一种感觉的选择。你知道自己不得不这样做，所以在生气之前，你已经把害怕最小化了。最近，我到夏威夷（Hawaii）度假，经历了记忆中很少有的一次害怕。我发现了一个美丽的天然湖，四周都是悬崖峭壁，我想爬上去，然后跳到湖里，那感觉一定很棒。于是我把自己变成了一个攀岩专家，我在攀爬的时候，碎石不断从我脚下掉下去，然后，我被卡在了一块凹进去的岩石里。我发现这里离湖面太远，我根本跳不到水里。接着我产生了一种我很少遇到的感觉：腹部紧张，膝盖松软，真是不可思议。"这就是真正的害怕。"当我慢慢从悬崖上爬下来后，我终于发现自己并不是真正的勇敢者。只是因为我在心中把危险的可能最小化了，所以我无法对其做出反应。

有的时候，生气是瞬间的生理反应。生气是为了消除你最害怕的担忧，即

**无知的人在进入新的环境中时，不会带有已经形成的想法，也不会对他们将要面对的世界有所期望。他们愿意接受眼前所看到的任何事物，这反而能让他们自然地适应环境，采取正确的行动，因为他们不会受到主观思想的干扰。**

落入小人的手里。生气是一种发泄；它让你觉得自己很强大，很有力量，并享受这种感觉。如果他人能够公开表露自己的脾气，我很欢迎。如果他们深藏不露，那才让我感到害怕呢，而许多人恰恰都会这样做。他们表面上和蔼可亲："嗨，你好呀！"实际上内心里已经怒火中烧。这让我感到很不舒服。越是让人害怕的东西，我越是希望能够公开，让大家看看到底是什么。公开的愤怒没什么不好，只要你的表达方式是文明的，我知道没有人会骑到我头上，因为我很厉害。

我可以让自己的能量充满整个空间，感觉自己就像一个空手道冠军一样。只要我觉得自己是对的，我就不会屈服。很多时候，人们会觉得我很好斗，或者觉得我在争论的过程中过于顽固，不给他人一点商量的余地。一点没错，我就是这样，因为人们在与我交谈时，也没有站在中立的立场上。在他们的言语中似乎还隐藏了一些没有表达出来的东西——一些厌烦、一些他们不肯承认的敌意——所以，我不会听他们的话。我不会让他们的话钻进我的脑子里，这是对我的污染。他们并没有在谈话，他们并没有说实话。我很难把他们言语中的所有隐藏信息都找出来，所以我觉得最好的办法就是充耳不闻，什么也不听。

实际上，我更尊敬那些不向我屈服的人。如果人们同意了我的观点，这很可能说明他们对我有所保留。如果某人不同意我的看法，并且公开反对我，那很正常；但是如果某人同意我的看法，却又不敢看我的眼睛，或者不能表达出像我一样的强烈感情，那我就会觉得对方是个没用的懦夫。

# 高层德行：无知

无知的人在进入新的环境中时，不会带有已经形成的想法，也不会对他们将要面对的世界有所期望。他们愿意接受眼前所看到的任何事物，这反而能让他们自然地适应环境，采取正确的行动，因为他们不会受到主观思想的干扰。

8 号性格者在成长过程中形成了注意力的取向性，因为他们想获得控制权力，想用自己的观点说服他人，这使他们的无知被笼罩在阴影里。一个无意识

*无知是一个功能完整的人在自然状态下的感受。就像所有的高层冲动一样，无知也是身体内部的一种能量，能够让个人做出适当的举动，但是不会受到个人思想的指挥。这种特殊的身体意识能够调控个人自身的能量，让个人感受到外在环境中的力量变化。*

的 8 号会坚持自己的观点，并想方设法控制局势；一个自知自明的 8 号则会更加自信地接受改变。

无知是一个功能完整的人在自然状态下的感受。就像所有的高层冲动一样，无知也是身体内部的一种能量，能够让个人做出适当的举动，但是不会受到个人思想的指挥。这种特殊的身体意识能够调控个人自身的能量，让个人感受到外在环境中的力量变化。

一个无意识的 8 号性格者，会把反对当作一种习惯，为获得控制权而投入大量精力。这种行为的主要表现是固执己见，坚持只对一半的真理，以及无法注意到他人的观点。他们用于获得控制的能量主要是自己的拳头和脾气。

一个走出原始反应，进入更高境界的 8 号性格者，将有能力调控自己的能量，以便敏锐地感知周围环境中力量的消长。

# 欲望

8 号性格者习惯遵循自己的感觉和冲动。在童年时代，他们就能够迅速地把自己的冲动变成行动。这是他们的一种生存技巧，让他们能够在思考之前就采取行动。

保护者相信能够让人感到快乐和力量的事情，一定都是正确的事情。我们大多数人在获得身体的愉悦时，都会产生一种自责或内疚的感觉，而 8 号天生就没有这种感觉，他们觉得满足身体的快感是一件很自然的事情。他们不会因为表达自己的怒火或者性欲而感到尴尬。

我喜欢亲密关系中的激情。就好像有人唤醒了我的生活，让我兴奋不已。性生活是吸引我的一个主要因素。这正是我所要的。在我对于爱情的所有思考中，如果我觉得自己陷入了爱河，一定是某人对我产生了性吸引。其他的东西我基本都不信。人们在恋爱的时候总会产生很多心理幻想，而实际上，他们就是在寻找一种满足自身欲望的方式。在我看来，如果你过于关注其他方面，你可能一辈子都不知道自己想要什么。

8 号性格者对于挫折的忍受能力相当有限。他们很难控制自己的脾气，很难抵制他人的性诱惑，也很难拒绝手中的第三个"巨无霸"汉堡。没有被满足的愿望会一遍一遍出现在他们心中。那些没有被解决的争端也是一样，总会抓住他们的注意力，让他们感到焦虑和厌烦，直到他们采取行动，解决问题为止。"我必须亲自解决这件事，要不然我会在脑子里想好几个星期。"

保护者认为，跟某人生气往往是一种积极的接触方式。所谓"不打不相识"，一场痛快的斗争能够让他们对他人的真实意图更加了解，让他们对双方的关系更加自信。他们还说，在斗争的过程中，也会产生一种亲密感，可能打着打着就变成了朋友，甚至陷入爱河。

我和一个 8 号性格者结婚已经快 20 年了，我学会了把自己的想法直接表达出来，要不然他总会觉得我有什么没有告诉他。当我们结婚的时候，我认为生气是最没有办法的办法。我觉得发脾气是动物情绪的表现，而文明人应该控制自己。如果到了互相大吼大叫的地步，那你就应该收拾东西，叫律师准备离婚协议书了。

婚后的三年，我感到异常大的压力。我并不知道他的做法是在寻求亲密感，我只觉得他在公开场合让我难堪，我恨死他了，开始反击，我觉得我们的关系已经结束。

我记得我冲上楼和他面对面，指着他的鼻子破口大骂，我把他对我的指责全部都还给了他，然后告诉他，我不同意他的观点。

当我咆哮着说完我的话后，奇怪的事情发生了。他开始变得兴奋。他笑了，脾气也没有了。我从来没有看到一个人变化得那么快；我冲上去对他咆哮的行为，反而让他更爱我了。

# 过度

好的感受越多越好，这是 8 号性格者对付优柔寡断的办法。在个人的真正目标上犹豫不决，这是 8 号性格所属的核心性格（9 号性格）的一个核心特征。过度刺激能够让自身对其他感觉的感知减弱，让一时的快乐取代个人真实的情感追求。

尽管 8 号可以为了满足自身需求而发动能量，毫无顾忌地追求自我满足，但事实上，他们离自己的真实希望可能和忘我的 9 号一样遥远。

8 号性格者行动的动力主要来于自身注意力对快乐的强烈关注，对冲突的无端兴奋。冲突是他们振奋精神的途径。正因为如此，8 号行动的动力很少会来自内心的感受，或者对某种温柔情绪的感知。8 号在不断寻找刺激，他们借此消除枯燥，并拒绝承认自身的脆弱。

挑战极限，把极限变成一种愉快的放纵，这种生活方式会放大个人对生活的感觉。一旦他们的注意力被某件事情所吸引，他们很少动摇，很少怀疑自己。他们的目标变得清晰可见，不管这个目标是否符合真实需要，这已经不重要了。狂欢开始了，狂欢要继续。不管是什么，只要是享受，8 号就愿意沉浸于其中，他们的自制力会慢慢丧失。

当我开始把目光投向自己时，我的感觉更糟了。知道我在做什么反而让我很尴尬，我发现我是笑得最多的，也是吵得最大声的，而且我不顾一切地要去做某件事情。生活在无意识的状态下，接受本能的引导，这是一种很奇妙的状态。你把生活的感受放大了，因为你不想让自己感受到生活的贫乏。

控制我自己，总会让我产生一种朦胧的不满。比如，因为别人都不想做，所以我不得不重新检查我做的事情，这让我很不舒服。我想要获得巅峰的体验，而且是一连串的体验，一个紧接一个，这样我就没有时间放松，没有时间失望。一旦你对某件事情产生了兴趣，这种吸引力就会如火如荼地展开。比如，在享受了一顿饕餮大餐之后，你还会渴望下一顿；或者在买了一件衣服后，你还会想着把货架上的衣服一扫而光。

一旦你陷入其中，它就像一个吸盘一样，需要依靠巨大的力量才能摆脱出来。你自己缺乏调和的本领。你总是要么极度陶醉，要么极度无聊；要么依偎在爱人怀里享受激情，要么坐在窗边看着外面发呆，没有什么中间状况可以选择。

*8号会慢慢变软。在他们放下自己的心理防御之前，他们会选择为自己搭建一个安全的平台。搭建的方法就是让自己成为双方关系的控制者。*

8号性格者之所以会渴望获得无限激情，从中感受生命的活力，是因为他们觉得自己生活在"要么全有要么全无"的世界中。"全无"就是停止一切活动，渴望长时间面壁的感觉；"全有"则是去挑战极限，从刺激中获得快乐。

如果我在开车的时候主动遵守时速限制，遵守交通法则，那我的注意力反而会分散，转移到其他地方。我会感到无聊，结果还是会犯错误。相反，如果我开得很快，我就必须注意周围的一切，我要警惕有没有警察，这时我的状态总是很清醒。我几乎没有因为开快车而犯错误。事实上，每次我得到罚单都是因为我打瞌睡，或者在高速公路上车速只有65迈。即便我到了85岁，也不会有人敢来偷袭我。因为一旦有了紧张气氛，我就会兴奋，并产生警觉。

## 亲密关系

从某种意义上说，8号性格者是天生的孤独者，而不是亲密爱人。一个孤独者一生只关注一个人，只保卫一块领域。在亲密关系的初期，8号对于爱和性的接受都是基于一定条件的：

"我们可以睡在一起，但是日常活动要分开。"

"我们是很好的性伴侣，但我们还不是最要好的朋友。"

对8号来说，亲密关系和友情是在两条线上联合发展的。双方需要在不断接触中交换观点，表明立场，然后把双方的关系建立在冒险、性爱以及双方共同感兴趣的活动上。

随着朋友关系朝着亲密关系发展，8号发现自己不能完全按照个人意愿行事了，他们要去征求对方的意见，这是他们不习惯的。伴侣的意见成了他们必须认真考虑的内容，这让他们觉得自己受到他人情绪的影响。保护者向来把自己看作力量的源泉，依赖他人绝对有违他们以自我为中心的力量体系。

8号会慢慢变软。在他们放下自己的心理防御之前，他们会选择为自己搭建一个安全的平台。搭建的方法就是让自己成为双方关系的控制者。他们会想要知道对方生活的一切信息，他们对于自己的伴侣要见什么人，在什么时

*那些反击的人，在开始会遭到粗暴对待，但是如果他们能够坚持立*
*场，保护者就会像尊重自己一样尊重他们。*

间、什么地方做什么事情，都会有强烈意见。事实上，当8号发现自己已经离不开伴侣的爱时，他们还是不愿承认自己是依赖者，他们会把自己塑造成双方关系的强大保护者。他们会让自己变成双方关系的主导者，这很容易就发展成对伴侣生活的监控，他们通过这种方式掩盖实际的脆弱。

如果伴侣屈服于他们的监控，一种有趣的矛盾就出现了。8号当然很想成为主宰者，但是另一方面，如果伴侣拒绝他们的控制，他们会觉得对方更有吸引力。这种明显矛盾的思想，源于8号性格者对权力的天生态度。对于那些愿意屈服、接受控制的人，保护者可以预测到他们的行为，因此觉得他们是可信的。但是，保护者很容易就会对那些轻言放弃的人感到厌倦，如果对方不能成为有价值的敌人，他们就会失去兴趣。

因此，8号建立亲密关系的道路实际上也是对权力的不断考验，因为8号同样相信那些经历了考验，能够公平使用权力的人。那些反击的人，在开始会遭到粗暴对待，但是如果他们能够坚持立场，保护者就会像尊重自己一样尊重他们。

8号性格者把他们伟大的爱情描述为：把伴侣保护在自己的羽翼下。他们会逐渐交出关系的控制权，如果他们开始像相信自己一样相信对方。在与其他人接触时，8号会觉得自己还是一个孤独者，但是他们不再排斥自己的伴侣，因为他们已经把对方当作自身的一部分。

我觉得人们被我的力量、我的自信、我的愤怒以及我赋予他们的刺激所吸引。他们不想要的，是我的悲伤或者我的受伤。我觉得如果人们看到了，他们会立刻跑掉。我就代表着力量，如果我失去了力量，人们就不会再尊敬我。如果"反对"是我的第一选择，那么独处就是我的下一个最爱。

我一直都是一个孤独者，即便是在亲密关系中，我也感到是一个人。一旦我开始思念某人，我就会感到恐惧。我既想让自己脱离这种关系，又希望能占据对方的心。他们的形象变得熟悉而安全，我的直觉是我要像保护我自己一样去保护他们，因为我们已经是一个人，所以我对他们的要求也会像对我自己一样苛刻。

在餐馆里就餐的时候，我总喜欢选择背靠墙的位置，这样我就能知道谁走进了餐馆。当我和某人热恋的时候，我会同时为我们两个人站岗放哨，这有时候是非常累人的。你可能会长时间陪伴在某人身边，最后得到的反馈却是请你走开，请你出去。

即使我知道自己想要什么，并计划提出自己的请求，我也不会真的这样做。因为在我的潜意识中，一直认为你只能依靠你自己，由此形成的想法就是：不要请教，想要什么就自己动手。得到自己想要的东西对我来说并不是什么难事，真正困难的是如何发现你在意的东西，尤其是当你需要在某人面前承认，或者公开表达你的愿望时。

遵循自己内心的愿望真的很难，最容易的方法就是不要去冒这个险，还是去做你擅长的事情，比如说保护某人，帮助他们实现他们的愿望。

## 夫妻关系实例：8 号 vs. 4 号——保护者 vs. 悲情浪漫者

这两种类型的人都被生活的边缘体验所吸引。他们都觉得自己与众不同，相信那些常规法则在他们身上是不适用的。4 号性格者觉得自己可以凌驾于法律之上，而 8 号性格者则认为自己比法律更强大。夫妻双方都有冒险的欲望，喜欢挑战规定的极限，他们可能因此相互欣赏，并支持对方摆脱社会约束。

这两种人都很容易对重复的行为感到厌倦。如果外围的冒险气氛不够浓厚，他们会想办法为自己的情感寻求刺激：8 号会通过斗争的方式，比如打架；4 号会选择激进的行为和自我折磨。

8 号伴侣会喜欢上 4 号的个人风格，而 4 号会被保护者率直的情感表达所吸引，觉得这是"真情流露"。4 号还会非常喜欢 8 号在遇到攻击时，能够坚持自己的立场，宁愿接受挑战，也不会逃避的处事风格。8 号不太可能因为伴侣的忧郁情绪而动摇。即便 4 号出现情绪波动，对 8 号时冷时热，8 号也会始终保持自己稳定的情绪。

但是这两种人的性格天生就有好几处锋芒相对的地方。比如，如果 4 号的精神状态很好，8 号会乐意陪伴在他们身边，但是如果 4 号的情绪低落，8 号就会悄悄离开。8号甚至会到其他地方寻欢作乐，来抵制4号的消沉。没有引起8号注意的4号，要么感到很生气，让抑郁情绪更加严重，要么害怕失去与8号的联系，这同样会导致抑郁情绪的加重。

还有一个例子，8号面对虚张声势的个人感情会变得十分没有耐心，他们希望突破4号夸张的情感表现，看到他们的真实感受。但是4号会觉得他们的情感没有得到认真对待，这会激怒他们，当愤怒累计到一定程度时，就会爆发出来。

双方的矛盾还可能继续发展。如果4号在情感上变得过于依赖，表现出愿意接受8号惩罚的受虐倾向，反而会导致8号的反感。如果双方的关系分分合合，也会令8号厌倦。他们要么产生强烈报复心，并借此分手，要么就不做任何评论地离开。相反，如果8号开始沉浸于这种对4号的控制权力——想要发号施令或者控制对方——4号可能会陷入深度抑郁之中。

如果4号能够把注意力放在某项可以受到8号支持和帮助的工作上，而不是一心想得到8号的关注，他们的矛盾就能得到缓解。悲情浪漫者和保护者和睦相处的一种最佳模式就是让富有创造力的4号开动一个项目，然后让具有力量的8号提供适当的压力和支持，推动项目的完成。另一种和睦相处的方式是8号开始学会去感受4号的内心世界，发现对方的内在价值。

# 权威关系

权威关系的关键问题就是控制权。8号性格者认为自己知道正确的方法，而且不管他们是不是领导者，他们都觉得自己是真正的控制者。8号倾向于承担领导责任，对工作运行的各个方面都保持严格的监控。他们还有一种欲望，想要保护机构中那些遭到不公对待的受害者。他们总是想要去挑战其他权威的能力和公正性。

为了保护自己的地盘，8号积极投入到与其他领导者的竞争之中。回报和权力相比，他们最感兴趣的还是权力。因此，他们会特别注重安全问题，尤其

> *和 8 号性格者工作的关键就是让他们充分获知信息。8 号性格者认为，被蒙在鼓里是一种对他们个人的真正威胁；全面的信息则让他们感到安全；准确的汇报者可以成为值得信任的盟友。*

是同伴和下属是否值得信任。

他们特别需要可靠的信息，因为一旦他们进入对抗状态，他们可能对新的信息视而不见。只要开始行动，他们的注意力就只会关注到对手防御体系中的弱点，根本不会在意其他情况。正因为如此，8 号并不是谈判桌上的高手，因为他们心中只想着完全战胜对手，他们不会去考虑谈判桌上的细微变化，也不会考虑通过"外交途径"来解决问题。

和 8 号性格者工作的关键就是让他们充分获知信息。人们总是害怕把坏消息告诉 8 号，担心他们会因此大发雷霆。坏消息的确可能让 8 号动怒，但是如果他们知道自己被蒙在了鼓里，他们的脾气会更大。8 号性格者认为，被蒙在鼓里是一种对他们个人的真正威胁；全面的信息则让他们感到安全；准确的汇报者可以成为值得信任的盟友。

从好的方面来看，保护者能够不断地给一个项目施加压力，直到项目完成。如果他们对自己的领导权感到安全，他们就会全身心地投入到工作中。他们会对"我们的人"提供保护。他们让盟友感到安全，愿意自己去对付实力强劲的对手。

从不好的方面来看，如果他们觉得无聊，他们就会去干涉他人的工作，去多管闲事。如果出现了问题，他们就会去寻找责备和惩罚的对象，而且他们不愿意给对方保留情面、重新改过的机会。只要他人的行为是被 8 号所否定的，或者他人表现出了 8 号不喜欢的特征，都可能导致 8 号的攻击。

## 权威关系实例：8 号 vs. 9 号——保护者 vs. 调停者

如果 8 号是老板，他们可能会制定出一套非常复杂和详细的工作规定，企图把所有的意外性都包括进去。但是他们自己在实际工作中却常常随心所欲，把规定抛在了一边。如果保护者自我感觉良好，可能所有的规定都不复存在。

虽然他们自己可以违背规定，他们却不允许其他人有同样的行为。一旦他们发现有人未经许可就违背了规定，他们就会想要在整个机构中强力推行整套规定。他们会通过现场检查、制定不可能完成的工作期限来向员工施加压力。

---

8号性格者既乐于制定让所有人必须遵守的规定，又乐于在不受到惩罚的前提下去打破规定。

只要8号老板的注意力一直是放在工作上，而不是员工身上，那么9号员工和8号老板就能保持良好的工作关系。9号员工会十分欣赏8号的保护能力或者推动工作前进的能力，觉得他们是强有力的领导者，并愿意与8号合作。如果机构受到了外在威胁，作为领导的保护者会摆出出色的防御体系，团结所有员工，并以领导者的姿势走在防御的最前线。他们不会做出任何退让，这种斗志昂扬的精神，会让9号备受鼓舞，为了集体的目标忘我工作。

如果8号老板急于增加9号员工的工作量，或者让9号去承担他们不愿承担的责任，双方的关系就可能出现问题。8号想要得到服从，但是9号想要逃跑。8号会把任何怠慢工作或者被动反抗的行为看作对自己的直接攻击，他们会予以公开报复。为了寻找谴责的对象，8号会在不分青红皂白的情况下，当众侮辱员工，指出他们的错误，而不去考虑9号曾经做出的努力和成绩。

如果受到打压，9号员工表面上可能会妥协，但是实际上却想逃走，把所有的错误掩盖起来。9号一般不会转入直接对抗的状态，因为他们怒火总是藏在内心，不愿意表达出来。多数的8号对于情感上的起伏都感觉迟钝。如果没有人直接告诉他们，他们很难知道9号发生了什么，他们会继续打击9号的被动反抗行为。情况会变得越来越严重，最后不是8号炒了9号鱿鱼，就是9号在遭到"致命一击"之前主动离开。

解决这种严重冲突的办法就是8号老板放下架子，去主动倾听9号员工的抱怨，愿意帮助他们排忧解难，同时对他们已经做出的成绩给予肯定和奖赏。9号员工如果受到嘉奖和肯定，或者觉得自己是领导需要的人，他们就会敞开心扉。

那些具有自我观察能力的8号老板会说，他们之所以害怕，是因为9号习惯在工作中不分主次，或者经常开小差，这让他们有一种对局势失去控制的感觉。实际上，8号为了掌握控制权而做出的铁腕行为，正是因为他们害怕失去控制权。

*8 号是典型的"困难领导者",越是面对困难障碍时,他们越是表现出对领导权的忠诚,越能脱颖而出,直面挑战。*

如果 9 号员工能够直接面对 8 号老板不可避免的愤怒,并且愿意与他们公开辩论,既不向他们隐瞒任何信息,也不推卸自己应该承担的责任,8 号老板可能就会对 9 号的坚定立场产生敬佩。如果 9 号固执地拒绝对话,8 号会愤怒不已;如果 9 号站出来直接反对,8 号反而会觉得比较舒服。因为 8 号性格者如果知道了对方的动机,他们就好像心里有了底,反而更加坦诚了。

如果 8 号是员工,9 号是老板,8 号员工会经常设法考验领导的能力。9 号的领导权表现得越清楚、越直接,8 号想要检验权威能力的想法就越少。相反,只要 9 号老板做出了任何模棱两可或者指代不明的要求,8 号都会对其提出质疑,或者通过自己的违抗来对权威进行测试。团队中的其他成员会觉得他们被两极分化了,因为 8 号要求他们对每件事情都明确立场,即便是一些微小策略也不放过。8 号之所以这样做,是因为 8 号要从他人的立场上来决定谁是朋友,谁是敌人。

如果领导者能够坦诚相待,或者有什么好办法可以激发 8 号的欲望,8 号都会变得十分合作。能够让 8 号的特性得到最佳表现的工作就是让他们去负责把一个有趣的想法付诸实践。如果 8 号能够在机构中拥有独立的小空间,并让他们获得完全的控制权,他们的效用会更大。

# 8 号性格的闪光点

保护者天生就喜欢权力和控制。他们可以受到自身欲望的驱使,去追逐权力和领导地位,也可以运用自身注意力的倾向去帮助自己和他人。重视权力的 8 号会强迫他人服从他们的观点,因为这样才让他们感到安全;但是同样是对权力的关注,也可以变成一种积极的压力,推动某个大型工程向前发展。8 号是典型的"困难领导者",越是面对困难障碍时,他们越是表现出对领导权的忠诚,越能脱颖而出,直面挑战。

在他们所有果断和放纵的行为中,8 号都很难表达出自己内心最深处的希望和他们真实的目标。一个 8 号性格者制造麻烦、不断斗争,都是为了让自

己保持兴趣，但是一旦外界能够满足他们的兴趣了，8 号会迅速进入控制者的
状态，让自己的目标变成现实。

8 号性格者会十分清楚地告诉他人自己的立场。当他们企图操纵他人时，
他们的手法总是过于强硬，很快就会暴露意图，因此效果不佳。在两性关系
中，他们渴望最基础的真实，他们不会在意自己的公众形象，总是随心所欲，
自然流露出真性情。对于朋友，他们在时间和精力上都表现得十分慷慨；对于
聚会狂欢，他们更是拥有超人的持久力。

## 适合 8 号的环境

保护者常常会是政治掮客，或者那些在幕后操纵一切的政治家。他们可
能是那些控制美国金融王朝的"强盗资本家"（robber baron，19 世纪后期美
国的工业或金融界巨头之一，靠利用令人怀疑的手段对股市进行操纵和剥削
劳工等不道德的手段发财——译者注）。他们信奉的是黑手党的哲学："我的
地盘，我的人。"他们是地狱的天使，是工会的领导人，是那种置于死地而
后生的人。他们意志坚定但心地温和。他们是一手掌握控制权，一手把持公
平原则的企业领导。他们是分户出售公寓的地产开发商，带头为无家可归者
提供住房。

## 不适合 8 号的环境

我们在需要良好表现和严格遵守规则的工作中，很难发现 8 号性格者的身
影。他们不喜欢那些容易被不可预知的力量所操控的环境。他们不相信那些需
要依靠领导者的好心才能完成的工作，也不喜欢待遇不公的地方。

# 著名的 8 号性格者

亨利八世
（Henry Ⅷ）

著名的 8 号性格者包括英国都铎王朝的第二代国王亨利八世（Henry Ⅷ，1509－1547 年在位），这位独断专行的国王为了自己的婚姻问题，不顾强烈的反对声，与罗马教廷决裂，自封为英格兰教会的最高首领，让自己的欲望合法化。

## 其他著名的 8 号性格者包括：

★ 弗里茨·珀尔（Fritz Perls）：1893－1970，美国心理学家，完形治疗法创始人。

弗里茨·珀尔
Fritz Perls

★ 葛吉夫（Gurdjieff）：1866－1949，俄罗斯神秘学家。最初把"九型人格"引入西方的人。被称为"20 世纪的达摩"。

葛吉夫
Gurdjieff

★ 布拉瓦茨基夫人（Madame Blavatsky）：1831－1891，19 世纪的俄国预言家、神秘学家，"通神论协会"的创立者。

布拉瓦茨基夫人
Madame Blavatsky

★ 毕加索（Pablo Picasso）：1881
－1973，西班牙画家，是 20 世纪
最多产和最有影响的画家之一，
也是立体主义画派的创始人之一。

毕加索
*Pablo Picasso*

★ 肖恩·潘（Sean Penn）：美国
著名男演员，人称"坏小子"。

肖恩·潘
*Sean Penn*

★ 尼采（Nietzsche）：1844 －
1900，德国著名哲学家、诗人。
他坚持认为理想化的人类，超人
哲学能够创造性地引导情感而不
被它们所压制。

尼采
*Nietzsche*

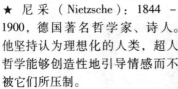

★ 埃尔德里奇·克里弗（El-
dridge Cleaver）：20 世纪美国黑人
运动领袖。

埃尔德里奇
*Eldridge Cleaver*

*当他们完全相信一个人时，他们就想要放弃强迫控制对方的欲望，转而向对方投降。*

★ 加菲猫（Garfield the Cat）：美国漫画家吉姆·戴维斯（Jim Davis）于1978年创造的风靡全球的动画形象。

加菲猫
*Garfield the Cat*

# 基础性格分支

　　基础性格分支是8号性格者在孩童时代为了让自己的弱点最小化而形成的一些特质。为了阻止内心中因为遭受不公平对待而产生的焦虑，他们努力控制自己的感觉，也控制那些能够影响到他们生活的人。

## 一对一关系：占有/投降

　　8号性格者希望能够拥有对方的心灵和思想。他们渴望与对方的心灵进行沟通。当他们完全相信一个人时，他们就想要放弃强迫控制对方的欲望，转而向对方投降。

　　在我找到对我真正有用的心理医生之前，我已经看过了无数的心理医生。我现在的心理医生会告诉我，我的哪些想法是错误的，并让我知道他的观点。尽管开始我总是反对他的观点，但是慢慢地我就会发现他对我指出的问题都是对的。

## 社会关系：友谊

　　8号性格者与他人建立的友谊是以信任为基础的，这种信任往往又是在冲突中建立起来的。在社会关系中，他们最愿意与那些受他们保护的人和那些保护他们的人建立友谊。

*8号性格者常常拒绝参加心理治疗或冥想练习，因为他们觉得让自己柔弱的情感表现出来，或者让自己去感受他人的想法，都会让他们产生被控制的担忧。*

　　我与朋友们的关系是在多年摩擦中发展的。每次我们关系紧张，剑拔弩张的时候，我都很痛苦，不知道大家的关系还能不能维持下去。一旦我知道了我的朋友们会坚持自己的立场，不会动摇，我就更加信任他们。我相信在我们争吵打架时，我们说出来的话都是真话，这样我们之间就没有可以隐瞒的了。

### 自我保护：满意的生存

　　8号性格者在意自己对个人生活习惯和生活空间的控制。他们希望控制自己的生存需要，希望自己的欲望得到满足，而不是去不断寻找真正的需要，或者让他人控制自己的生活。

　　如果你发现有人控制了你的生活，你会感到恐慌。谁进了你的房间？是不是有人用过了你的梳子？甚至如果人们没有在喝早茶的时候，给你留下足够的牛奶，你都会觉得被侵犯了。一旦这些生活中的小事情失去了控制，你就会觉得生活变得混乱不堪。

# 对8号有利的做法

　　8号性格者常常拒绝参加心理治疗或冥想练习，因为他们觉得让自己柔弱的情感表现出来，或者让自己去感受他人的想法，都会让他们产生被控制的担忧。8号往往是在家人的要求或者法庭的建议下才走进心理诊所。他们典型的心理问题包括与同事相处的问题、情绪抑郁的问题以及物质滥用的问题。

　　8号需要注意到他们的注意力发生了转移。为了拒绝他们真正的需要，注意力被转移到强硬的外表上。8号性格者如果能够从以下方面进行改善，他们就会大大受益：

　　★ 注意到自己总是要求对一段关系予以明确定义。把斗争看作发展信任的一种方式。

　　★ 注意到自己在感情关系或心理治疗中，总是要求建立清楚的规则。但是一旦建立了规则，又渴望破坏规则。

★ 注意到自己总是喜欢在身边寻找对手。喜欢把周围的人都划分成两派，不是朋友，就是敌人。通过挑衅，让对方采取行动。

★ 认识到自己的厌烦感觉，实际上是在掩盖其他的情感。

★ 努力发现他人行为的逻辑性和正确性，允许他人坚持不同的观点。

★ 认识到真正的感觉往往是从消沉中产生的。把消沉当作一种感情流露的方式，不要逃避负面情绪。

★ 注意到什么时候对物质的滥用。不要让对他人的控制欲，取代了自己的真实希望。

★ 注意到自己对公正的追求和渴望保护他人的想法，常常把周围的人分成了朋友和敌人两大对立的阵营。

★ 把自己的注意力从"你的方式 vs. 我的方式"上转移出来，尽量认识到各个观点之间的相互联系。

★ 记得把自己的想法和感受记录下来，和自己的强迫性健忘做斗争。用自己记录下来的想法和感受提醒自己不要强迫拒绝内心的感觉。

★ 学会延迟情感的表达。在准备发火之前，先在心里倒数 10 下。

★ 不要总是从外界寻找问题的根源，学会从自己身上找问题。

★ 学会承认自己的错误。

# 8 号需要避免的做法

8 号性格者总是有意忘记或拒绝自己的情感上的弱点和依赖性。他们需要注意自己的下列行为：

★ 把他人的帮助误认为对自己的怜悯。

★ 喜欢控制细节。在行动中对一些小事要求苛刻。"除非我找到我最喜欢的那把汤勺，不然宴会到此为止。"

★ 把潜在的帮助拒之门外。对他人的优点只字不提。行事鲁莽，把人得罪了自己还不知道。

★ 忘记自己的目标。沉浸于过度的狂欢、食物、性爱、毒品之中。觉得越多就是越好。吃着碗里的，望着锅里的。

★ 对自己看不顺眼的人发出攻击。

★ 难以妥协。要么控制，要么离开。不会看到中间立场。

★ 不想让自己表现出依赖性。把他人的疏忽看作对诚信的背叛。

★ 关闭自己的感觉。有时候会放弃所有事情，什么也不关心。

★ 为了掩藏自身的弱点，而谴责他人，从他人身上挑毛病。

★ 制定规则，并把规则强加于他人身上。

★ 破坏自己的规则，说明自己是权力的掌控者，是不受约束的。

★ 失败以后陷入绝望，不能自拔。

# 第十四章 9号性格——调停者
## *The Mediator*

## 平和型

| 性格特征 | | 本体特征 | |
|---|---|---|---|
| 大脑 | 主要特征：懒惰 | 高层思想：爱 | |
| 心脏 | 主要情绪：怠惰 | 高层德行：正确行动 | |
| 基本性格分支 | | | |
| 情爱关系：寻求联合 | | | |
| 社会关系：参与 | | | |
| 自我保护：爱好 | | | |

## 困境

他们是从小就被忽视的孩子。

他们学会忘记自己，学会知足常乐，学会寻找爱的替代品。

他们是和平的维护者，是矛盾的调解者。

他们总是站在中间倾听各方意见，却不知道自己的观点是什么。

9号性格者记得小时候，他们的观点很少被大人听见，别人的需要总是比他们的需要更重要。

**对于很容易就受到他人情感影响的9号来说，说"不"是相当困难的事情。在9号看来，对他人说"不"就如同自己遭到拒绝一样难受。**

最终，9号性格者的内心进入催眠状态，他们的注意力从真实的愿望上转移出来。

9号认识到他们自己的特权得不到重视，他们只能麻醉自己，分散自己的精力，让大脑把自己忘记。

当他们心中产生了某种个人的需要时，这种需要可以很容易就被他们抛到一边。其他琐事变成了头等重要的事情，就好像如果不把餐桌收拾干净，客人就不会付账一样。9号离他们自身那些需要解决的优先选项越近，他们越容易去注意那些无关紧要的事情，借此分散注意力。

他们的时间越充足，他们做的事情反而越少，因为他们很难分清楚哪些是重要的事情，哪些是不重要的事情。一位大学生在参加了"九型人格"的学习后，发现自己属于9号性格。她说，有一次她准备花一天时间完成一篇期中考试的论文，因为交论文的期限马上就要到了。结果，她却把一上午的宝贵时间花在了厨房里，就为了给自己的储物罐找一个合适的瓶盖。

9号性格者说，他们总是无法知道自己的需要，因为他们过度投入到他人的愿望中，他们把精力分散在那些不太重要的事情上。他们看太多的电视，他们的生活没有新鲜感；更糟糕的是，他们还暴饮暴食。

9号性格者倾向于依照他人的日程安排来生活。因为他们觉得自己的地位无足轻重，但他们又希望与他人保持联系。他们学会了迎合他人，把他人的爱好当作自己的爱好。在感情的初期或者一项新任务的初始阶段，9号总觉得是他人的兴奋把他们带入其中，而不是他们自己决定要投入进来的。当9号对他人做出承诺后，他们会在履行承诺的中途突然清醒，觉得自己被他人的愿望拖累，不知道自己是如何走到这一步的，但是又很难拒绝这段关系。

对于很容易就受到他人情感影响的9号来说，说"不"是相当困难的事情。在9号看来，对他人说"不"就如同自己遭到拒绝一样难受。他们更愿意对他人点头，同意他人的观点，而不是公开表达自己的怒火，因为他们害怕发怒会导致分离。

9号孩童与他人的联系建立在和平的气氛中。9号的超强附和能力，可以

> *9 号性格者获得安全感的方式与众不同，他们逃避自己的需要，他们不维护自己的立场，他们不愿做出决定和承诺。*
>
> *但是令人矛盾的是，9 号性格实际上是"九型人格"系统中最顽固的类型。*

让他们感觉到他人的愿望，9 号也愿意与他人一起去实现这些愿望。但是，千万不要把 9 号表面上的迎合错误地看成他们发自内心的承诺。

　　9 号性格者可以在进入某种环境很长时间后，依然没有做出真正的决定。他们很容易就能发现他人的观点，因为他们总是能够把一个问题各个方面的优点都考虑到。既然各个方面都有优点，为什么要选择同意某一方面呢？如果大家都各有各的道理，为什么要认同自己的观点呢？9 号说，感知他人的内心比发现他们自己的观点要容易得多。

　　在需要做出决定的时候，9 号性格者看起来没有意见，十分乐意服从，但是在他们平静的外表下面，他们的内心却在翻江倒海。

　　"我是同意我的朋友，还是不同意？"

　　"我是要加入其中，还是要离开？"

　　"我该买这所房子吗？还是再另外看看？"

　　……

　　困扰一个接一个，没完没了，他们的注意力就在问题的两个极端来回摇摆。他们宁愿这样左思右想，也不愿果断做出决定。他们害怕自己的努力不被认可，害怕必须为了维护自己的观点而反对他人，这些风险是他们不愿承担的。

　　9 号性格者获得安全感的方式与众不同，他们逃避自己的需要，他们不维护自己的立场，他们不愿做出决定和承诺。

　　但是令人矛盾的是，9 号性格实际上是"九型人格"系统中最顽固的类型。因为 9 号虽然会被某个问题所困惑，但是这并不意味着他们急于解决这个问题。那些尝试帮助 9 号做出决定的人，还有那些给 9 号施加压力让他们表明立场的人，往往会发现 9 号已经把自己的双腿都埋在了沼泽中，拒绝做出任何移动。

　　9 号即使表面上很顺从，但内心还是会有所保留，他们不会把保留态度看作拒绝的回答。他们觉得自己之所以有所保留，是因为他们还没有下定决心，所以不愿急于做出不成熟的表态。他们通过延迟决策来压抑内心因为被忽视而

*如果你觉得"九型人格"中的每一种性格都与你有共同点，那么你很*
*可能就是 9 号性格者。*

产生的愤怒。实际上，他们因为要迎合他人而感到愤怒，因为自己不被重视而感到愤怒。9 号的决定就是不做决定，保持生气状态，但是这种生气仅限于内心。

一旦确定了一个立场，9 号坚持这个立场的顽固态度就像当初他们不愿选择立场一样。他们心中最自然的选择就是中立，对两边都做出承诺，但是都不确定。9 号性格者被称为调停者、和平维护者，因为他们天生的矛盾心理让他们能够同意冲突双方的观点，但是又不会完全成为某一方的支持者。

9 号制定决策的过程是相当缓慢的，因为心中装满了以前那些尚未解决的问题。一周前发生的某件事情能够让他们想起好几年前的另一件事，并让他们觉得有必要把所有事情重新考虑一遍。决定对他们来说，就是要做出一些了结、一些放弃、一些改变、一些发展，这些都会让他们产生分离的担忧。9 号喜欢拥有的东西越多越好，失去的东西越少越好；他们喜欢去做熟悉的事情，而不愿去冒险尝试突然的改变。

因为他人的愿望好像比自己的更加紧急，9 号总是面临着两种选择：

★ 一种是把自己融入到他人的日程安排中，

★ 另一种是斩断与他人的关系，让自己不受影响。

如果受到压力，他们也会被动反抗，他们会放慢行动步伐，会坐在冲突的中心，等着冲突结束，而不做出任何回答。

调停者之所以会在下定决心、表达愤怒、寻找个人立场这些方面遇到问题，是因为他们忘记了他们自己，而把他人视为自己生命的主宰者。不过他们这种"应该同意他人，还是不应该同意他人"的困惑，既可以是他们沉重的包袱，也可以成为有用的工具。说是包袱，因为 9 号不知道自己想要什么，并因此感到痛苦；说是工具，因为失去个人立场的 9 号常常能与他人的内心产生直觉感应。如果你觉得"九型人格"中的每一种性格都与你有共同点，那么你很可能就是 9 号性格者。

## 9 号性格者的主要特征包括：

★ 用不必要的事物来取代真实的需要。最重要的事情往往被留在了一天的最后时刻。

★ 难以做出决定。"我是同意，还是不同意?""我是想去，还是不想去?"

★ 根据习惯行动，重复熟悉的解决方法。仪式主义。

★ 很难说"不"。

★ 压抑身体的能量和怒火。

★ 用被动进攻和顽固坚持来表现控制力。

★ 关注他人的立场。这种注意力会导致：

● 难以保持个人的立场，但是却能拥有感知他人内心体验的能力。与 2 号性格者"给予者"有相似的地方。

# 家庭背景

9 号性格者觉得自己在小时候被忽视了，并因此养成了忽略自己真实需要的习惯。在他们对家庭环境的描述中，有的是被父母忽视了，有的是生活在兄弟姐妹的阴影里，有的则是在站出来表达自己的想法时遭到了打击。

9 号性格者童年生活的一个共同点就是：没有人听取他们的意见，而且他们发现即便是直接表示愤怒，也不会有人重视他们的想法。

我的父母很爱我，但是他们更关注我的哥哥，因为这家伙是家里的反叛分子，他的行为常常还会连累到我。我很清楚，只要我顺从我的父母，按照他们的要求表现，我就能得到他们的爱。我记得在我 3、4 岁的时候，有一次我母亲紧紧抱着我，压得我连气都喘不过来，但我也不敢挣扎。

当时觉得我要么挣扎着摆脱她的怀抱，要么就只能在她怀里窒息。我本能地屏住呼吸，放弃了挣扎。后来，我越来越遵从父母的意愿，我发现如果我对他们说"不"，我就能从内心中感受到他们的失望。

调停者希望和平，这个愿望常常是由于他们曾经被冲突双方夹在中间，他们体会过那种左右为难的滋味。如果你能从每个人的观点中都看到有用的价值，为什么还要选择立场呢？如果根本没有人会在意的话，你为什么还要表达你的自己观点呢？

你做，会有人说，不做，也会有人说，左右不是人。我是家里4个男孩中最小的一个。如果我按照父母的意思去做，我的哥哥们就会嘲笑我；如果我跟着他们去做，我的父母就会生我的气。最简单的办法就是把自己隐藏起来，两边都不要选，把自己与所有人隔离开，直到他们都走了为止。我记得有一次家里惩罚我坐在墙角面壁思过。我在墙角一动不动地坐了好几个小时，直到我母亲突然想了起来。其实我可以一整天都坐在那里，因为我是在我的内心中。

9号孩童接受了这样的现实，那就是他们无法改变家庭的现状。他们学会把自己隔离出来，学会用一些微小的舒适感来取代真实的感觉，学会把问题搁置到一旁，直到有人率先采取行动。

## 我是同意，还是不同意？

在"九型人格"系统中，调停者位于中心三角形的顶端，这个位置最能清楚地解释他们的观点。9号性格的一只脚站在形象和顺从上（3号性格），另一只脚站在反抗权威上（6号性格），所以9号性格本身就是被夹在"既想同意，又想不同意"的矛盾冲突中。9号性格的右翼性格是1号，这是"九型人格"中的好孩子，9号性格的左翼性格是8号，这是"九型人格"中的坏孩子，这说明9号既想做正确的事情，又想去反对和破坏规则。

9号性格者说，他们感觉不到他们自己，因为他们的注意力总是在关注是否应该同意他人的观点，而不是在寻找自己的立场。选择自己的立场会让9号忧心忡忡，他们既担心因此疏远了他人，而遭到抛弃，又担心要顺从他人的意

> *因为9号性格者习惯把自身的能量和注意力从真正的需要中挪开，所以他们常常表现出怠惰的特征。*

愿，被他人控制。

在"顺从与反抗"的问题上，9号孩童解决这种困境的办法就是两者都不选。他们倾向于静坐在两种选择的中间，既不斗争，也不逃避，也不会采取直接行动去影响决定。

他们看上去似乎是同意的，因为他们没有直接说"不"，但是他们的内心实际上还是没有决定。直接说"不"意味着要选取一个立场，但是9号能够看到问题的各个方面，所以他们无法选择。他们可能看上去是同意的，但实际上是在等待着看他人是怎么解决这个问题的。"我想知道他们是怎么选择自己的立场的？"这个时候，9号只会选择作壁上观。不必担心时间，明天多得很呢。因为缺少强烈的动机，他们觉得没必要强迫自己做出决定。

9号性格者可以通过设立程序来缓解面对选择的紧张。一旦他们有了日程安排，9号就可以在早上起床后清楚地知道他们一天要做什么，而不用去面对选择。他们可以不经思考地完成一个工作又一个工作。当他们根据习惯进行行动时，9号说，他们觉得自己是完全自动的，就像梦游的人一样，在无需意志选择的情况下生活。选择的烦恼没有了，因为下一件要做的事情已经列在了工作表上。

但是由此会产生另一个问题。在按照计划完成工作的过程中，9号的内心可能被其他思想占据，以至于他们不再注意到自己手头的工作。从某种程度上说，当他们按部就班地工作时，他们的意识实际上是在打盹，处于一种"心不在焉"的状态。他们可能什么也没想，也可能是在想别的问题，只有非常强大的力量才能把他们的注意力从其他地方拽回来。

# 习性

因为9号性格者习惯把自身的能量和注意力从真正的需要中挪开，所以他们常常表现出怠惰的特征。让9号性格者忘记自己最容易的方法，就是把他们的注意力转移到一个能够让人上瘾的习性上。这种上瘾的习性既可以是吸食大麻、酗酒，也可以是喜欢看肥皂剧，或者其他一些生活中的小小满足感。一旦养成了这样的习性，9号的思维就会被这种习性所局限，他们就会忘记生命中真正宝贵和重要的东西。

大多数9号性格者都拥有很多种让他们忘记自己真正需要的办法。如果你要他们放弃这些做法，他们会采取强烈的保护措施。对于9号而言，让他们放弃某种爱吃的食物，或者放弃看电视的习惯，就意味着放弃了一种可以预见的舒适生活，这种生活方式能让他们把注意力从自己真实的需要上转移出来。

许多9号都会为自己的真正需求找到高层次的替代品。比如，一位属于9号性格的儿科医生，他多年的愿望就是开办一家自己的诊所，随时为那些生病的儿童服务。但至今为止，他依然在一家公立医院工作。他说，这么多年来，他一直在自己的工作岗位上努力工作，他分散注意力的方法就是去救治更多的儿童，这样他就没有时间去关注自己开办诊所的梦想。虽然他的这种注意力转移有时能够拯救孩子的生命，但是在每天工作结束后，他还是会发现，原来自己远离了最初的梦想。

9号性格者在感到安全的环境中充满活力和效力，但是如果他们从事的活动是无关紧要的，仅仅是内心需求的替代品，那么即使他们做得很出色，他们也会觉得失去了生命中最重要的东西。

9号说，在从事这些自己并不在乎的工作时，他们的行为变得"自动化"，他们按程序办事，然后把多余能力转移到对过往时光的回忆上。一旦习性生成，他们可能表面上充满活力，但是内心却陷入沉睡，除非有什么不寻常的事情侵犯了他们的生活，或者他们发现自己犯了错误，否则他们很难清醒过来，集中注意力。

我干印刷这一行已经很多年了，我只需要稍微用点心，就能操作复杂的印刷程序，根本不需要全身心投入。当印刷设备在运转的时候，我可以一边细心检查四色印刷的每一处完成效果，一边在大脑中进行一场与我的工作毫无关系的对话。这种对话时而会把我带入到过去的回忆中，时而会让我注意到周围经过的人，时而会让我想起今天要做的其他15件事情。

> 9 号所谓的"懒惰"实际上是负载太多，因此无法完成对他们真正重要的事情。

最后，我感觉好像是印刷机自己在那里工作，而不是我在那里操作。有时候，你的内心可以变得非常拥挤，觉得有太多事情要做，每一件事情都很重要。你在衡量它们每件事的轻重，因为你觉得有责任把它们完成，结果你被僵在那里，不知道该从哪一件开始做起。我可以一边在超市采购，一边脑子里想着其他事情。我老是心不在焉，结果在经过我需要的番茄酱时，我却视而不见。然后我排队结账、装袋、付款、离开，但是我可能会把一、两袋物品落在购物车里。

对于陷入重要选择，左右为难的 9 号来说，计划安排可能就是他们的救世主。一个设计很好的安排，能够让 9 号放心行动，因为他们听从外界的选择。一个良好的研究生培养项目或者某个朋友的明确需要都能让 9 号的注意力从困扰的思绪中转移出来，让他们重新找到重心，因为要求他们做出选择的压力已经没有了。

## 必要，还是不必要？

如果 9 号拥有了大量的空闲时间和精力，他们真正的需求就会浮现出来。正因为如此，当 9 号需要忘记他们自己的时候，他们会承诺去做更多的事情。但是他们很少会真正完成这些承诺，这让他们表现出懒惰的外在形象。

在 9 号性格者看来，要做的事情太多，那些需要优先考虑的事情反而看不到了，因为对其他事情的承诺占据了主要位置。他们的优先需求常常会被埋没，因为 9 号无法区分哪些是绝对必要的，哪些是不必要的。

9 号所谓的"懒惰"实际上是负载太多，因此无法完成对他们真正重要的事情。

中午，我在厨房切胡萝卜准备午餐，今天有客人要来，我已经想好了做什么样的午餐。我不确定我是否做好了准备，但我知道要把胡萝卜切完。很快，我的思绪让我想到了其他一些同样重要的事情。明天要把衣服洗完，下周要把该打的电话都打了。我的脑海中开始出现与人在电话中交谈的场景，这些谈话又让我想起了另一场对话。我看到屋里的窗帘在飘动，这又让我想起了另一段回忆。我还在切我的胡萝卜，但是我的大脑却在清算要洗的衣物。感觉就像在做梦一样，屋子里的胡萝卜和砧板、一大堆要洗的衣物、没有打的电话，所有这些事情都和马上要到来的客人一样重要。

实际上她并没有忘记中午客人到来的时间，但是她确实觉得自己还有很多其他事情要做。女主人在考虑是否要把客人来吃午餐放在第一位，因为她的注意力被转移到了一些并不是那么重要的琐事上，这让她难以抉择。最终，她花费了太多的时间来考虑，以至于她已经没有时间去做她的大餐，结果不得不取消午餐的安排。

# 堆积

9号性格者喜欢得到更多，而不失去任何东西。多余的空间会被零碎物品填满，多余的时间会被不重要的琐事消磨。他们的内心被各种没有完成的事情所占据，这些反复出现的想法有效地阻止了9号去发现真正重要和正确的事情。只要他们的储物柜还没有被装满，里面的东西一件都不能丢。

9号性格者对过去有超强的记忆力，因为记忆让他们感到自己的存在。通过坚守过去，9号可以不去面对现实的承诺。过去的记忆是很难摆脱的，而且会经常在他们脑海中复苏，他们能迅速地从眼前的某个场景联想到记忆中的某个画面。

9号性格者的堆积不是表面上的，而是有具体行动的，就像一个收藏家会把自己所有的空间都摆上自己的藏品。9号堆积的可以是任何东西，从茶杯到过期的漫画书。这种特殊的搜集工作让他们能够填充自己的空闲时间。这种堆积对9号的最大好处是，他们能够获得大量自己感兴趣的知识，可能会成为某个方面的专家。9号一旦被某种物品所吸引，他们就会进行全面研究，不放过任何一个收藏对象。但有的时候，9号自己也不知道他们为什么会堆积那么多

*如果调停者拥有足够的能量去发脾气，这对他们来说会是一件好事，因为他们的个人立场可能就会表现出来。遗憾的是，9号会在自己体内的能量增长到一定程度之前就把能量转移出去，避免变成怒火爆发出来，也避免让自己做出选择。*

东西。下面的陈述就来自一位资深的收藏者，他主要收藏第一版的图书和各种各样的蝴蝶。

我对收藏有一种欲望，就好像你会在半夜里开车出去寻找你特别想吃的一种食物一样。你的感觉被那种渴望控制了，你必须要找到那种特别的饼干或者那个牌子的花生酱，不管有多远的路。不管我在生活中遇到什么样的困惑，我都知道我要吃什么，我也非常清楚我要寻找哪一本书。我还有一种采购的欲望，总是觉得所有商品都是有用的。

最近我清理了家里的储藏间，把那些没用的东西足足装了几麻袋，然后我带着这些东西到跳蚤市场上去卖，希望用卖东西的钱给孩子们购买一些参加童子军夏令营的物品。结果，等我回家时，我发现拿回来的琐碎物品比我带走的更多。

# 压制能量

生气能够让我们表明自己的立场，当我们生气时，我们非常清楚自己想要什么。如果我们拥有大量的身体能量，我们很难把这些能量与自己想要做的事情隔离开。如果调停者拥有足够的能量去发脾气，这对他们来说会是一件好事，因为他们的个人立场可能就会表现出来。遗憾的是，9号会在自己体内的能量增长到一定程度之前就把能量转移出去，避免变成怒火爆发出来，也避免让自己做出选择。

在"九型人格"中，有三种愤怒的性格：8号、9号和1号。它们都位于九角星的上端，而9号是这三种性格的中心。9号的位置叫做"被动进攻"，在这个位置上，愤怒陷入了沉睡状态。在实际生活中，9号会把身体能量从必要的行动中吸取出来，阻止行动的发展，这样，他们就永远没有足够的能量去面对冲突，去追求自身的欲望。

9号通常会反映说：他们会把自己的精力投入到不太重要的兴趣中。他们可以通过暴饮暴食或者过度沉浸于某种行为来吸收身体多余的能量。他们会感

*他们什么也不想说，什么也不想做，生命中的一切行动好像都停止了，只剩下起居室的沙发上，一个懒散、抑郁的形象。*

到精神疲倦、需要休息，但是身体上却一点也不累。当然，他们也可以运用这种能量去面对他们需要解决的问题。

在我学习武术的第一年，我常常会在练习垫上打盹。我每次都企盼着上课，每次在热身的时候都表现得很好，当我们开始真的练习时，我觉得我浑身充满了能量。我记得有几次我在对着镜子练习我的后滚翻，我很兴奋，感觉很好，然后我记得的下一件事情是我们坐在那里看老师表演，旁边一个同伴拍了我好几下，因为我一坐下来就睡着了。

把全部的精力都投入到真实的世界中，这个想法让我感到恐惧。我可能开始会很兴奋，但是很快就会感到害怕，接着我内心的困惑就会把我抓住，而我反而有一种如释重负的感觉。

# 惯性和抑郁

9 号的抑郁来自无所事事。他们通过遏制身体的能量来让自己保持平衡。这种遏制让他们总是有足够能量去从事那些无关紧要的事情，却把最重要的事情放在了最后。9 号把自己与那些已知的、熟悉的行动拴在一起，忙碌的状态让 9 号没有时间感到抑郁，当然也就没有时间去设定期望，或者发现自己的优先需求。

我感觉如果我停下来，我就再也动不了了。我曾经有两年的时间，在客厅沙发、冰箱和电视机上消磨时光。我不用对任何人负责，我什么时候想休息都可以，我会去散步，觉得自己处于完全的自由状态。当我最终意识到我是在抑郁中生活时，我感觉如果我还找不到生命中应该做的事情，那我肯定要死了。我愿意做任何事情，去避免那种没有能量、没有希望的状态。

物理学的惯性定理在这里一样适用。根据这一定理，处于静止状态的物体会倾向于保持静止状态，而处于运动状态的物体会倾向于保持运动状态。反映在人的身上就是：处于休息状态的身体，倾向于保持休息状态。正是这种倾向让9号出现了"沙发抑郁症"，他们什么也不想说，什么也不想做，生命中的一切行动好像都停止了，只剩下起居室的沙发上，一个懒散、抑郁的形象。

当9号陷入这种无所事事的状态时，他们需要来自外界的帮助。一段新的感情、一个新的机会或者一个清楚的计划安排都能帮他们重新发动起来。如果9号能够把自己依附在他人的兴趣上，或者让自己去回应他人的需要，他们会更乐于行动。

我常常发现自己所做的事情，并不是自己的选择。有的事情我已经做了10年，但它们好像从来不是我的决定或者我的想法。我上了法学院，然后开始谈恋爱，感觉一切都是我撞上的，是因为它们本来就在那里，而不是我主动去找的。现在我是律师，但我从来不觉得自己是律师，因为我身上没有这个职业的特征。一切好像都是顺其自然，我好像是被人领到我自己的位置上的，而我自己并没有做出任何决定。

一旦身体的能量被转移到某件具体的行动中，9号就会走出抑郁，但是他们可能还是无法看到自己真正的需求。根据惯性法则，运动的物体会倾向于保持运动状态，这意味着一个开始行动的9号将面临两种选择：

★ 一种是按照老习惯划分出一定的注意力去机械地完成行动；
★ 另一种是紧密地观察自己，直到发现自己真正的优先需求。

## 沉睡的愤怒

9号性格者通过间接的方式表达愤怒。他们觉得采用间接的方式来发泄愤怒，能够避免公开的正面冲突，让他们不至于被他人抛弃，也不需要为了维护自己的位置而去反对其他人。

对他们来说，做出选择会造成巨大的伤害，因此他们宁愿让局势自己恶化到四分五裂。9号清楚的是他们不想要什么，而不是他们想要什么。他们倾向于把怨言埋藏在心底，除非累积到一定程度，才会像火山一样爆发。他们做出

**对调停者来说，让别人发脾气是轻而易举的事情，因为他们总是知道对方想要什么。只要他们不按照对方的心愿去做，就会让他人恼羞成怒。**

选择往往是因为当前的局势已经让他们不得不这样做。

我在一所音乐学院当了很长时间的老师，这所学校里老师的待遇很糟糕，但是我从来没有足够的勇气走进校长办公室，对他说："这些问题需要注意啦，情况太糟了！"我一直在忍气吞声地做我的工作，直到有一天，我终于被一件事情激怒了。我整个人都爆发了，我写了一封信，把我以前知道的所有不公正待遇都写在了上面。

这是一封具有雪崩效应的信件，里面充满了不愉快的回忆，如果不是这么多年来我一直压抑自己的怒火，如果不是他们最终变得让我不能容忍，我怎么也不会写出这样的信。

9号性格者习惯压抑自己的怒火，直到他们受到的干扰达到了某种令人无法忍受的程度。他们控制自己的怒火，但并没有放弃对他人的反抗。尽管表面上是顺从的，但没有表达的愤怒反而为他们提供能量，去采取被动的反抗行为。

9号说他们会通过一些间接的方式来发泄自己的怒火。第一种方式就是采取顽固的态度，也就是把自己固定在争论的中间地带，通过拒绝改变立场来控制行动。另一种方式就是对其他人的意见视而不见，转头去做其他事情；或者通过这种不理不睬、不表态的方式引发其他人的怒火。

对调停者来说，让别人发脾气是轻而易举的事情，因为他们总是知道对方想要什么。只要他们不按照对方的心愿去做，就会让他人恼羞成怒。比如，9号可以在一项非常重要的工作中，有意把细节做得很糟糕，或者在他人加班加点急于完工的时候有意放慢动作，或者明知他人对某项活动给予高度期望，却有意装聋作哑。不论是通过哪种方式，愤怒的9号实际上都是在间接地表达对他人的不满。

虽然习惯了用间接的方式去表达怒火，但实际上，如果他们能够选择直接的方式表达愤怒，他们将获得极大的解脱。9号的内心总是在挣扎，一面是不断累积的被压抑已久的愤怒情绪，另一面是对各方立场的全面考虑和顾虑。如

*调停者把伴侣的兴趣爱好和需求看作是他们自己的。9 号认为，这种把注意力高度集中在对方身上的做法是与对方的融合。*

果他们能够从这种挣扎中摆脱，把愤怒表达出来，他们就会如释重负。

从愤怒情绪的产生到最终的发泄，中间有一个很长的过程。因为一开始，9 号会认为他人的观点是对的。然后有一段很长的延迟期，因为 9 号要检查所有的相关方面，才能做出自己的判断。最后，在他们确信自己有理由生气后，所有的愤怒才会被表达出来。一旦愤怒得到表达，往往会具有火山爆发的效应，让周围那些已经习惯了 9 号温柔点头的人大吃一惊。

在 9 号爆发愤怒之前，一般还会经历长时间的郁郁寡欢，但是当沉睡的 9 号终于清醒过来，当他们认识到自己的确很生气时，他们说自己就像冬眠的熊被唤醒了一样，因为自己的真实需求被长时间压抑而愤怒不已。

虽然我很难明确我自己的立场，但我也会对他人的所作所为感到愤怒，不过我一般不会表现出来。一年中我只会偶尔爆发几次，但每次爆发都很可怕。我自己会变得兴奋不已，整个身体突然充满活力，这种活力好像是对我终于找到自己的立场并表达出来的奖励。

现在我学会了把自己的怒火及时表达出来，我并不需要去特别针对某个人。而且我发现，世界并不会因为我说出自己的立场而在我面前坍塌。这和以前的我是完全不一样的，我原来觉得说出自己的想法特别困难，要是让我用行动去实现我的想法就更困难了。

# 亲密关系

调停者把伴侣的兴趣爱好和需求看作是他们自己的。他们的伴侣成了他们做出选择的参照物，9 号既可能因为对方的愿望而受到鼓舞，也可能顽固地与对方作对。9 号认为，这种把注意力高度集中在对方身上的做法是与对方的融合。他们说，在拥有爱情的亲密关系中，融合是不可避免的，只有融合才能消除人与人之间的分离感。

9 号能够轻而易举地描绘出他人的感觉，这比让他们发现自己的感觉更容易。他们还说，如果他们的选择没有带来美好的结果，他们就会觉得自己被控

*9 号往往能够让两性关系维持很久，即便是在最初的甜蜜感已经荡然无存后，他们也会习惯性地去保持这段关系，哪怕这种关系已经不再是他们的真实选择。*

制了。他们会因此而抱怨，而这恰恰是因为他们把两性关系的主导权交给了对方，让对方成了他们观点的决定者。

当 9 号陷入爱河时，他们总是希望能够完全和对方融合，把他人的生活当作自己的生活。但是他们这样做，并不是希望能够操纵对方，能够从二者的关系中获利，或者成为二者关系的主宰者。

调停者为了满足伴侣的需求，其投入程度往往更甚于对自身需求的满足。他们会因为对方的愿望而聚集大量的动力，亲密关系可以成为让 9 号在生活中继续向前的重要动力。他们总是能够强烈地感受到他人的愿望，从积极的方面来看，这种本领能够让他们真正深入地了解另一个人；从消极的方面来看，他们很可能因此失去自己的观点。

我总是能注意到我丈夫的想法，但是当他询问我的想法时，我却不知所措。我能够在我们俩的关系中完全失去对自我的感觉，所以我的问题在于，我看到的到底是谁的脸？我感觉的到底是谁的情绪？有一种完全混合的错乱感，好像我们两个人已经变成了一个人。这种感觉可以突然产生，比如我明明站在屋子的另一端，却感觉自己脱离了自己的身躯，和他融为了一体。如果他坚持询问我的立场，尤其是当我感觉已经和他融为一体的时候，我就觉得他好像要有意让我说出什么，把我和他分离开，但是我不希望破坏这种联系。

因为 9 号能够把伴侣当作自己来感觉，如果他们遇到一个理想的伴侣，他们就会渴望完全融入到对方的生活中，把对方变成自己生活的动力。这往往让他们一旦陷入，就很难放手，因为分手就好像是要切掉自己身上的一块肉一样。也正因为如此，9 号往往能够让两性关系维持很久，即便是在最初的甜蜜感已经荡然无存后，他们也会习惯性地去保持这段关系，哪怕这种关系已经不再是他们的真实选择。

如果没有一个可以依靠的对象，9 号就会感受到他们内心的麻木，就会产生一种"有什么用"的感觉。为了掩盖这种内心的空虚麻木，他们可能会不加选择地向多个对象放电，也可能把自己的能量转移到一些不重要的活动中，借此来忽略自己真正的需求。

9 号性格者实际上是希望有人来询问他们的想法的，他们希望有人能帮助他们找到自己的位置。其实，在他们希望与对方融合的愿望背后，还隐藏着另一个同样强烈的愿望，就是能够自由独立，能够拒绝与他人的融合，能够拒绝他人的要求。他们外在的顺从常常伴随着内在的反抗，这让他们往往不情愿做出最后的表态。他们回避完全的承诺。在他们内心一直有一个没有解答的问题：我的选择是对的吗？

我能让自己如此融入一位异性的思想和生活，这一事实让我觉得自己受到了控制。如果我被对方所吸引，那表面上一切都会很好，我会掩盖自己的嫉恨和不满，哪怕 10 年也没问题。但是一旦出现了问题，我的记忆就会立刻找回当初的嫉恨感觉。

如果我是那个想要摆脱关系的人，我往往会陷入骑墙的状态，既不想离开，又不想留下。这种矛盾的感觉是我再熟悉不过的了，它可能会持续好几年的时间，但是我却不会直接向我的伴侣表明。

我会通过一些间接的途径来暗示她，我会去支持其他人，或者疏远我们之间的感情联系。如果走是走是留的问题让我过于苦恼，我就会开始发展很多新的关系，这样我就不用下决心去维持某一段关系。

从好的方面来看，9 号性格者能够无条件地尊重对方。他们很少去维护自己的形象和地位，他们可以完全听从对方的意见。9 号可以清楚感受到他人的情感需要，会把他人的困境看作自己的困境。在情感出现问题时，他们会保持一个坚定的、积极的态度。

从不好的方面来看，9 号性格者会完全忽略真正的动机，他们把爱当作一种习惯，而不是一种真实的感觉。他们宁愿一直停留在一个安全的、可预测的中间地带，也不愿去体验情感生活的高潮和低谷。

## 夫妻关系实例：9 号 vs. 2 号——调停者 vs. 给予者

9 号性格者总是对个人的目的感到困惑，这往往会吸引住 2 号，想要去帮助他们。如果这是一种成熟的帮助，那么9号会很乐意被挑选出来接受2号的关注。9号会在支持和关爱中迸发，如果他们能够让其他人高兴，他们就能更好地发挥自己的潜能。如果2号引以为骄傲的方面，正好是9号的才华所在，那2号对9号就会更加有用。

这两种人都很情绪化。9号性格者想要通过自己的伴侣找到生活的动机，而2号性格者则希望知道在他们的众多自我中，哪一个才是真正的自我。因此，双方都可能在潜意识中受到对方的严重影响。2号可能会改变自己的做法，转而去考虑"我的伴侣会喜欢什么"，他们的这种转变很容易被9号发现，因为9号也有同样的想法。9号能够帮助2号去区分哪个是真实的自我，哪个是调整后的自我；而2号则会通过改变自己的形象，来激发9号的爱慕之情。

这两种人的关注点都在对方身上，他们都想满足对方的需求。9号会选择性爱作为与对方进行真正接触的途径，而2号非常喜欢他人对自己的性关注。尽管2号可能更喜欢这种关注的感觉，而不是真正的性关系，但双方对于非言语接触都会有一种自然的理解，这可以成为他们亲密关系的基石。

2号性格者很在意自己的外表形象和公共场合的魅力，他们也将帮助9号对自己的个人形象和表现树立起信心。在夫妇二人共同营造的安全环境中，2号能够把9号的潜能焕发出来。

如果9号对自己的人生方向感到困惑，他们很可能会融入到2号的生活安排中，变成伴侣希望的样子。如果真是这样，那么9号一定会尽量让自己符合2号的要求，让2号为自己感到骄傲。但是9号可能会在关系发展到中途时突然清醒过来，恍然发现自己的工作、朋友、生活方式以及时间安排都受到了对方意愿的影响。

当2号变得不可缺少时，危机也随之出现。9号会逐渐感到自己被人控制了。9号会怀疑他们自己所做的一切不过是在满足2号没有说出的需求，他们开始拒绝合作，以顽固的态度来回应2号。9号会对自己的潜力有所保留，并把注意力转移到其他事情上。如果9号不再表现出可开发的潜质，2号就会觉

*从好的方面看，9 号是出色的调停者，因为他们能够与所有的观点产生共鸣。在公开冲突发生之前让他们加入其中，他们会发挥非常有效的调停作用。*

得厌烦；如果 9 号不再关注他们，2 号就会愤怒。

厌烦的心理让 2 号开始要求自由。而他们对自由的要求也会唤醒 9 号，让 9 号更想要占有 2 号，这更加增添了 2 号的怒火。如果 9 号选择转移注意力，2 号会愤怒地想要重新夺回 9 号对自己的关注。当 2 号期待关注，9 号却没有给予关注时，9 号对双方关系的影响力是最大的。如果 2 号能够去支持 9 号真正的梦想，而不是利用 9 号实现自己的需要，如果 9 号能够承担起责任，去寻找生命中真正重要的东西，他们两人的冷战局面就能够得到缓解。

# 权威关系

在情况清楚、行动明确的环境中，9 号性格者可以成为很好的领导者，但如果这个领导的位置要求他们不断进行抉择，他们就会感到不舒服。选择是最困难的，因为正方和反方似乎都有各自的道理，再加上 9 号倾向于避免未知的、有风险性的决定，这常常让他们迟迟不肯做出行动的决策。9 号喜欢已知的程序和可以预测的结果，而不是未知的希望，因为后者可能带来失望。

作为员工，9 号性格者与权威的联系完全是组织结构的关系。当任务明确、奖罚明晰时，这种关系的状态是最好的。不管自己是否会去积极争取奖励，9 号都希望有这样的机会存在。9 号把自己融入到他人身上的习惯也会在工作中有所表现，他们会反映出同事们的观点和意见。9 号会把自己融入到整个工作环境中，而不是与权威结合。他们对于那些掌管权力的人可能有一种矛盾的心理，既希望能够获得权威的指导，又因为被人领导而闷闷不乐。他们对权威的怒气一般会通过间接的渠道表达出来，比如漫不经心的工作态度或者被动的进攻行为。

从好的方面看，9 号是出色的调停者，因为他们能够与所有的观点产生共鸣。在公开冲突发生之前让他们加入其中，他们会发挥非常有效的调停作用。他们希望获得友好合作的感觉，而且对聆听他人的观点很感兴趣。如果受到公开的夸奖或积极的鼓励，他们的工作表现会更好，但是他们不会主动去寻求他人的认可。他们在公平竞争、奖罚分明的环境中表现得最好。

从不好的方面看，9号会把团队的紧张气氛放在心里，而不会主动提出积极改变的建议。他们很难明确自己的立场，而且倾向于忽略自己的反对声："反正说了也没人听。"9号喜欢回避问题，而不是采取行动、解决问题。

9号心中没有表达出来的怒火能够让他们顽固抵制领导的指挥。在他们的工作表现中有一种惯性作用：开始的时候他们总是不紧不慢，左顾右盼，等到最后了才临阵磨枪，在危急中快速完成所有工作。

## 权威关系实例：9号 vs. 7号——调停者 vs. 享乐主义者

9号老板通过制定有条不紊的工作安排，任命充满激情的得力助手，来让所有工作按部就班、有条不紊地向前发展。这些领导模式与7号性格者渴望具有实验精神和合作精神的领导方式是完全相反的。

如果9号对7号的态度置之不理，既不向7号解释清楚，也不出面维护自己的立场；如果7号根据自己的喜好重新安排工作程序，并且同时展开好几个项目，双方的关系就会越来越糟糕。7号会认为9号是呆板、强硬的，而9号则会认为7号不愿承担义务，并且态度轻狂。

如果对7号员工的接触意味着直接冲突，那9号老板将很难有效领导7号。他们会倾向于撒手不管，希望7号员工能有自知之明，主动回到正常的工作轨道上来，但结果常常使局势进一步恶化，濒临危机。9号一旦遭到谴责，他们既不愿意去主动谈判，也不愿意放弃领导，而7号则不愿意去原谅9号。这样长时间的僵持，最终还是会导致冲突爆发，9号老板会保持顽固不妥协的立场，他们也不会去告诉7号问题已经多么严重。

如果双方能够用成熟的态度来面对问题，只需从新分配一下责任，困难就会迎刃而解。比如，7号员工喜欢具有表现力的工作，他们对于领导权并没有太大兴趣。因此，7号可以去负责产品促销和形象展示的工作，他们在这方面的专业才能会让9号感到欣慰。而9号老板一定要愿意去指挥7号，清楚地告诉对方自己的要求。双方必须及时沟通，因为9号可能喜欢一个比较保守的形

*更重要的是，他们能够感受到他人生活中真正重要的东西，这主要是因为他们会习惯性地把自己的立场与他人的愿望相融合。这是9号独有的能力，他们总是能够为他人找到开启幸福美满生活的金钥匙。*

象，而7号则倾向于更具创新性的表现。另外，7号员工也要学会接受9号对整个工作过程的严格要求，及时把有关文件和说明材料送到9号手中。

如果7号是老板，整个工作程序可能是混乱，甚至是矛盾的。他们的思维总是不能固定，本来已经十分明确的事情，会突然变成众多可能之一。在9号看来，7号的领导风格是反复无常的，这也让9号对他们自己的位置感到不确定。如果9号觉得自己没有得到7号的青睐，他们会采取被动的破坏行为。9号会失去工作的兴趣，放慢工作的脚步，敷衍了事，故意留下一些破绽来吸引老板的注意。他们顽固地反抗任何形式的监控，坚持按照自己的时间和节奏进行工作，并且用沉默来表达自己没有公开的愤怒情绪。

这种糟糕的情况是可以避免的，只要9号员工的想法能够得到重视，只要他们能够获得一个抒发不满的渠道。如果9号觉得自己的意见被听取了，他们就会改变被动进攻的立场。如果他们没有表达意见的机会，他们虽然会强忍着接受现状，但是他们会把愤怒储存起来，对工作表现出漠不关心的态度。

如果7号老板聪明的话，他们会安排9号员工负责制定工作计划、指导原则以及其他一些7号自己不喜欢做的细节工作。如果工作遇到了麻烦，9号能够长时间提供坚定不移的支持。只要还有一线希望，9号员工都会发动全身力量去做最后的挽救。

# 9 号性格的闪光点

9号性格者能够提供毫不动摇的支持。这是一种特殊的支持，因为9号并不希望通过自己的支持让事情朝着有利于自己的方向发展，他们只是希望去调停，去维持和平的环境。

9号会被他人的生活深深影响。他们能够倾听他人的观点，他们无需让自己控制他人，就能理解他人。更重要的是，他们能够感受到他人生活中真正重要的东西，这主要是因为他们会习惯性地把自己的立场与他人的愿望相融合。这是9号独有的能力，他们总是能够为他人找到开启幸福美满生活的金钥匙。

## 适合9号的环境

对9号有吸引力的环境是那些有条不紊的环境，每天的工作都根据日程安排、协议以及公认的程序在进行。他们适合做办公室的工作，以及那些需要对细节进行关注的工作。

## 不适合9号的环境

很少会有9号性格者去做那些需要光鲜形象、不断自我推销的工作。他们也不喜欢那种工作程序会随时变化的工作。那些一味强调理论，而不注重细节和结构的工作，也受不到9号的青睐。

## 著名的9号性格者

整个美国邮政服务体系都属于典型的9号性格。他们有很强的组织能力和细节管理能力。邮政人员总是按照他们的规章制度有条不紊地工作着。他们在需要速度的时候，表现得漫不经心；他们会礼貌地在下午2点59分关上邮局的大门，不管你是否正抱着包裹奋力向邮局奔跑。

### 其他著名的9号性格者包括：

★ 朱莉娅·蔡尔德（Julia Child）：美国著名的法国菜烹饪家。上世纪60年代在美国始创电视烹饪节目而家喻户晓。

朱莉娅·蔡尔德
*Julia Child*

帕瓦罗蒂
*Luciano Pavarotti*

★ 帕瓦罗蒂（Luciano Pavarotti）：
意大利著名男高音歌唱家。

★ 巴克敏斯特·富勒（Buckmin-
ster Fuller）：1895－1983，美国哲
学家、建筑学家及发明家，设计
了著名的网格圆顶型建筑，对近
代建筑设计产生重大影响。

巴克敏斯特·富勒（*Buckminster Fuller*）

★ 奥勃洛摩夫（Oblomov）：俄国作家冈察洛夫所作同名小说中的主人公，
性格善良、怠惰、麻木、缺乏信心和勇气。

艾森豪威尔
*Eisenhower*

★ 艾森豪威尔（Eisenhower）：
1890－1969，美国二战将领，第
34 任美国总统。

希契科克
*Alfred Hitchcock*

★ 希契科克（Alfred Hitchcock）：
1899－1980，英国导演，以悬念
电影著称，著名作品有《39 级台
阶》等。

★ 林戈·斯塔尔（Ringo Starr）：20世纪60年代风靡全球的英国甲壳虫乐队的鼓手。（左二）

林戈·斯塔尔
*Ringo Starr*

# 9 号性格者的注意力

当9号性格者进入"自动化程序"时，他们能够在毫无感觉的情况下完成复杂的工作，根本不知道自己的身体和双手在做什么。其实我们大家都有这种在掌握了某种技能后，采取机械性运作的能力。很多人都有这样的经验，他们开车回家，一直到家门口才"清醒"过来，根本想不起自己是怎么开回来的。还有那些速记打字员，他们能够准确无误地输入每一句话，录入速度达到每分钟90个英文单词，但是他们的脑海里却可能在想着别的问题。

这些打字员的工作诀窍就是在打字的时候根本不去阅读材料。虽然他们输入的内容十分精准，但他们其实根本不知道自己输入的内容是什么。他们仅仅把完成这项机械工作所需要的最少注意力投入其中，而用其他注意力去思考其他事情。这种分配注意力的方法叫"协调处理"（coprocessing），这是一种在同一时间内运行多项大脑指令的方法。

9号性格者反映说，他们在与他人谈话时，思绪常常是时进时出。他们的一部分注意力在机械地关注谈话内容，但这并不妨碍他们去思考其他问题，或者把自己融入到对方的感觉中。

大部分9号把这种"协调处理"描绘成从一个关注物转移到另一个关注物。比如，谈话中的某一个词可以引发他们其他的回忆，在他们内心产生一段与过去的对话，让他们感到眼前的谈话与过去是如何相似。

尽管内心的注意力分散了，9 号并不会完全走神，他们还是能注意到外在谈话的发展，但这种注意是断断续续的。9 号会突然清醒地听到自己的回答，但是却忘记了谈话的主题是什么。9 号说，他们大脑里的收音机常常会同时打开 2 个或 3 个频道，让自己的意识在古典音乐、乡村音乐和摇滚音乐之间徘徊。

因为 9 号并不在意自己的位置，所以他们不会习惯性地去寻找那些对他们有利的信息。在新的环境中，他们的注意力是全方位的，他们能够考虑到所有的元素，并予以描述。但是他们不会认为有哪件事情是格外重要、需要强调的。这与 3 号性格者的注意力是完全相反的，因为 3 号的注意力只会关注新环境中支持某种特定任务的因素。这与 6 号性格者的注意力也有很大差别，6 号倾向于关注人与人之间的隐蔽联系。

9 号能够注意到所有的表面元素，以及隐藏在所有表面元素之下的互动关系，但是他们很难区分哪些是最重要的，哪些是不必要的。他们对每件事情都很在意，但是他们很难找到正确的起点，他们无法区分关键问题和背后的杂音。他们的注意力在必要和不必要之间徘徊。这种关注习惯导致他们很难拥有自己的立场。如果一个人认为每一件事情都很重要，他怎么能为自己找到一个有意义的立场呢？在他们眼中，没有什么是格外突出的，因此他们没有冲突的感觉。

## 直觉类型

在孩童时代，9 号觉得自己被忽视了。他们逐渐学会通过在自己体内感受他人的感觉，来维持与他人的联系。当他们全方位的注意力被投入到他人身上时，9 号发现自己"成了"另一个人，这个人对他们有强大的影响力。9 号有时觉得自己被完全控制了。比如，他们可能会在谈话中完全丧失自己的立场，开始表现出他们注意对象的风格、动作和观点。9 号会把他们从朋友身上感受到的感觉全部表现出来。

当我和某人很亲近时，就好像整个屋子里只有一个人，而不是两个人。我们之间没有区别，我忘了我自己，只剩下我的身体在扮演我的朋友。只要我觉得我们双方被连在了一起，我就不会想从中脱离。我所知道的最深层的亲密就是无论我的朋友感受到什么，我都能同时感受到。

9号经常提到的词就是"融入"。他们说，他们能够清楚地描述他人的观点，这比描述他们自己的观点要容易得多。他们把这种"融入"描绘为变成另一个人。这种感觉与一些功夫练习中的混合训练十分相似。

我在金门大桥（Golden Gate Bridge）上驾车行驶。我的注意力在旁边车道的一位驾驶者身上。突然，我开始感受到对方坐在驾驶位上开车的感觉。我觉得我在像他那样开车，我的肢体动作和处理方式都变得和他一样了，尽管现在他的车已经离我的车50英尺远了。

把上面这段9号司机的驾驶经历与下面这段比较一下，这段陈述来自一位合气道（Aikido，日本的一种徒手自卫术，利用对方的力气取胜）的黑带高手，他是一位6号性格者。

混合从腹部开始。你学会扩展你的感知范围，把周围的空间全部包括在内，把所有进入你感知范围的感觉，都变成你自己的感觉。你能感受到人们运动的质量和力量，你学会加入到这种动势之中，把它变成你自己的运动。

调停者说，有时候他们能感觉到对方身体中的任何情况，包括对方的健康状况、情感和思想矛盾以及不同欲望的冲突。他们如此"融入"于他人，以至于他们很难分辨哪些是他人的反应，哪些是自己的反应。

"是我对这项工作感兴趣，还是我在感觉你的兴奋？"

"是我自己想要去看电影，还是我在顺从你想做的事情？"

"是我为自己的所作所为感到高兴，还是因为我的所作所为让你感到高兴，所以我才高兴？"

当他人的形象从他们身体中离开后，9号的注意力会重新回到自己身上，他们这才会记起自己的立场。

# 高层德行：行动

9号性格者的懒惰并不是那种骨子里的懒惰，·比如早上睡懒觉，有工作也不做。正相反，9号常常会同时去做两份工作，他们总是很骄傲自己有充沛的体能。他们可以做很多事情，但是他们总是无法发现最应该做的正确事情，他们总是因为那些不必要的琐事而分心。

在我和我真正想要做的事情之间，总是有很多乱七八糟的事情。我的心就像一个杂乱的储藏间，摆满了各种各样的盒子，里面装着各种各样的事情。我在一堆一堆高高垒起的盒子间来回穿行，希望在盒子倒下来砸到我之前，把每件事情都做一点。不知道的人会觉得我好像什么事情也没有做，但那实际上是因为我的内心在不断奔波，有太多的事情等着我。

我知道自己拥有大量潜能。因为偶尔，我也会有一、两天突然能够十分明确地知道自己应该做什么，而不再被无关的琐事所干扰。

我有一次非常难忘的经历，发生在高速公路上。我记得我开车刚刚转过一个弯道，路旁的山上就掉下了一块大石头，正好落在我的车后面。我知道下一辆车转弯的时候一定会撞到这块石头上，于是我丝毫没有犹豫地停下车，以最快的速度跑回去把石头搬开了。

以我平常的力量，我根本不可能搬动那块石头，但是在那个时刻我做到了。这件事情是我人生中的一个里程碑，因为每次当我陷入绝望时，我就会想起那块石头，它和我实际上是一体的，而我所要做的，就是把我自己搬开。

# 高层心境：爱

9号性格者倾向于吸收团队的特征、环境的特征或者那些与他们相关的重要人物的特征。从心理层面来看，他们需要认同他人的愿望，借此让自己融入于他人的生活中，同时弥补忽略自身的损失。

*9 号拥有无条件去爱的潜质，因为他们已经习惯了通过自己的身体去*
*感知他人，而且他们感知他人，并不是为了控制或改变他人。他们若*
*想实现高层心境的爱，就要在感知他人的同时，不要放弃自我。*

如果没有一个可以依靠的团队或者伙伴，9 号就会感到自己内心的麻木状态，他们会说："那有什么用？如果是为我自己，仅仅是我自己，那生活毫无意义。"

9 号习惯了融入到他人的生活中，把他人的生活当作自己的生活，他们实际上是想说：不要离开我，我不会反对你。因为 9 号能够毫无保留地投入到爱中，他们的感情也会非常脆弱，他们很容易嫉妒或绝望，就好像如果失去了某个人，他们就失去了一部分自己，他们的存在就受到了威胁。

不过，正是因为 9 号的融入，他们才有可能表现出高层心境的爱。所谓高层心境的爱，是在关爱他人的同时，也能关爱自己；在关注被爱对象的同时，建立自我的参照点。

高层心境的爱与一般情感的区别就在于是否拥有自我的参照点。前者是在能够感知他人的同时，也能注意到自我感受；而后者则是完全被他人的感觉和愿望所控制。

9 号拥有无条件去爱的潜质，因为他们已经习惯了通过自己的身体去感知他人，而且他们感知他人，并不是为了控制或改变他人。所以他们已经拥有了基本能力，他们若想实现高层心境的爱，就要在感知他人的同时，不要放弃自我。

# 基本性格分支

性格的分支类型是调停者在童年时代为了取代真实愿望而培养的替代品。这些替代感觉阻止了真实愿望被忽略时所产生的焦虑感。

## 一对一关系：联合

对于 9 号来说，联合实际上就是让自己完全与对方融为一体的愿望。他们尤其希望与一个完美无缺的人融为一体。

如果我遇到了某个让我感兴趣的人，我会感到身体里有好几个输入系统在同时工作。我关注对方在讲话时的所有表现，关注对方身体不同部位做出的每一个反映，以至于对方真正说了些什么反而变得无关紧要了。

在亲密关系中，我和我丈夫的联系尤为紧密，以至于我只能从他身上感到自己的成就。如果我是一个人，我不会因为自己的所作所为感到丝毫快乐；但是如果他在我身边，如果他为我高兴，我就能从自己体内感到这种反应，就能通过他发现我自己的快乐。

## 社会关系：参与

9号性格者要么对加入到团队中表现出十足的厌恶，要么就会特别喜欢置身于社会团体之中，比如一些特殊活动的俱乐部，或者和朋友们在一起。他们喜欢大家聚在一起做一件事情的感觉，这让他们没有心思去考虑自身的需要，同时觉得自己找到了一个可以随时吸取能量的动力源。下面的陈述就来自一位喜欢参与各种活动的9号性格者：

我小时候是保龄球的冠军。我和朋友们组队，几乎每天晚上都去练习。我和他们在一起总是精力充沛。有趣的是，尽管我每周都会花很多时间来练习我的技巧，但是真正让我感到高兴的，并不是我能赢得比赛，而是我能和朋友们在一起，感受整个团队的热情。

## 自我保护：爱好

9号性格者习惯用一些虚假的爱好来取代真正的需求，比如吃过多的食物、看过多的电视、读过多的小说或者过度投入到其他的兴趣中。这种爱好还让他们喜欢收集大量不太重要的信息。

我准备为一个杂志社撰写一篇文章，这篇文章对我很重要。我的打字机背对着我的后花园，当我坐下来准备写作时，我好像看到了一系列需要做的事情。我觉得我的眼前不应该是空空荡荡的，我买来园艺书籍，我选择在不同季节盛开的花种，这样我的眼前就能一直充满各种颜色。我又购买了很多绿色植物，然后把我的花和植物种满了整个后花园。结果我浪费了3个月的时间，还没有写出一个字。

# 对9号有益的做法

当他们的内心开始沉睡时，调停者需要提醒自己注意。我们在这里说的"沉睡"，指的是他们的注意力从一个真正的个人需求转移到困惑的思考或者某项不重要的活动中。

9号性格者常常因为脱离了自己最重要的承诺，或者因为陷入物质滥用的状态，而接受心理治疗或冥想练习。他们的典型情绪是抑郁或愤怒。9号需要注意到自己在"沉睡"中表现出来的能力。一个沉睡的9号会把刚刚好的注意力分配给正在进行的谈话或者心理治疗，让你觉得他们很用心，但实际上，他们对于听到的话很可能是左耳朵进，右耳朵出。

作为受习惯驱使的生物，9号习惯了从环境的特征中来发现自己。所以要想改变他们，比较容易的方法就是改变他们生活的环境，让他们去培养新的习惯。9号性格者可以通过下列方式帮助自己：

★ 注意到自己总是想办法获得他人的积极评价，借此找到自己的位置。

★ 注意到自己喜欢把他人变成决定的参照物："我是同意他，还是反对他?"

★ 不要让举棋不定的困惑取代了自己的真实感觉和愿望。

★ 让工作项目有计划地进行，设定最后期限来帮助自己集中精力。

★ 不要保留自己的意见，把它说出来。

★ 学会一心一意地完成任务，不要被其他事情分心。

★ 不要把注意力转移到不必要的替代品上，比如食品或电视。要及时注意到这种情绪的出现。

★ 不要向他人去寻求决定的答案。9号很清楚自己不想要什么，但是却不知道自己要什么，不过他们可以通过排除法找到答案。

★ 要练习既能从他人的立场上行动，又能从自己的立场上行动。

★ 在注意力分散到不必要的事物上时，学会限制自己。

★ 关注眼前的下一步，而不是最终的目标，因为最终的目标需要一步一步地实现。

★ 注意到自己面对压力时，会变得顽固。

★ 通过想象力来释放自己的愤怒。想象自己说出或做出了最糟糕的事情，直到内心的怒火得到消减。

# 9 号需要避免的做法

当 9 号性格者试图把注意力从不必要的琐事中抽离出来时，他们说自己会碰到下列反应。当他们的真正需要逐渐显现时，那些原来通过被动反抗表达出来的怒火，也在逐渐浮出水面。愤怒实际上是改变的动力，能够帮助个人找到自己真正的立场。9 号需要注意这些表现：

★ 依赖他人的帮助，不愿与他人分开。

★ 责备他人。因为过于在意他人的愿望，一旦出现问题，就会产生"都是他们的错"的想法。

★ 变得顽固。感到来自他人的压力。不愿把问题拿到桌面上来。僵持不动，逼着对方首先采取行动。

★ 急需找到消磨时间和能量的新办法。

★ 恍惚。在谈话的时候注意力不集中，同时想着好几件事情。

★ 无法注意到真正的需要，让琐事占据了自己的注意力。

★ 习惯按部就班，从事机械性的动作。

★ 麻木、无动于衷。期望事情自己结束，而不是主动表明态度。不希望听到负面信息。

★ 总是需要得到更多的信息，等待他人的解释。

★ 工作无法善始善终。感觉受到了骚扰，不想认真对待工作。希望用最小的投入换得最大的收获。

★ 感觉有很多事情要做。不知道该从哪里做起，不知道从哪里找到能量。

这会导致：

- 如果自己的作用被忽视、被批评或者被低估，都会特别敏感。
- 害怕风险，害怕改变。认为改变会导致更多的痛苦。
- 通过转移话题，把注意力从自己身上转移出来。喜欢老生常谈，不断重复自己过去的传奇。